中華文化復興運動推行委員會(國家文化總會)
國立編譯館中華叢書編審委員會 主編

呂氏春秋今註今譯(上)

林品石 註譯

臺灣商務印書館

永恆的經典，智慧的泉源

馬英九（總統暨文化總會前會長）

中國傳統經典是民族智慧與經驗的結晶。在五千年的歷史中，這些典籍經歷戰亂的傷害，飽受文革的摧殘，然而書中蘊含的哲理，不只啟迪世世代代的炎黃子孫，且遠播於東亞及世界各國。如今學習國學經典同在兩岸盛行，並非偶然，反映這些古籍的價值跨越了時空，對二十一世紀兩岸人民，依然發揮積極的引導作用。

古人從小開始的經典教育，對一個孩子建立正確的人生觀，有非常重要的意義。而古文最迷人的地方，正在於它能將博大精深的知識，凝煉為言簡意賅的文字；將複雜的人生經驗，濃縮為一語道破的智慧。而這些修身、齊家、治國、平天下的理念，即使經過千百年的時空變遷，仍能與現代生活相結合。

我念小學二年級的時候，跟著在石門水庫任職的母親住在桃園龍潭。民國四十七年的臺灣，沒有電視可看，也沒有電晶體收音機可聽。晚上沒事，媽媽常常燈下課子，教我念古文。啟蒙的第一課是《左傳》的〈鄭伯克段於鄢〉，其中我記得最牢的一句話，就是鄭莊公對他從小被母親寵壞、長大後又驕縱謀反的弟弟共叔段所作的評語：「多行不義必自斃，子姑待之。」這句話我一直作為自惕與觀人的警語。放在今天的臺灣與世界的時空中，不也是很適用嗎？

上高中後，父親常常以晚清名臣曾國藩的家訓「唯天下至誠能勝天下至偽，唯天下至拙能勝天下至巧」來訓勉我。當初覺得陳義過高，似乎不切實際，但年紀愈大，閱歷愈多，愈覺得有道理。「尚誠尚拙、去偽去巧」的理念，也成為我為人處事的哲學。

民國八十年（一九九一）十二月，聯合國大會通過決議，要求各國全面禁止漁民在海洋使用「流刺網」（driftnet）捕魚，以免因為網目太小，造成大小通吃而使漁源枯竭。讀過《孟子》梁惠王篇的人，一定會覺得這個國際規範似曾相識。這位兩千多年前的亞聖不早就說過「數罟不入洿池，魚鱉不可勝食也」嗎？我不能不承認，孟子的保育觀念，實在非常先進。同樣的，他對齊宣王所說大小諸侯之間交往的原則，也可適用到今天的兩岸關係：「惟仁者為能以大事小……惟智者為能以小事大……以大事小者，樂天者也，以小事大者，畏天者也。樂天者，保天下；畏天者，保其國。」兩岸真能照辦，臺海還會不和平繁榮嗎？

民國九十五年（二〇〇六）十月，臺灣被貪腐的烏雲籠罩，民怨沸騰，當時總統府前廣場群眾豎起兩層樓高的海報標語，上面寫的就是「禮義廉恥」四個大字。二十一世紀臺灣街頭群眾運動的訴求，居然是二千五百多年前春秋時代齊國宰相管仲的名言，這是民主化後的臺灣，人生觀與價值觀的回歸，同時也是古典智慧的再現！

國家文化總會的前身是「中華文化復興運動推行委員會」（文復會），四十多年前曾與國立編譯館、臺灣商務印書館邀集國內多位國學大師共同出版《古籍今註今譯》系列，各界評價甚高，一時洛陽紙貴。如今重新刊印，邀我作序，實不敢當，忝為會長，礙難不從。謹在此分享一些讀經的親身感受，並期待古典文化的智慧，就像在歷史長河中的一盞明燈，繼續照亮中華民族的未來。

在時間的長河中

楊渡（文化總會祕書長）

時間是殘酷的，因為它會淘洗去所有的肉體與外在，虛華與偽飾。所有的慶典，權柄和武器，都有寂寞、生鏽、消逝的一天。

時間是溫柔的，因為它也留存了文明的光。唐朝沒有了宮殿，卻為我們留下李白和李商隱的詩句。長安的美麗，不是存在於西安，而是存在於詩句裡。

所有的政治風暴都會消逝，所有的權力都會轉移，所有的歷史，都見證著朝代的不斷更迭，才是進步的必然。然而到最後，什麼會留存下來？

文化總會的前身是「文化復興總會」，它是為了因應文化大革命對中國傳統文化的破壞，以「復興中華文化」為宗旨，而設立起來的。為了反制文革，總會特地請當時最好的學者，對四書、詩經、周易、老莊、春秋等進行今註今譯，以推廣典籍閱讀。當時聘請的學者，包括了南懷瑾、屈萬里、林尹、王夢鷗、史次耘、陳鼓應等，堪稱一時之選，連續出版了諸子百家的經典。這工作也持續了好幾年。

文化大革命的風暴過去之後，文復會性質慢慢改變，直到李登輝時代，它變成民間文化團體，舉辦一些文化活動。等到民進黨執政，由於去中國化，這些傳統文化的研究被忽略，束之高閣。然而，歷史多麼反諷，當文革過去，在經濟富裕後的現代大陸，由於缺少思想的指引，人們卻開始重讀古代典籍，而有諸子百家講堂與各種當代閱讀，古書今讀，竟成顯學。當年搞文革的卻已經悄悄的「復興中華文化」了。

反觀臺灣，這些由學養深厚的專家所寫的典籍今註今譯，卻因政治原因未受到重視。現在回頭看經典，細心體會古代的智慧，而不是用政治符號去切割知識典籍，我們才會開始懂得謙卑。歷史這樣長，而我們只是風中的塵埃。一如聖嚴法師所留下的偈：「無事忙中過，空裡有哭笑。」能留下的，只是無形的智慧，美麗的詩句，和千年的夢想。

當政治的風暴過去之後，什麼會留存下來？時間有多殘酷，我不知道。我只知道，中國傳統經典的生命，一定會生存得比政權更遠，更深，更厚。

我只知道，當古老的「禮義廉恥」，成為二十一世紀反貪腐抗議群眾運動的標語時，整個中華文明已經走向另一個階段。那是作為人的價值觀的百劫回歸，那是自信自省的開端。古老的，或許比現代更新、更有力，更象徵著數千年文明的總結。

而我們，只是千年文明裡的小小學生，仍在古老的經籍中，探詢著生命終極的意義，並且，尋找前行的力量。

《古籍今註今譯》總統推薦版序

中華文化精深博大，傳承頌讀，達數千年，源遠流長，影響深遠。當今之世，海內海外，莫不重新體認肯定固有傳統，中華文化歷久彌新、累積智慧的價值，更獲普世推崇。

語言的定義與運用，隨著時代的變動而轉化；古籍的價值與傳承，也須給予新的註釋與解析。商務印書館在先父王雲五先生的主持下，民國一〇年代曾經選譯註解數十種學生國學叢書，流傳至今。

臺灣商務印書館在臺成立六十餘年，繼承上海商務印書館傳統精神，以「宏揚文化、匡輔教育」為己任。五〇年代，王雲五先生自行政院副院長卸任，重新主持臺灣商務印書館，仍以「出版好書，匡輔教育」為宗旨。當時適逢國立編譯館中華叢書編審委員會編成《資治通鑑今註》（李宗侗、夏德儀等校註），委請臺灣商務印書館出版，全書十五冊，千餘萬言，一年之間，全部問世。

王雲五先生認為，「今註資治通鑑，雖較學生國學叢書已進一步，然因若干古籍，文義晦澀，今註之外，能有今譯，則相互為用，今註可明個別意義，今譯更有助於通達大體，寧非更進一步歟？」

因此，他於民國五十七年決定編纂「經部今註今譯」第一集十種，包括：詩經、尚書、周易、周禮、禮記、春秋左氏傳、大學、中庸、論語、孟子，後來又加上老子、莊子，共計十二種，改稱《古籍今註今譯》，參與註譯的學者，均為一時之選。

臺灣商務印書館以純民間企業的出版社，來肩負中華文化古籍的今註今譯工作，確實相當辛苦。中華文化復興運動總會（國家文化總會前身）成立後，一向由總統擔任會長，號召推動文化復興重任，素有成效。六〇年代，王雲五先生承蒙層峰賞識，委以重任，擔任文復會副會長。他乃將古籍今註今譯列入文復會工作計畫，廣邀文史學者碩彥，參與註解經典古籍的行列。文復會與國立編譯館中華叢書編審委員會攜手合作，列出四十二種古籍，除了已出版的第一批十二種是由王雲五先生主編外，文復會與國立編譯館主編的有二十一種，另有八種雖列入出版計畫，卻因各種因素沒有完稿出版。臺灣商務印書館另外約請學者註譯了九種，加上《資治通鑑今註》，共計出版古籍今註今譯四十三種。茲將書名及註譯者姓名臚列如下，以誌其盛：

序號	書名	註譯者	主編	初版時間
1	尚書	屈萬里	王雲五（臺灣商務印書館）	五八年九月
2	詩經	馬持盈	王雲五（臺灣商務印書館）	六〇年七月
3	周易	南懷瑾	王雲五（臺灣商務印書館）	六三年十二月
4	周禮	林尹	王雲五（臺灣商務印書館）	六一年九月
5	禮記	王夢鷗	王雲五（臺灣商務印書館）	七三年一月
6	春秋左氏傳	李宗侗	王雲五（臺灣商務印書館）	六〇年一月
7	大學	楊亮功	王雲五（臺灣商務印書館）	六六年二月
8	中庸	楊亮功	王雲五（臺灣商務印書館）	六六年二月
9	論語	毛子水	王雲五（臺灣商務印書館）	六四年十月
10	孟子	史次耘	王雲五（臺灣商務印書館）	六二年二月
11	老子	陳鼓應	王雲五（臺灣商務印書館）	五九年五月

12	莊子	陳鼓應	王雲五（臺灣商務印書館）	六四年十二月
13	大戴禮記	高明	文復會、國立編譯館	六四年四月
14	春秋公羊傳	李宗侗	文復會、國立編譯館	六二年五月
15	春秋穀梁傳	薛安勤	臺灣商務印書館	八三年八月
16	韓詩外傳	賴炎元	文復會、國立編譯館	六一年九月
17	孝經	黃得時	文復會、國立編譯館	六一年七月
18	列女傳	張敬	文復會、國立編譯館	八三年六月
19	新序	盧元駿	文復會、國立編譯館	六四年四月
20	說苑	盧元駿	文復會、國立編譯館	六六年二月
21	墨子	李漁叔	文復會、國立編譯館	六三年五月
22	荀子	熊公哲	文復會、國立編譯館	六四年九月
23	韓非子	邵增樺	文復會、國立編譯館	七一年九月
24	管子	李勉	文復會、國立編譯館	七七年七月
25	孫子	魏汝霖	文復會、國立編譯館	六一年八月
26	史記	馬持盈	文復會、國立編譯館	六八年七月
27	商君書	賀凌虛	文復會、國立編譯館	七六年三月
28	太公六韜	徐培根	文復會、國立編譯館	六五年二月
29	黃石公三略	魏汝霖	文復會、國立編譯館	六四年六月
30	司馬法	劉仲平	文復會、國立編譯館	六四年十一月
31	尉繚子	劉仲平	文復會、國立編譯館	六四年十一月
32	吳子	傅紹傑	文復會、國立編譯館	六五年四月
33	唐太宗李衛公問對	曾振	文復會、國立編譯館	六四年九月
34	資治通鑑今註	李宗侗等	國立編譯館	五五年十月
35	春秋繁露	賴炎元	文復會、國立編譯館	七三年五月

序號	書名	譯註者	主編	
36	公孫龍子	陳癸淼	文復會、國立編譯館	七五年一月
37	晏子春秋	王更生	文復會、國立編譯館	七六年八月
38	呂氏春秋	林品石	文復會、國立編譯館	七四年二月
39	黃帝四經	陳鼓應	臺灣商務印書館	八四年六月
40	人物志	陳喬楚	文復會、國立編譯館	八五年十二月
41	近思錄、大學問	古清美	文復會、國立編譯館	八九年九月
42	抱朴子內篇	陳飛龍	文復會、國立編譯館	九〇年一月
43	抱朴子外篇	陳飛龍	文復會、國立編譯館	九一年一月
44	四書（合訂本）	楊亮功等	王雲五（臺灣商務印書館）	六八年四月

已列計畫而未出版：

序號	書名	譯註者	主編	
1	國語	張以仁	文復會、國立編譯館	
2	戰國策	程發軔	文復會、國立編譯館	
3	淮南子	于大成	文復會、國立編譯館	
4	論衡	阮廷焯	文復會、國立編譯館	
5	楚辭	楊向時	文復會、國立編譯館	
6	文心雕龍	余培林	文復會、國立編譯館	
7	說文解字	趙友培	國立編譯館	
8	世說新語	楊向時	國立編譯館	

民國七十年，文復會秘書長陳奇祿先生、國立編譯館與臺灣商務印書館再度合作，將當時已出版的二十九種古籍今註今譯，商請原註譯學者和適當人選重加修訂再版，使整套古籍今註今譯更加完善。

九十八年春，國家文化總會秘書長楊渡先生，約請臺灣商務印書館總編輯方鵬程研商，計議重新編輯出版《古籍今註今譯》，懇請總統會長撰寫序言予以推薦，並繼續約聘學者註譯古籍，協助青年學子與國人閱讀古籍，重新體認固有傳統與智慧，推廣發揚中華文化。

臺灣商務印書館經過詳細規劃後，決定與國家文化總會、國立編譯館再度合作，重新編印《古籍今註今譯》，首批十二冊，以儒家文化四書五經為主，在今年十一月十二日中華文化復興節出版，以後每三個月出版一批，將來並在適當時機推出電子版本，使青年學子與海內外想要了解中華文化的人士，有適當的版本可研讀。二十一世紀必將是中華文化復興的新時代，讓我們共同努力。

臺灣商務印書館董事長 **王學哲** 謹序　民國九十八年九月

編纂古籍今註今譯序

古籍今註今譯，由余歷經嘗試，認爲有其必要，特於中華文化復興運動推行委員會成立伊始，研議工作計劃時，余鄭重建議，幸承採納，經於工作計劃中加入此一項目，並交由學術研究出版促進委員會主辦。茲當會中主編之古籍第一種出版有日，特舉述其要旨。

由於語言文字習俗之演變，古代文字原爲通俗者，在今日頗多不可解。以故，讀古書者，尤以在具有數千年文化之我國中，往往苦其文義之難通。余爲協助現代青年對古書之閱讀，在距今四十餘年前，曾爲商務印書館創編學生國學叢書數十種，其凡例如左：

一、中學以上國文功課，重在課外閱讀，自力攻求；教師則爲之指導焉耳。惟重篇巨帙，釋解紛繁，得失互見，將使學生披沙而得金，貫散以成統，殊非時力所許；是有需乎經過整理之書篇矣。該館鑒此，遂有學生國學叢書之輯。

一、本叢書所收，均重要著作，略舉大凡；經部如詩、禮、春秋；史部如史、漢、五代；子部如莊、孟、荀、韓，並皆列入；文辭則上溯漢、魏，下迄五代；詩歌則陶、謝、李、杜，均有單本；詞則多采五代、兩宋；曲則擷取元、明大家；傳奇、小說，亦選其英。

一、諸書選輯各篇，以足以表見其書、其作家之思想精神，文學技術者爲準；其無關宏旨者，概從刪削。所選之篇類不省節，以免割裂之病。

一、諸書均爲分段落，作句讀，以便省覽。

一、諸書均有註釋；古籍異釋紛如，卽采其較長者。

一、諸書較爲罕見之字，均注音切，並附注音字母，以便諷誦。

一、諸書卷首，均有新序，述作者生平，本書概要。凡所以示學生研究門徑者，不厭其詳。

然而此一叢書，僅各選輯全書之若干片段，猶之嘗其一臠，而未窺全豹。及民國五十三年，余謝政後重主該館，適國立編譯館有資治通鑑今註之編纂，甫出版三冊，以經費及流通兩方面，均有借助於出版家之必要。商之於余，以其係就全書詳註，足以彌補余四十年前編纂學生國學叢書之闕，遂予接受；甫歲餘，而全書十有五冊，千餘萬言，已全部問世矣。

余又以資治通鑑今註，雖較學生國學叢書已進一步；然因若干古籍，文義晦澀，今註以外，能有今譯，則相互爲用；今註可明個別意義，今譯更有助於通達大體，寧非更進一步歟？

幾經考慮，乃於五十六年秋決定爲商務印書館編纂經部今註今譯第一集十種，其凡例如左：

一、經部今註今譯第一集，暫定十種，如左：

㈠詩經、㈡尚書、㈢周易、㈣周禮、㈤禮記、㈥春秋左氏傳、㈦大學、㈧中庸、㈨論語、㈩孟子。

二、今註仿資治通鑑今註體例，除對單字詞語詳加註釋外，地名必註今名，年份兼註公元；衣冠文物莫不詳釋，必要時並附古今比較地圖與衣冠文物圖案。

三、全書白文約五十萬言，今註假定占白文百分之七十，今譯等於白文百分之一百三十，合計白文連註譯約爲一百五十餘萬言。

四、各書按其分量及難易，分別定期於半年內繳清全稿。

五、各書除付稿費外，倘銷數超過二千部者，所有超出之部數，均加送版稅百分之十。

以上經部要籍雖經一一約定專家執筆，惟蹉跎數年，已交稿者僅五種，已出版者僅四種，而每種字數均超過原計劃，有至數倍者，足見所聘專家無不敬恭將事，求備求全，以致遲遲殺青。嗣又加入《老子》、《莊子》二書，其範圍超出經籍以外，遂易稱古籍今註今譯，《老子》一種亦經出版。

至於文復會之學術研究出版促進委員會根據工作計劃，更選定第一期應行今註今譯之古籍約三十種，經史子無不在內，除商務書館已先後擔任經部十種及子部二種外，餘則徵求各出版家分別擔任。深盼羣起共鳴，一集告成，二集繼之，則於復興中華文化，定有相當貢獻。

惟是洽商結果，共鳴者鮮。文復會谷祕書長岐山先生對此工作極爲重視，特就會中所籌少數經費，撥出數十萬元，並得國立編譯館劉館長泛池先生贊助，允任稿費之一部分，統由該委員會分約專家，就此三十種古籍中，除商務書館已任十二種外，一一得人擔任，計由文復會與國譯館共同負擔者十有七種，由國譯館獨任者一種。於是第一期之三十種古籍，莫不有人負責矣。嗣又經文復會決定，委由商務印書館統一印行。唯盼執筆諸先生於講學研究之餘，儘先撰述，俾一二年內，全部三十種得以陸續出版，則造福於讀書界者誠不淺矣。

文復會副會長兼學術研究出版促進委員會主任委員 **王雲五** 謹識

民國六十一年四月廿日

「古籍今註今譯」序

中華民國五十五年十一月十二日，國父百年誕辰，中山樓落成。蔣總統發表紀念文，倡導復興中華文化，全國景從。孫科、王雲五、孔德成、于斌諸先生等一千五百人建議，發起我中華文化復興運動，冀使中華文化復興並發揚光大。於是，海內外一致響應。復由政府及各界人士的共同策動，中華文化復興運動推行委員會於民國五十六年七月二十八日，正式成立，恭推　蔣總統任會長，並請孫科、王雲五、陳立夫三先生任副會長，本人擔任秘書長。

文化的內涵極為廣泛，中華文化復興的工作，絕不是中華文化復興運動推行委員會一個機構的努力可以達成的，而是要各機關社團暨海內外每一個國民盡其全力來推動。但中華文化復興運動推行委員會，在整個中華文化復興工作中，負有策劃、協調、鼓勵與倡導的任務。八年多來，中華文化復興運動推行委員會，本著此項原則，在默默中做了許多工作，然而卻很少對外宣傳，因為我們所期望的，不是個人的事功，而是中華文化的光輝日益燦爛，普遍地照耀於全世界。

學術是文化中重要的一環，我國古代的學術名著很多，這些學術名著，蘊藏著中國人智慧與理想的精華，象徵著中華文化的精深與博大，也給予今日的中國人以榮譽和自信心。要復興中華文化，就應該讓今日的中國人能讀到而且讀懂這些學術名著，因此，中華文化復興運動推行委員會，在其推行計劃中，即列有「發動出版家編印今註今譯之古籍」一項，並會請各出版機構對歷代學術名著，作有計劃的整理註譯。但由於此項工作浩大艱巨，一般出版界因限於人力、財力，難肩此重任，王雲五先生為中華文化復興運動推行委員會副會長，並兼任學術研究出版促進委員會主任委員，乃以臺灣商務印書館率先倡導，將尚書、詩經、周易等十二種古籍加以今註今譯。（稿費及印刷費用全由商務印書館自行負擔。）然而，歷代學術名著值得令人閱讀者實多，中華文化復興運動推行委員會，遂再與國立編譯館洽商，共同約請學者專家從事更多種古籍的今註今譯，所需經費由中華文化復興運動推行委員會與國立編譯館中華叢書編審委員會共同負責籌措，承蒙國立編譯館慨允合作，經決定將大戴禮記、公羊、穀梁等二十七種古籍，請學者專家進行註譯，國立編譯館並另負責註譯「說文解字」及「世說新語」兩種。於是前後計劃著手今註今譯的古籍，得達到四十一種之多，並已分別約定註譯者。其書目為：

古籍名稱	註譯者	主編者
尚書	屈萬里	王雲五先生（臺灣商務印書館）
詩經	馬持盈	王雲五先生（臺灣商務印書館）
周易	南懷瑾	王雲五先生（臺灣商務印書館）
周禮	林尹	王雲五先生（臺灣商務印書館）
禮記	王夢鷗	王雲五先生（臺灣商務印書館）
春秋左氏傳	李宗侗	王雲五先生（臺灣商務印書館）
大學	楊亮功	王雲五先生（臺灣商務印書館）
中庸	楊亮功	王雲五先生（臺灣商務印書館）
論語	毛子水	王雲五先生（臺灣商務印書館）

孟子	史次耘	王雲五先生（臺灣商務印書館）
老子	陳鼓應	王雲五先生（臺灣商務印書館）
莊子	陳鼓應	王雲五先生（臺灣商務印書館）
大戴禮記	高明	中華文化復興運動推行委員會、國立編譯館中華叢書編審委員會
公羊傳	李宗侗	中華文化復興運動推行委員會、國立編譯館中華叢書編審委員會
穀梁傳	周何	中華文化復興運動推行委員會、國立編譯館中華叢書編審委員會
韓詩外傳	賴炎元	中華文化復興運動推行委員會、國立編譯館中華叢書編審委員會
孝經	黃得時	中華文化復興運動推行委員會、國立編譯館中華叢書編審委員會
國語	張以仁	中華文化復興運動推行委員會、國立編譯館中華叢書編審委員會
戰國策	程發軔	中華文化復興運動推行委員會、國立編譯館中華叢書編審委員會
列女傳	張敬	中華文化復興運動推行委員會、國立編譯館中華叢書編審委員會
新序	盧元駿	中華文化復興運動推行委員會、國立編譯館中華叢書編審委員會
說苑	盧元駿	中華文化復興運動推行委員會、國立編譯館中華叢書編審委員會
墨子	李漁叔	中華文化復興運動推行委員會、國立編譯館中華叢書編審委員會
荀子	熊公哲	中華文化復興運動推行委員會、國立編譯館中華叢書編審委員會
韓非子	邵增樺	中華文化復興運動推行委員會、國立編譯館中華叢書編審委員會
管子	李勉	中華文化復興運動推行委員會、國立編譯館中華叢書編審委員會
淮南子	于大成	中華文化復興運動推行委員會、國立編譯館中華叢書編審委員會
孫子	魏汝霖	中華文化復興運動推行委員會、國立編譯館中華叢書編審委員會
論衡	阮廷焯	中華文化復興運動推行委員會、國立編譯館中華叢書編審委員會
史記	馬持盈	中華文化復興運動推行委員會、國立編譯館中華叢書編審委員會
楚辭	楊向時	中華文化復興運動推行委員會、國立編譯館中華叢書編審委員會
商君書	賀凌虛、張英琴	中華文化復興運動推行委員會、國立編譯館中華叢書編審委員會
太公六韜	徐培根	中華文化復興運動推行委員會、國立編譯館中華叢書編審委員會

黃石公三略	魏汝霖	中華文化復興運動推行委員會、國立編譯館中華叢書編審委員會
司馬法	劉仲平	中華文化復興運動推行委員會、國立編譯館中華叢書編審委員會
尉繚子	劉仲平	中華文化復興運動推行委員會、國立編譯館中華叢書編審委員會
吳子	傅紹傑	中華文化復興運動推行委員會、國立編譯館中華叢書編審委員會
唐太宗、李衛公問對	曾振	中華文化復興運動推行委員會、國立編譯館中華叢書編審委員會
文心雕龍	余培林	中華文化復興運動推行委員會、國立編譯館中華叢書編審委員會
說文解字	趙友培	國立編譯館中華叢書編審委員會
世說新語	楊向時	國立編譯館中華叢書編審委員會

以上四十一種今註今譯古籍均由臺灣商務印書館肩負出版發行責任。當然，中國歷代學術名著，有待今註今譯者仍多。只是限於財力，一時難以立即進行，希望在這四十一種完成後，再繼續選擇其他古籍名著加以註譯。

古籍今註今譯的目的，在使國人對艱深難解的古籍能夠易讀易懂，因此，註譯均用淺近的語體文，希望國人能藉今註今譯的古籍，而對中國古代學術思想與文化，有正確與深刻的瞭解。

或許有人認為選擇古籍予以註譯，不過是保存固有文化，對其實用價值存有懷疑。但我們認為中華文化復興並非復古復舊，而在創新。任何「新」的思想（尤其是人文與社會科學方面，無不緣於「舊」的思想蛻變演進而來。所謂「溫故而知新」，不僅歷史學者要讀歷史文獻，化學家豈能不讀化學史與前人化學文獻？生物學家豈能不讀生物學史與前人生物學文獻？文學家豈能不讀文學史與古典文獻？讀史與讀前人的著作，正是吸取前人文化所遺留的經驗、智慧與思想，如能藉今註今譯的古籍，讓國人對固有文化有充分而正確的瞭解，增加對固有文化的信心，進而對固有文化注入新的精神，使中華文化成為世界上最受人仰慕的一種文化，那麼，中華文化的復興便可拭目而待，而倡導文化復興運動的目的也就達成了。所以，我們認為選擇古籍予以今註今譯的工作，對復興中華文化而言是正確而有深遠意義的。

今註今譯是一件不容易做的工作，我們所約請的註譯者都是學識豐富而且對其所註譯之書有深入研究的學者，他們從事註譯工作的態度也都相當嚴謹，有時為一字一句之考證、勘誤，參閱與該註譯之古籍有關書典達數十種之多者。其對中華文化負責之精神如此。我們真無限地感謝擔任註譯工作的先生們，為復興文化所作的貢獻。同時我們也感謝王雲五先生的鼎力支持，使這項艱巨的工作得以順利進行。中華文化復興運動推行委員會所屬學術研究出版促進委員會，對於這項工作的策畫、協調、聯繫所竭盡之心力，在整個中華文化復興運動的過程中，也必將留下不可磨滅的紀錄。

谷鳳翔序於臺北市

中華民國六十四年八月十九日

「古籍今註今譯」續序

中國文化淵深博大，語其深，則源泉如淵；語其廣，則浩瀚無涯；語其久，則悠久無疆。上探宇宙之奧祕，下窮人事之百端。應乎天理，順乎人情。以天人為一體，以四海為一家。氣象豪邁，體大思精。一切研究發展，以人為中心，以實事求是為精神。不尚虛玄，力求實效。遂自然演成人文文化，為中國文化之可貴特徵。

文化的創造為生活，文化的應用在生活。離開生活就沒有文化。文化是個抽象的名詞，內而存於心，外而發於言，見於行。不知不覺自然流露，自然表現，所以稱之曰「化」。一言一默，一動一靜，無形中都受文化的影響。發於聲則為詩、為歌；見於行則為事；著於文則為典籍書冊，皆出於自然。聲可聞，事可見，但轉瞬消逝不復存。惟有著為典籍書冊者，既可行之遠，又能傳之久。後之人欲於耳目之外，上知古之人、古之事，則惟有求之於典籍，則典籍之於文化傳播，為惟一之憑藉。

中華民族明於理，重於情。人與人之間有相同的好惡，相同的感覺，相同的是非。因此，心與心相通，事與事相關，禍與福相共，甚至願望相求，知識、經驗、閱歷……等等，無一不想彼此相貫通、相交換、或相傳授。這是中國人特別著重的心理要求。大家一樣，這些心理要求，靠聲音、靠行動，都不能行之遠，傳之久。必欲達此目的，只有利用文字，著於典籍書冊了。書冊著成，心理要求達成了，自己的知識，經驗閱歷，乃至於情感、願望，一切藉文字傳出了。生命不朽，精神長存。可貴的中國文化，一代一代的寶貴經驗閱歷，皆可藉此傳播至無限遠，無窮久。因此，我認為中國古書即中國文化之結晶。

在讀者一面講，藉著典籍書冊，可與古人相交通，彼此心心相印，情感交流。最重要者應該說是文化的流傳，教訓的接納，成敗得失的鑒戒，都可由此得到收穫。我們要知道，文化是要積累進步的，不接受前人的經驗和寶貴的知識學問，後人即無法得到積累的進步。一代一代積累下去，文化才有無窮的創造和進步。因此，讀書，讀古人書，讀千錘百鍊而不磨滅的書，遂成青年人不可忽視的要務。

古今文字有演變，文學風格，文字訓詁也有許多改變。讀起來不免事倍功半。近年朝野致力於文化復興、文化建設，讀古書即成最先急務。為了便利閱讀，把一部一部古書用今日的語言，今人的解釋，整理編印起來，稱為今註今譯。

本會故前副會長王雲五先生在其所主持的臺灣商務印書館，首先選定古籍十二種，予以今註今譯。本會學術研究出版促進委員會與教育部國立編譯館中華叢書編審委員會繼續共同辦理古籍今註今譯的工作，註譯的古籍仍委請臺灣商務印書館印行。截至六十四年八月，連同王故前副會長主編註譯的古籍，已進行註譯者四十一種。近八年以來增加古籍今註今譯之書目如下：

古籍名稱	註譯者	主編者
春秋繁露	賴炎元	中華文化復興運動推行委員會、國立編譯館中華叢書編審委員會

書名	註譯者	主編單位
潛夫論	劉兆祐	中華文化復興運動推行委員會、國立編譯館中華叢書編審委員會
新書	張蓓蓓	中華文化復興運動推行委員會、國立編譯館中華叢書編審委員會
晏子春秋	王更生	中華文化復興運動推行委員會、國立編譯館中華叢書編審委員會
公孫龍子	陳癸淼	中華文化復興運動推行委員會、國立編譯館中華叢書編審委員會
儀禮	章景明	中華文化復興運動推行委員會、國立編譯館中華叢書編審委員會
逸周書	黃沛榮	中華文化復興運動推行委員會、國立編譯館中華叢書編審委員會
陶庵夢憶	周咸清	中華文化復興運動推行委員會、國立編譯館中華叢書編審委員會
呂氏春秋	林品石	中華文化復興運動推行委員會、國立編譯館中華叢書編審委員會
顏氏家訓	黃得時	中華文化復興運動推行委員會、國立編譯館中華叢書編審委員會
爾雅	高明	中華文化復興運動推行委員會、國立編譯館中華叢書編審委員會
抱朴子	尤信雄	中華文化復興運動推行委員會、國立編譯館中華叢書編審委員會
校讎通義	喬衍琯	中華文化復興運動推行委員會、國立編譯館中華叢書編審委員會
文選	葉程義	中華文化復興運動推行委員會、國立編譯館中華叢書編審委員會
文史通義	黃俊郎	中華文化復興運動推行委員會、國立編譯館中華叢書編審委員會

增編以上十五種，共計已達五十六種。其中出版者二十九種（合計三十五冊），在註譯審查或排印中者二十七種，正分別洽催，希早日出書。此外，並進行約請學者註譯其他古籍。惟古籍整理的工作，極為繁重。因本會人力及財力，均屬有限，故在工作的進行與業務開展上，仍乞海內外學者專家及文化界人士，熱心參與，多多支持，並賜予指教。本會亦當排除萬難，竭誠勉力，以赴事功。

中華文化復興運動推行委員會祕書長 **陳奇祿** 謹序

民國七十三年元月十七日

前言

呂氏春秋是秦相呂不韋輯智略士所作，於先秦諸子百家之說，兼包並容，是古籍中內容最豐富的一部書；司馬遷說它「備天地萬物古今之事」；高誘認為「此書所尚，以道德為標的，以無為為綱紀，以忠義為品式，以公方為檢格，與孟軻孫卿淮南揚雄相表裏也。尋繹案省，大出諸子之右。」可是歷代學著對於此書並不重視，至南宋淳熙間，已是此書傳世一千四百年的時候，韓彥直為之序說：「士之傳於天下後世者，非徒以其書，夫子之聖則書宜傳，孟子之亞聖則書宜傳；過是而以書傳者，老眀以虛無傳，莊周以假寓傳，屈原以騷傳，荀卿以刑名傳，司馬遷以史傳，揚雄以法言傳，班孟堅以續史遷傳，然槩之孔孟宜無傳，而皆得並傳者，其人足與也。呂氏春秋言天地萬物之故，其書最為近古，今獨無傳焉，豈不以呂不韋而因廢其書耶？愈久無傳，恐天下無有識此書者，於是序而傳之。」由此，可知當時對此書的看法，完全是以人廢言。此後元明之際，陳澔、方孝孺始有比較深入的見解，陳澔謂「呂不韋相秦十餘年，此時已有必得天下之勢，故大集羣儒，損益先王之禮而作此書，名曰春秋，將欲為一代興王之典禮也。」方孝孺則謂「其書誠有足取者：其節喪安死篇譏厚葬之弊，其勿躬篇言人君之要在任人，用民篇言刑罰不如德禮，達鬱分職篇皆盡君人之道，切中始皇之病，其後秦卒以是數者僨敗亡國，非知幾之士，豈足以為之哉？」下至清代，對此書乃多校釋正誤之作，好像是重視此書了，不過他們都偏於字句的校勘訓詁，對於書中精義，並無所發明。所以畢沅所作新校正序，還是說：「原夫六經以後，九流競興，雖醇醨有間，原其意恉，要皆有為而作。降如虞卿諸儒，或因窮愁託於造述，亦皆有不獲已之故焉。其著一書專覬世名，又不成於一人，不能名一家者，實始於不韋。」這些說法，可以說不甚正確。

直至近五十年，呂氏春秋的真面目始逐漸揭露。最近的如張其昀先生在所著中華五千年史第七冊（民國六十九年九月出版）中，認為中國文化最輝煌的戰國時代，七雄爭長，不但國際上因政治的和軍事的鬥爭而有統一的趨勢，文化上亦因百家並起，利弊互見，也到了綜合的時期。而這個政治與文化兩方面的統一運動，竟由呂不韋一身領導，細看他一生的事實，真不愧為千古的一位傳奇式的人物。張氏於是歸納呂氏春秋的要義為立已、教育、民意、領導、人才、建言、法治、軍政八項，而稱此書實為一部「政治學教科書」，作為當時執政者的指南。這可以說完全推翻了前此二千年來對於此書的看法和評論。

其實，這部古代的「政治學教科書」不但是當時執政者的指南，即在今日，尚具有其時代意義。因為就其內容而言，呂氏春秋是大體上以儒家的修齊治平之道為中心思想，而博采他家之說，衡量得失以會通其言論。所以四庫全書總目提要說此書較諸子之言為醇正，大抵以儒為主，而參以道家墨家。近人吳康先生在所著《諸子學概要》中說：「呂氏條理明密，言修身則貴生重己，節欲養性；論治則貴公去私，順民上德；論教則勸學尊師，顯榮忠孝；此皆道家儒家之言，老莊孔孟之說。書有十二紀，詳陳陰陽四時十二月政令，以木火金水土五行配合東南西北中五方、青白赤玄黃五色，以授時施政，或行或止，皆有規定。又推論五德終始，殆本鄒衍主運之說。以見呂氏此書蓋以道儒陰陽諸家思想為主，從而匯納羣言，成其系統分疏之作者也。」許維遹先生自序其所著《呂氏春秋集釋》，謂此書「網羅精博，體製謹嚴，析成敗升降之數，備天地萬物之文，總晚周諸子之精英，薈先秦百家之眇義，雖未必一字千金，要亦九流之喉襟，雜家之管鍵也。」尹仲容先生在所著《呂氏春秋校釋》中，認為此書大體上是有中心主張，它採取儒家修齊治平的理論，而參以道家清靜無為的學說；對於墨家祇取其節儉好義，而不贊成其非攻非樂；對於法家祇取其信賞必罰的守法精神，而反對其嚴刑峻法；對於名家贊同其基本觀念的正名，而反對其詭辯淆亂是非；對於兵家的用兵原則，陰陽家的五行配合，農家的重農政策，都有所取。近來徐復觀先生的〈呂氏春秋及其對漢代學術與政治的影響〉（兩漢思想史卷二）則謂此書的骨幹是十二紀，十二紀之目的，乃以秦將統一天下而預為其建立政治上之最高原則。經學是兩漢學術的骨幹，但兩漢人士許多是在呂氏春秋影響之下來把握經學；把呂氏春秋所發生的鉅大影響，即視為經學所發生的影響，離開呂氏春秋，即不能瞭解漢代學術特性。由於上述各人的評述，可知呂氏春秋在中國思想史上應有其重要的地位。而且讀此一書，上可以知道先秦諸子學說的要義，下可以瞭解漢代政治學術的大勢，誠如清徐時棟在其〈呂氏春秋雜記序〉中說：「其書瑰瑋宏博，幽怪奇豔，上下鉅細事理名物之故，粲然皆具；讀之如身入寶藏，貪者既得恣所欲以去，廉介之士雖一毫無取，而不能不歎羨其備物之富有也。」

中華文化復興運動推行委員會為便利現代青年閱讀古籍，編印古籍的今註今譯，已發行者數十種。三年前，該會常務委員劉泛弛先生以兼任該會學術研究促進委員，要我註譯一種；我知道經部及各家重要著作均已有註譯，惟綜合各家學說的呂氏春秋尚付闕如，因約期試為此書的今註今譯。梁任公先生嘗謂「此書經二千年無殘缺，無竄亂，且有高誘之佳注，實為古書中最完好而易讀者。」實未盡然也。史記呂不韋列傳謂其書二十餘萬言，而今畢校本僅有十七萬三千餘字，可知必有殘缺；依尹校所舉，則竄亂亦復不少。至於高注，清代有王念孫、俞樾、孫鏘鳴、陳昌齊、陶鴻慶、范耕研、譚戒甫等的補正，畢校許釋對高注亦多校補。所以從表面上看來，此書組織完整，在古書中似可稱為完好；就文體言，錢穆先生謂其文平實；徐文珊先生謂其篇幅長短大致整齊，即文字之結構，亦皆先標題旨，次申論斷，然後列舉事實以為例證。可以說是易讀的。可是由於脫誤者多，頗有不易理解者，畢校在現行校本中固可稱為善本，而許釋謂其「疏漏譌脫尚待刊正者，猶數百事。」因此，今註方面，欲求其完全正確無誤，實非易事；今註既不免遺誤，則今譯自難求恰當。大概前人的校釋，都不免有所缺誤，當其有所見時，固言之甚詳，補正舉誤，刺刺不休；及其所不知，則略而不談，或曲為之說。如以尹校而言，率多依據他人校本及他書引用以改易正文，昔阮元周易注疏校勘記序謂「惠棟校刊周易，其改字多有似是而非者，蓋經典相沿已久之本，無庸突為擅易，況師說之不同，他書之引用，未便據以改久沿之本也，但當錄其說於考證而已。」其言甚是，尹校正犯此擅易之病。許釋亦有據亢倉子以為補正，殊不知亢倉子為天寶中王士元撰，乃是抄錄各書而成。由上所述，可知呂書並非如梁氏所說「為古書中最完好而易讀者」所以今註今譯，實亦有其必要。惟既有殘缺脫誤，則註譯工作亦時感困難，我素不習於校勘訓詁，且不慣翻閱字書，因而屢次中輟。今年春，復承王壽南兄督促，乃勉允於半年內重加繕整。茲幸得完成，因略述註譯本書的意義及經過以為前言，敬請讀者教正為幸。中華民國七十年八月十日于孔孟學會

附說明三項，請讀者注意：

一、本書原文係採用中華書局的四部備要本，此乃據畢氏靈巖山館校本校刊，是呂氏春秋現行校本中的善本。

二、本書今註，多參考許維遹氏的《呂氏春秋集釋》及尹仲容氏的《呂氏春秋校釋》。因兩書除用高注、畢校注外，引用清代諸儒有關本書的校補正誤共達一百又六種，網羅無遺。今註中凡稱「高注」即高誘注，「畢校」即畢沅校注，「許釋」即許維遹呂氏春秋集釋，「尹校」即尹仲容呂氏春秋校釋。如為許釋或尹校所引諸家姓氏，則註明「許釋引」或「尹校引」，而對於所引的並加註書名，重要的為王念孫呂氏春秋校本、俞樾諸子平議、陳昌齊呂氏春秋正誤、孫鏘鳴高注補正、陶鴻慶札記等數種。

三、本書篇目原在文後，茲為閱讀便利起見，概移在文前，並改列原文開頭的「一曰」……「八曰」於篇名上，以標明篇次；而於篇目下加今註，說明全篇要旨。

又本書原稿由文復會送請東海大學徐文珊教授審校，多承謬許，並提示校改及建議意見，謹此誌謝。除校改各點已依照修正外，其謬許意見四項，有助於今註今譯的說明，茲照錄如左：

㈠今本呂氏春秋文句既多詰屈聱牙，字亦多屬古體，或由傳寫之訛，不見於字書者，亦所在多有；

遂致文義難明，極難註譯。著者則不惜多方查證，引據古今名著，參互比證，盡量求以平正態度為之解釋，其煞費苦心，可以概見。

㈡書中思想龐雜，儒道既相雜揉，墨法名兵陰陽諸家亦錯雜其間，甚至一篇之中，已不祇一派。其前後各篇，相反相成者有之，彼此牴牾者亦有之，各不相謀者更比比皆是。加以文句晦澀，有時極難解釋；尤以道家語尚虛玄，往往不著邊際。著者則多能剖析清明，以深入淺出之筆，使讀者能免隔膜之感。

㈢每篇文題之後註文，頗能抓住全篇要旨，以精簡文字揭示其內容意義，使讀者可於閱讀本文之前，得一概念。

㈣書中思想有與現代社會有關、足資宏揚採用者，多能以今人今事、或近世學人言論相印證配合，使固有文化能在現代社會中發揮效益。此為今人讀古書最重要之意義，否則，今人閱讀古書亦枉而已矣。著者深領此旨，時有所徵引配合，藉資提示，不失今人註譯古書之立場。

至其建議意見：㈠為介紹呂不韋傳記資料，㈡為略介呂書在思想史上地位，㈢為可略說明其文學風格與閱讀方法，㈣為引用參考書目可附列卷末。就中㈠、㈣兩項當擇要附錄卷末，㈡項及㈢項的文學風格，在前言中已略有述及。至於閱讀方法的建議，用意甚善，徐先生著有《先秦諸子導讀》一書，其導論中有「諸子書讀法」，謂「讀古書與讀現代書方法不同，讀現代書易，讀古書難；讀古書須兼備讀今書與古書之能力與方法。」所舉重要方法八項，頗為詳盡。惟本書既經註譯，自應視同現代書易於閱讀，不過由於篇幅較多，範圍廣泛，其內容自有不盡適合於一般讀者，尤以青年讀者恐多無暇閱讀全書。因此，余以為可依照徐先生所提示「擇其要者精讀，次要者瀏覽或翻閱」的原則，則可開卷有益，不致虛耗時間。那麼如何選擇呢？就余所知，有關呂氏春秋選讀之書有二：一為莊適選注的《呂氏春秋》（商務印書館人人文庫），二為張默生選注的《先秦諸子文選》（西南書局）。前者在十二紀中選本生、重己、貴公、盡數、先己、審己、精通、節喪、安死、異寶、異用、當務、誠廉十三篇，在八覽中選謹聽、首時、權勳、貴因、察今、先識、去宥、精諭、離謂、離俗、貴信、舉難、召類十三篇，在六論中選期賢、疑似、察傳、壅塞、別類、分職、務大七篇，共計三十三篇，認為都是精美切要之作。後者則僅選本生、重己、盡數、蕩兵、節喪、當務、察今、去宥、離謂、疑似、察傳、別類十二篇，認為可代表本書思想的重要部分，其中惟蕩兵一篇為莊選所無。其實一般讀者所要選讀的目的並不相同，很難有一定的標準，兩書皆自謂「精心采輯」，當可供讀者參考。

中華民國七十一年二月二十日補識

目次

【上冊】

十二紀

計十二卷、六十篇、又序意一篇

十二紀是一年施政的準則。中國曆法依地球對太陽運行的位置，分一年為十二個月，又分十二個月為春夏秋冬四季，每季各為孟仲季三個月。萬物春生、夏長、秋收、冬藏，十二紀是依生、長、收、藏的作用，以配合一切政令措施及人民生活，誠如明許宗魯重刻呂氏春秋序所謂：「上昭天時，中紀王政，下示民業。」禮記月令正義：「名曰月令者，以其紀十二月政令之所行也，本呂氏春秋十二月紀之首章也，以禮家好事者抄合之，後人因題之，名曰禮記月令。」

卷一　孟春紀

第一，凡五篇

一曰孟春

【今註】　孟春是夏曆的正月。古代曆法有三正之說，就是夏正建寅，殷正建丑，周正建子。秦始皇元年（西元前二四六年）改用呂不韋所創的顓頊（ㄓㄨㄢ ㄒㄩˋ）曆，以建寅為正月，與夏正同，十二紀即採用此曆。始皇二十六年（西元前二二一年），統一六國，自稱以水德繼周，改以十月建亥為正月；直至漢武帝太初元年（西元前一〇四年）造太初曆，復以建寅為正月。此後二千年間，除唐武后曾一度改用周正建子外，都沒有變動。中華民國元年改用陽曆，則稱夏曆為農曆。顏淵問為邦，子曰：「行夏之時」實以夏曆最適用於農業社會。

孟春一篇先言天文星宿運行所值，次言時令及所應的五帝、五神，次言適時動植物、應時的音律臭味以及祭祀；至於天子的居處行動衣食用具，亦要與天時相配合。以下則述及政府的施政、人民的生活，都要配合時令，如布農事、修封疆、禁伐木，不可用兵，「無變天之道，無絕地之理，無亂人之紀。」如果時令失調，將有天災。

孟春之月，日在營室，昏參中，旦尾中㈠。其日甲乙，其帝太皞，其神句芒。其蟲鱗，其音角，律中太蔟，其數八。其味酸，其臭羶，其祀戶，祭先脾㈡。東風解凍，蟄蟲始振，魚上冰，獺祭魚㈢，候鴈北㈣。

【今註】㈠中國天文學起源甚早，以二十八宿配合十二星次，為觀象授時的基礎。太陽運行的軌道叫做黃道，黃道繞天一週，成為三百六十度的圓環，太陽運行的位置，每三十度為一次，分為十二次，亦即成十二月。而環繞銀河的二十八宿，春夏秋冬四時經常出現於黃道的內外，天文學上分二十八宿為東南西北四宮，每宮七宿。在孟春正月時，太陽的位置在北方的室宿（即營室，今屬飛馬座）；當太陽下落時，可望見接近黃道的西方參宿（今屬獵戶座）上升在南方中天；而太陽上升時，則見東方尾宿（今屬天蠍座）出現在南方中天；所以說：「昏參中，旦尾中。」何以說昏旦呢？這因為晝間陽光強烈，星體不易看見，只能在昏旦施行觀測。十二紀對於天文星宿運行所值的記述都是如此。崔述考信錄謂所推中星日躔，多不甚正確。㈡「其日甲乙」至「祭先脾」，係配合五行而言，合十二紀所述如左表：

五行	木	火	土	金	水	附註(1)
四時	春	夏	季夏	秋	冬	

方位	東	南	中	西	北	
五色	青	赤	黃	白	黑（玄）	
日干	甲乙	丙丁	戊己	庚申	壬癸	(2)
五帝	太皞（ㄏㄠˋ）	炎帝	黃帝	少皞	顓頊	(3)
五神	句芒	祝融	后土	蓐收	玄冥	〃
動物	鱗	羽	倮（ㄌㄨㄛˇ）	毛	介	(4)
五音	角	徵	宮	商	羽	(5)
圖數	八	七	五	九	六	(6)
五味	酸	苦	甘	辛	鹹	(7)
臭	羶	焦	香	腥	朽	
五祀	戶	竈	中霤	門	行（井）	(8)
五臟	脾	肺	心	肝	腎	(9)
五穀	麥	菽	稷	麻	黍	
五牲	羊	禽（雞）	牛	犬	彘（豬）	

（附註）⑴五行：董仲舒春秋繁露五行之義：「天有五行，一曰木，二曰火，三曰土，四曰金，五曰水。……木生火，火生土，土生金，金生水，水生木。」又「木居東方而主春氣，火居南方而主夏氣，金居西方而主秋氣，水居北方而主冬氣。是故木主生而金主殺，火主暑而水主寒。……土居中央，其德茂美，不可名以一時之事，故五行而四時者土兼之也。」⑵甲乙屬木，甲是草木初生的種皮，乙象草木萌芽的形狀。朱子說：「五行本只是五，而天干有十，故木便包甲乙，火便包丙丁，土

便包戊己，金便包庚辛，水便包壬癸。」⑶五帝：崔述考信錄：「呂氏春秋始以五帝分配五行。」「呂氏春秋以太皞、炎帝、黃帝、少皞、顓頊為五帝，蓋本之春秋傳，而月令因之；大戴記以黃帝、顓頊、帝嚳、堯、舜為五帝，蓋本之國語，而史記因之。」五神是四時的星神，傳說他們是少皞、顓頊之子，有功於人民的大臣。⑷蟲是動物的通名，鱗是有鱗動物的總稱，孔子家語「鱗蟲三百有六，而龍為之長。」羽是鳥類，倮是人類，毛是獸類，介是有殼的輭體動物。⑸五音是宮商角徵（ㄓˇ）羽，用以分別音調，如以宮為主音，則相當於現代西樂大調之 Do，Re，Mi，Sol，La，簡譜作1，2，3，5，6。五行數多者濁，數少者清。中律請參閱季夏紀音律篇。⑹數是河圖方位的數字，東方八，南方七，西方九，北方六，中央五。⑺在口為味，在鼻為臭，木味酸，羶是羊身上的臊氣，與下文食羊相應。⑻五祀是古代習俗，高注：「蟄伏之類始動，生出由戶，故祀戶。」鄭玄駁五經異義：「王者為羣姓立七祀，一曰司命，主督察王命也；二曰中霤，主宮室居處也；三曰門，四曰戶，主出入也；五曰國行，主道路也；六曰泰厲，主殺也；七曰竈，主飲食也。」與十二紀不同。⑼五臟：高注「脾屬土，陳俎豆，脾在前，故曰祭先脾。春木勝土，先食所勝也。一說脾屬木，自用其藏也。」

㊂魚類在寒冬沈潛水底，正月東風解凍，魚向上游，接近水面之冰。獺是捕魚為食的水狗，高注謂獺取鯉魚置水邊，世謂之祭魚。陶弘景謂獺知報本，以魚祭天。孟秋紀的「鷹乃祭鳥」，季秋紀的「豺乃祭獸」，意義相同。㊃鴈是候鳥，隨氣候寒暖的變化而南來北飛，故謂之候雁。十二紀對於雁的

行蹤，記述特詳，仲秋紀「候雁來」，季秋紀「候雁來賓」，是說雁由北向南飛。季冬紀「雁北嚮」，孟春紀「候雁北」，是說雁由南向北飛。中國古代文化在黃河流域，所謂來者當指河洛一帶，北則如高注所謂北漠。

【今譯】　孟春正月，太陽的位置在北方營室，其時南方中天，向晚時可望見參宿，向曉時可望見尾宿。孟春的日干是甲乙，上應木德之帝太皞和木官之神句芒。應時而出的動物以鱗類為主，應時的音律是角音和太蔟，其數為八。應時的氣味是酸和羶，祭祀的次序為戶，祭品以脾臟為先。其時東風初暖，地上的冰凍逐漸融解，蟄居土中的蟲類開始活動。沈潛水底的魚類向上浮游，接近水面的冰；於是以捕魚為食的水獺把捕得的魚陳列水邊，世人稱為祭魚。上年秋季南來的雁兒也順應天時而向北飛去了。

天子居青陽左个㈠，乘鸞輅，駕蒼龍㈡，載青旂，衣青衣，服青玉㈢；食麥與羊，其器疏以達㈣。

【今註】　㈠青陽左个是明堂東方的左偏室。明堂上圓下方，分為五部分，東曰青陽，南曰明堂，西曰總章，北曰玄堂，中曰太廟。除中央太廟只有太室外，其餘各有左中右三室，左曰左个，右曰右个，中亦曰太廟。天子順應天時，每月換居一室。鄭玄謂明堂古制為九室，十二紀每月一室，是作者所增益。㈡鸞（ㄌㄨㄢˊ）輅（ㄌㄨˋ）是天子所乘之車，有鸞鈴繫於馬勒旁，鸞又作鑾。天子車駕六馬，六馬亦稱六龍，高注「周禮馬八尺以上為龍。」許釋引王引之說謂龍當作駹（ㄇㄤˊ），駹蒼色，青馬。㊂春為木，其色青，故車上之旗及天子的衣服佩玉都用青色。㊃食麥與羊亦是順應天時，用具要粗疏通達，以象陽氣的發射。

【今譯】　正月裏，天子居住在明堂東方青陽的左偏室。外出時，乘著繫有鸞鈴的大車，駕著高大的蒼駹，載著青色的龍旗；穿著青色的衣裳，佩著青色的玉佩。食物以麥與羊為主，所用器具要刻鏤粗疏而容易透氣的。

是月也以立春㊀。先立春三日，太史謁之天子曰：「某日立春，盛德在木。」天子乃齋㊁。立春之日，天子親率三公九卿諸侯大夫，以迎春於東郊㊂；還乃賞卿諸侯大夫於朝。命相布德和令，行慶施惠，下及兆民㊃，慶賜遂行，無有不當。迺命太史守典奉法，司天日月星辰之行，宿離不忒㊄，無失經紀，以初為常。

【今註】　㊀立春是二十四節候之一，在冬至後四十六日，太陽在黃道三一五度。立春多在夏曆的正月，現在陽曆則為二月四日或五日。十二紀首章有類似節氣的名稱，二十四節氣的完成，當在此後。㊁齋是古代祭祀的禮儀，主祭者為表示誠敬，在祭神前三日齋戒沐浴，故典禮的太史先立春三日報告。㊂立春是農業社會一歲中的令節，迎春之禮歷代都很重視，亦所以勸農務耕。民國以來，民間尚有迎春的習俗，現在則舉行農民節紀念，意義相同。春位東方，而日出於東，滋育萬物，故往東郊迎春。㈣相是指三公，行慶施惠，高注謂行其慶善，施其澤惠。古代在立春時有省刑矜恤之舉，春秋繁露治水五行篇：「立春出輕繫，去拘留，除桎梏，開閉闔，通障塞，存幼孤，矜寡獨。」亦是因時施仁之意。㈤「宿離不忒（ㄊㄜˋ）」：舊注都未明，今註禮記月令亦未妥，這是說宿星距離赤道的度數，不失運行的軌道。日人能田忠亮的禮記月令天文考將淮南天文訓中的宿離度數，改算為現代的度數，大致相同。英人李約瑟著中國之科學與文明中譯本第五冊有二十八宿表，表內第七行(a)是宿離度數。

【今譯】這個月是立春。立春前三日，典禮的太史報告天子說：「某日立春，盛德在木。」天子乃齋戒。到了立春那天，天子親率三公、九卿、諸侯、大夫等文武百官，前往東郊，舉行迎春典禮。禮畢，乃回朝賞賜公卿諸侯大夫。同時，命三公布德教，宣禁令，行慶賞，施澤惠，普及於全國國民。這些慶賞澤惠的施行，都各得其所。乃命太史依照觀象授時的法典，推算日月星辰的運行，注意宿離度數有無偏差，不可有違軌道，以初始度數為正常。

是月也，天子乃以元日㈠祈穀於上帝㈡。乃擇元辰，天子親載耒耜，措之參於保介之御間㈢，率三公九卿諸侯大夫，躬耕帝籍田㈣，天子三推，三公五推，卿諸侯大夫九推。反執爵於太寢，三公九卿諸侯大夫皆御，命曰勞酒㊄。

【今註】 ㊀元日、元辰，依高注「元、善也」，就是吉日良辰之意。惟鄭玄注月令謂元日是指「上辛之日」，即正月上旬的辛日；孔穎達疏謂「天干為日，地支為辰，耕用亥日，故云元辰。」按春秋繁露郊義篇：「郊必以正月上辛」郊即本文「祈穀於上帝」的郊祭，則是以上辛為吉日。至於辰是黎明，清代於每歲仲春吉亥黎明舉行耕籍田禮。㊁「上帝」：高注「天帝也」，其意未明。春秋戰國時諸子百家所謂天，皆指北辰為主宰，至秦漢乃崇奉太微垣的五帝。秦於雍州立雍畤以祀白帝、蒼帝、黃帝、炎帝。漢高祖入關，問秦博士：「秦時上帝祠何帝也？」對曰：「四帝，有白青黃赤帝之祠。」高祖曰：「吾聞天有五帝，而四，何也？」博士莫知所對。於是高祖曰：「吾知之矣，乃待吾而具五也。」乃立黑帝祠，名曰北畤。此處祈禱的上帝是指四帝而言。㊂此句舊注都未明。參是聳峙的意思，論語「立則見其參於前也」。保介之御是披甲的侍衛御車，天子出行，駕六馬大車，車廂兩旁有侍衛護駕並禦車，所以將耒耜直立的放在侍衛們的中間，亦是表示重視親耕之意。㊃農業是人類生活的資源，社會經濟的基礎，故天子有躬耕籍田之禮，以表示重農務耕。籍或作藉、耤，是借用民力以耕之意。古制天子籍田千畝，諸侯百畝，所收穀物都供給宗廟祭祀粢盛之用。到了清代，各州縣皆建有先農壇，於壇內闢籍田，每年由地方官率耆老農夫恭祭，行九推禮。㊄太寢就是季春紀、孟夏紀的祖廟。勞酒是古代燕禮之一的慰勞酒。

【今譯】 這個月裏，天子乃以吉日祭祀上帝，祈求豐年。並且選擇良辰，親自載著起土用的耒耜，直放在侍衞們中間，率領三公九卿諸侯大夫到籍田去，舉行推犂發土的典禮，天子推三下，三公推五下，卿大夫推九下。禮畢，回到祖廟舉行燕禮，三公九卿諸侯大夫都到，這叫做慰勞酒。

是月也，天氣下降，地氣上騰，天地和同，草木繁動㈠。王布農事，命田舍東郊，皆修封疆，審端徑術，善相丘陵阪險原隰，土地所宜，五穀所殖，以教道民，必躬親之，田事既飭，先定準直，農乃不惑㈡。

【今註】 ㈠管子地篇「天氣下，地氣上。」計倪子「風為天之氣，雨為地之氣。」此說明天地二氣交流，滋育萬物，故曰「天地和同，草木繁動。」 ㈡這一節是農官教導農民要做的事。田是主農之官。封是田界，疆是田畔保留的空地，徑術是田間小路，一說術通遂，是田間小溝，這些都要修理整治。丘是小土山，陵是大土山，阪是山陂，險是山陂下地勢很陡的地方，原是廣平的土地，隰是低濕的土地。凡可以種植五穀的土地，各有所宜，都要事先周密的察看決定。管子分土壤為上中下三等，劉向說苑謂「五土之宜，因其便不失其宜，高者黍，中者稷，下者稻。」這些事都要農官親自督導，所以詩經小雅說：「弗躬弗親，庶民弗信。」準直是說上述許多事都先規定一定的標準。論語「子貢曰：君子信而後能勞其民，未信，則以為厲也。」不惑便是有信仰而不懷疑，也就是得民心。

【今譯】　這個月裏，天氣下降，地氣上升，二氣交流，雲行雨施，草木蕃生。天子乃發布農事的命令，使農官住在東郊，督導農民修治耕地的疆界，整理田間的小路小溝；而且察看地形的高低寬狹，凡可以種植五穀的土地，適宜那種作物以及種植方法，都要親自教導農民。這些田事的督責整治，都先規定標準，農民乃信任而不疑。

是月也，命樂正入學習舞㈠。乃修祭典，命祀山林川澤，犧牲無用牝。禁止伐木，無覆巢，無殺孩蟲胎夭飛鳥，無麛無卵㈡。無聚大眾，無置城郭㈢。揜骼霾髊㈣。

【今註】　㈠樂正是樂官之長，入學以教公卿大夫的子弟講習羽籥（ㄩㄝˋ）之舞，以涵養身心，調和情感。㈡春主生，故凡有違背生育之事，一概禁止。牝是指母牛母羊母豬。鳥在巢中孵育，故不可覆巢。孩蟲是指有益的小蟲，胎是懷胎的禽獸，夭是幼小的禽獸，麛（ㄇㄧˊ）是鹿子，獸初生亦是麛；卵是鳥蛋。曲禮：「國君春田不圍澤，大夫不掩羣，士不取麛卵。」素問四氣調神大論：「春三月，天地俱生，萬物以榮，……生而勿殺，予而勿奪，賞而勿罰，此春氣之應，養生之道也。」㈢聚大眾則妨害農事，置城郭必須聚大眾，故不於此時修築。古代重視農時，故論語謂「使民以時」，孟子謂「不違農時，穀不可勝食也。」本書仲春紀的「無作大事以妨農功」，孟夏紀的「無發大眾」，季夏紀的「無舉大事」，都是此意。㈣月令作「掩骼埋胔」，揜即掩，骼是枯骨，髊（ㄘ）同胔、骴，是尚有肉的腐骨。霾即埋。孟冬紀異用篇述及文王埋枯骨事，天下歸仁，故高注謂「掩埋者覆藏之也，順木德而尚仁恩也。」

【今譯】　這個月裏，命樂正進入國學教練舞蹈。乃修訂祭祀的典則，命祭祀山林川澤的犧牲，不可用母牛母羊母豬。而且禁止斫伐樹木；不可傾覆鳥巢；不可殺害幼蟲與懷胎或幼小的禽獸，以及開始學飛的鳥；不可捕小鹿；不可取鳥卵。不可聚合羣眾，亦不可修築城郭，以免妨礙農事。看見枯骨腐肉，都要用土掩埋，不可任其暴露，亦是順應時氣的善事。

是月也，不可以稱兵，稱兵必有天殃，兵戎不起，不可以從我始。無變天之道，無絕地之理，無亂人之紀㈠。孟春行夏令，則風雨不時，草木早槁，國乃有恐㈡。行秋令，則民大疫，疾風暴雨數至，藜莠蓬蒿並興㈢。行冬令，則水潦為敗，霜雪大摯，首種不入㈣。

【今註】　㈠本書主張人法天地，所以要一切政令措施及人民生活，都不可變更天地的自然法則。㈡今是時令，時令不合，將發生種種災異。春為木，夏為火，孟春行夏令，如火炎焚木，故草木早枯。春秋繁露五行五事亦謂「春行秋政則草木凋，行冬政則雪，行夏政則殺。」㈢春為木，秋為金，木主生而金主殺，故孟春行秋令，是應暖而反涼，民多瘟疫，即中醫所謂「時氣病」。又金生水，故疾風暴雨數至，而荒草亂生。㊃冬為水，故水潦為害。摯（ㄓˋ）通至，霜雪大至，傷折萬物，故首種不入。一說摯通鷙，兇猛之意，義亦可通。首種是孟春時應首先下種的穀物，月令舊說為稷。

【今譯】　這個月裏，不可以舉兵，舉兵必有天殃；兵爭未起，不可自為戎首，發動戰爭。一切政令都要順應自然法則，不可變天之道，不可絕地之理，不可亂人之紀。如果氣候失調，孟春和暖如夏，則雨水失時，草木早枯，國人因而惶恐。如應和暖而反成秋涼，則時氣為害，瘟疫流行；暴風雨數來，而藜莠蓬蒿叢生。如果寒冷如冬，則大水為害，霜雪大至，首次應播的穀種不能下土。

二曰本生

【今註】　本篇是說養生必求其本，生之本為天，故養生以順應天性為主。中華民族的祖先早就認識人類生存的原理，而延年益壽，自是眾人所希望的事，養生之道必多，篇中所述都有正確可取的觀念，如所舉三患，則現代的保健方法亦不外於此。一般人認為這是道家思想，其實莊子的養生論是主張「緣督以為經」，偏重精神上的修養；而本篇則重視身體的保養，即在以物養生，不可以生養物，如聲色滋味都可用以養生，如果不知節制，則適足以傷生。所謂「聖人之於聲色滋味也，利於性則取之，害於性則舍之，此全性之道也。」此種觀念，即在今日猶可適用。

始生之者天也㈠，養成之者人也，能養天之所生而勿攖之，謂之天子㈡。天子之動也，以全天為故者也㈢，此官之所自立也㈣。立官者以全生也，今世之惑主多官而反以害生，則失所為立之矣。譬之若修兵者以備寇也，今修兵而反以自攻，則亦失所為修之矣。

【今註】㈠春秋繁露為人者天篇：「為人者天也，人之為人本於天，天亦人之曾祖父也。」古人都認為人是天生的，故曰「始生之者天也」。㈡攖（一ㄥ）是違背擾亂之意。天子是古代帝王的尊稱，相傳上古帝王鑽木取火，構木為巢，教民耕稼，發明醫藥，使人民得以成長，他們都是能養育天之所生而不違天意，所以「天佑而子之，號稱天子。」（見春秋繁露）。㈢全天是保全天之所生，下文為全生。「故」，高注「事也」。㈣「官」，高注「正也」，意未明，從下文所注，是指官職而言。許釋引孫鏘鳴高注補正：「官謂耳目鼻口，下貴生篇所言四官是也，聲色滋味之欲，四官主之，皆生人養生之具，……多官謂縱欲不節，則適以害生矣。注官訓正，多立官為任不肖，皆非，此篇專以重生言，不及政與用人也。」按孫說未妥。治身與治國一理是本書主要思想之一，依本篇開頭一節而言，如以官為耳目鼻口，則文意難明，所謂「能養天之所生而勿攖之，謂之天子」，很明顯的是涉及政治。故細繹文義，似仍以高注為是。

【今譯】人的初生是由於天，而養育成長則在於人，能夠養成天之所生而不違天意，就可稱為天子。天子的行動，是以保全天之所生為事，這就是設官分職之所以成立。設立官職是為的保全天之所生，可是今世不明事理的國君，多設官職而反以傷害民生，這就喪失了所以立官的意義了。譬如整修兵器是為的戒備寇盜，如果整修兵器而反以自攻，那也失去整修的意義了。

夫水之性清，土者抇之，故不得清㈠；人之性壽，物者抇之，故不得壽㈡。物也者所以養性也，非所以性養也，今世之人惑者、多以性養物，則不知輕重也，不知輕重，則重者為輕，輕者為重矣。若此則每動無不敗，以此為君、悖，以此為臣、亂，以此為子、狂，三者國有一焉，無幸必亡㈢。

【今註】㈠抇（ㄍㄨ）與汩、滑同，高注「濁也」，水為泥土所濁亂而不清，人為物欲所擾亂而夭折。㈡物是指錢財食用之物，本來供人使用以養生，如果貪欲過度，反多以此取禍傷生。㈢悖、亂、狂三者都是違背常理、不合法紀的行為。「無幸必亡」，許釋引俞樾說：「乃倒句也，言其國必亡，無可倖免也。」

【今譯】水性本來是澄清的，為泥土所濁亂，所以不得澄清；人生本來是長壽的，為物欲所擾亂，所以不得長壽。財物是用以養生的，並不是以生來養物，可是世人多為財物所迷惑，反而以生養物，重物輕生，可以說不知輕重了。不知輕重，就是以重的為輕，以輕的為重，如此輕重顛倒，那就一舉一動沒有不失敗的。這樣的人為國君，一定凶悖；為人臣，一定叛亂；為人子，一定狂妄；一個國家只要有這三種人之一，這個國家，必定危亡，無可倖免。

今有聲於此，耳聽之必慊，已聽之則使人聾，必弗聽；有色於此，目視之必慊，已視之則使人盲，必弗視；有味於此，口食之必慊，已食之則使人瘖，必弗食㈠。是故聖人之於聲色滋味也，利於性則取之，害於性則舍之，此全性之道也。世之貴富者，其於聲色滋味也多惑者，日夜求，幸而得之，則遁焉㈡，遁焉，性惡得不傷？萬人操弓，共射其一招，招無不中㈢；萬物章章，以害一生，生無不傷，以便一生，生無不長。故聖人之制萬物也，以全其天也，天全則神和矣，目明矣，耳聰矣，鼻臭矣，口敏矣，三百六十節皆通利矣。若此人者不言而信㈣，不謀而當，不慮而得，精通乎天地，神覆乎宇宙，其於物無不受也，無不裹也，若天地然；上為天子而不驕，下為匹夫而不惛㈤，此之謂全德之人㈥。

【今註】 ㈠慊（ㄑㄧㄝˋ）是適合快意的意思。瘖（ㄧㄣ）是口啞不能說話。老子：「五音令人耳聾，五色令人目盲，五味令人口瘖。」聲色滋味不加節制，可使人耳聾、目盲、口瘖。許釋、尹校依陳昌齊、陶鴻慶說，以三「必慊」連下「已」字為句，按不足取，這是說如果既聽之則使人聾，必不聽，文意甚明，不宜擅改。㈡遁焉是流連忘返之意。㈢招是箭牌上的紅心，射著紅心為中。章章即彰彰，是顯明美麗之意。㈣下達鬱篇：「凡人三百六十節、九竅、五藏、六府。」春秋繁露：「人有三百六十節，偶天之數也。」靈樞邪客篇：「歲有三百六十五日，人有三百六十節。」古代都以人與天相應。節是神氣所遊行出入的關節。㈤惛與悶同，是心意不得暢通之意。㈥「全德」：高注謂其德行升降，無所虧闕。

【今譯】 聲色滋味是人類生活所必需的，聽到音樂必覺得愉快，既然聽了使人耳聾，必不敢聽；看到美色必覺得愉快，既然看了使人目盲，必不敢看；吃到美味必覺得愉快，既然吃了使人口啞，必不敢吃。所以明智的聖人對於聲色滋味，選取那些對心身有利益的，而捨棄那些對心身有損害的，這就是保全生命的道理。世間許多有地位有財富的人，對於聲色滋味多迷惑而無定識，日夜營求，一旦幸而得到，就沈迷而流連忘返；沈迷不悟，那得不傷害生命。譬如萬人操弓，共射一招，沒有不中招之理；五光十色的萬物摧殘一個人，那個人的生命沒有不受傷害；反之，助益一個人，那生命自然健康長壽。所以聖人善於利用萬物，以保養身體，保養得道，那就精神和暢了，眼睛明亮了，耳朵聰明瞭，嗅覺靈通了，口齒敏捷了，全身三百六十骨節都通利了。這樣的人，真是不言而見信於人，不謀而有當於事，不慮而有得於心，精氣通於天地，德澤遍及四海，對於萬物沒有不承受，沒有不包容，猶如達到天人合一的境界，貴為天子沒有驕矜之心，賤為匹夫也沒有不得意的感覺，這就是所謂全德之人。

貴富而不知道，適足以為患，不如貧賤。貧賤之致物也難，雖欲過之、奚由㊀？出則以車，入則以輦，務以自佚，命之曰招蹷之機㊁。肥肉厚酒，務以自彊，命之曰爛腸之食㊂。靡曼皓齒，鄭衛之音，務以自樂，命之曰伐性之斧㊃。三患者貴富之所致也，故古之人有不肎貴富者矣，由重生故也㊄，非夸以名也，為其實也㊅。則此論之不可不察也。

【今註】㊀高注「不知持盈止足之道，以致破亡，故曰適足以為患也。貧賤無勢，不能致情欲之物，故曰難也。於禮無為，於身無闕，故曰雖欲過之、奚由也。」㊁輦（ㄋㄧㄢˇ）是兩人用手挽曳的車子。蹷（ㄐㄩㄝˊ）是由於足跗僵硬強直，不能曲屈而跌倒的病症，張仲景金匱「其人但能前、不能卻」高注非。亦作厥，素問厥論「陽氣衰於下，則為寒厥，陰氣衰於下，則為熱厥。」下重己篇「室大多陰則蹷」盡數篇「氣鬱……處足，則為痿為蹷。」這是運動器官疾病，由於過佚，使血脈不流通所招致。㊂彊即強，畢校：「賈誼書傳職云：飲酒而醉，食肉而飽，飽而彊食，正自彊之謂也。」

高注引論語「肉雖多，不使勝食氣。」又「不為酒困。」這是說孔子對於飲食的注意。㊃靡曼皓齒是美色，鄭衛之聲是靡靡之聲。孔子答顏淵問為邦，以「放鄭聲」與「遠佞人」相提並論，是因為鄭聲淫於色而害於德，故主張禁絕。至於衛音，師曠說是商紂使樂師作的亡國之音。㊄古之人、高注謂「堯時許由、方回、善綣，舜時雄陶，周時伯夷，漢時四皓，皆不肯富貴者，高位實疾顛，故曰重生故也。」㊅高注：「夸、虛也。非以為輕富貴、求虛名也，以為其可以全生保性之實也。」

【今譯】　貴富之人不知持盈知足的養生之道，則貴富適足以為禍患，反不如貧賤。貧賤之人無勢無財，不易取得情欲之物，雖欲盡情享樂，怎麼可能呢？大家要知道：出則用車，入則用輦，務求安佚，這可說是招致跌蹶的契機；肥肉烈酒，強自醉飽，這可說是腐爛腸胃的吃法；妖冶美色，靡靡之聲，樂而不休，這可說是摧殘精力的刀斧。這三種禍患都是由於貴富所致的，所以古代有不肯接受權勢財富的賢人，就由於重視生命之故，這並不是輕富貴而求虛名，是為的求全生養性之實。世人對於上述的貴賤禍福之理，不可不加以細察。

三曰重己

【今註】　重己是重視自己的身體生命，要在節欲以順生，大凡苑囿園池、宮室臺榭、輿馬衣裘、飲食酒醴、聲色音樂種種，都是用以養生的，不可以其養者害所養。這與本生篇大意相同，或者說本篇近於楊朱的貴己、樂生的言論，實不盡然。孟子說：「口之於味也，目之於色也，耳之於聲也，鼻之於臭也，四肢之於安佚也，性也。」荀子說：「夫人之情，目欲綦色，耳欲綦聲，口欲綦味，鼻欲綦臭，心欲綦佚，此五綦者人情之所必不免也。」可知這些私欲是人的天性。然而個人的欲望無窮，不可任其放縱恣肆，故尚書五子之歌：「訓有之，內作色荒，外作禽荒，甘酒嗜音，峻宇雕牆，有一於此，未或不亡。」尚書旅獒：「玩人喪德，玩物喪志。」不過個人的欲望不加節制，傷害一己的生命，尚屬小事，勢將影響別人的利益，甚或影響社會的安寧福利。故荀子說：「人生而有欲，欲不得則不能無求；求而無度量分界，則不能不爭；爭則亂；亂則窮。」因此，正本清源，多主張節欲，故本篇說：「凡生之長也，順之也。使生不順者，欲也。故聖人必先適欲。」下貴生篇亦謂「耳目鼻口，不得擅行，必有所制。」孟子則主張寡欲，禮記禮運及荀子禮論則主張以禮義治人情，禮記樂記則主張遠欲，以減少外界的誘惑，近陳立夫先生的人理學則主張以學問管制自己，認為一個人能否成為高尚人物，完全看他自我控制的能力如何，都是節欲重己的意義。

倕至巧也，人不愛倕之指，而愛己之指，有之利故也㊀。人不愛崑山之玉、江漢之珠，而愛己之一蒼璧小璣，有之利故也㊁。今吾生之為我有，而利我亦大矣，論其貴賤，爵為天子不足以比焉；論其輕重，富有天下不可以易之㊂；論其安危，一曙失之，終身不復得㊃。此三者、有道者之所慎也㊄，有慎之而反害之者，不達乎性命之情也，不達乎性命之情，慎之何益？是師者之愛子也，不免乎枕之以糠；是聾者之養嬰兒也，方雷而窺之于堂，有殊弗知慎者㊅。夫弗知慎者，是死生存亡、可不可、未始有別也，未始有別者，其所謂是未嘗是，其所謂非未嘗非，是其所謂非，非其所謂是，此之謂大惑。若此人者、天之所禍也，以此治身、必死必殃，以此治國、必殘必亡㊆。夫死殃殘亡、非自至也，惑召之也。壽長至常亦然，故有道者不察所召，而察其召之者㊇，則其至不可禁矣。此論不可不熟。

【今註】㊀倕（ㄔㄨㄟˊ）是堯舜時的巧工。倕之指雖巧，無益於己，故不愛之；己之指雖不如倕之指靈巧，但對自己言，是有利的。㊁崑山是崑崙山的簡稱，所產的玉最為堅固美麗，燒以爐炭，三天三夜，色澤不變。江漢是長江與漢水，產有夜明珠。蒼璧是石多玉少，小璣是不圓潤的小珠。㊂論其貴賤是天子雖貴，不足以比吾生之貴；論其輕重是說雖富有天下之重，不可以易吾生之重。㊃一曙（ㄕㄨˋ）猶今言一旦，一旦失去生命，則終身不可復得，故趨安避危。㊄慎是戒慎以將事的意思，事前必先經過慎思明辨，然後行之，不當行則戒避之。中庸：「君子戒慎乎其所不睹，恐懼乎其所不聞。」禮記：「君子見利思辱，見惡思詬，嗜慾思恥，忿怒思患，君子終身守此戰戰也。」對於出處尤須慎重，孟子所謂「所就三，所去三」如果不能淑世救民，寧可安貧樂道，以獨善其身，否則便是不通達性命之情的了。㈥師是瞽師，枕之以糠，則糠屑容易傷害其子之目。嬰兒聞雷聲而驚哭，聾者不聞，抱兒到外廳去看，反使之愈驚。這兩事是比喻慎之而反害之。㈦審分篇：「夫治身與治國，一理之術也。」春秋繁露通國身篇亦謂通治國於治身，這是儒家的修齊治平思想，凡弗知戒懼，不辨是非，既不能治身，亦不能治國。㈧所召是果，指死殃殘亡，召之者是因，指惑與不惑。死生存亡之權，操之在我，我之所行得其道，不求福而福自至；不得其道，雖力求免禍而不可得；壽長壽短，亦是如此，故曰其至不可禁。

【今譯】倕是最靈巧的，可是所有的人都不愛護倕的手指，而愛護自己的手指，因為自己的手指對自己是有利的。大家都不會愛崑山之玉和江漢之珠，而愛自己所有的蒼璧小璣，因為蒼璧小璣是自己所有，可以用得其利。至於我的生命是我所有，其有利於我更大了，論其貴賤，雖貴為天子之尊，不足以相比；論其輕重，雖富有天下之財，不可以我的生命來交易；論其安危，一旦失去安全的保障，終身不可復得。這三項都是有道之士所應戒慎的事，可是有的人戒慎將事而反以害之，這是不通達生命的意義而已。不通達生命的意義，雖然小心戒慎，又有何益？猶如瞽師愛護其子，枕之以糠，而反傷其子之目；又如聾者愛護嬰兒，正當雷響而抱到室外去東張西望，反使嬰兒驚懼；這些人有不甚了解戒慎的道理。那不了解戒慎的人，對於死生、存亡、可不可，未嘗有所辨別的；不能辨別事理的人，他所說的是未嘗是，所說的非也未嘗非，自己所說的非、認為是，自己所說的是反認為非，這可以說是不明事理之至。這種人是天生的禍害，用他來治身，必死必殃，用他來治國，必殘必亡。死殃殘亡並不是會自來的，是不明事理所招致的；一個人的壽命長短，也常常如此。所以有道之士不考察所招致的死殃殘亡，而要考察招致這些禍害的原因，則其成就不可限量了。這些理論不可不深思熟慮。

使烏獲疾引牛尾，尾絕力勯，而牛不可行逆也；使五尺豎子引其棬，而牛恣所以之，順也㈠。世之人主貴人、無賢不肖，莫不欲長生久視，而日逆其生，欲之何益㈡？凡生之長也，順之也，使生不順者、欲也，故聖人必先適欲㈢。

【今註】 ㈠ 烏獲是秦武王時的大力士，能舉千斤。勯（ㄉㄢ）與殫同，力氣完了。棬（ㄑㄩㄢ）是屈木作成的口罩，穿著牛鼻。恣所以之是任意牽往所要去的地方。㈡ 人主是諸侯國君，貴人是公卿大夫等貴族。「長生久視」見老子「是謂根深柢固、長生久視之道」，原意是指長遠的生存、永久的幸福而言，高注「視，活也」，則是長壽之意。㈢「適」高注，「猶節也」，適是適可而止，有節制意。

【今譯】 使力士烏獲疾引牛尾，結果是牛尾拉斷了，烏獲亦力氣用盡了，而牛不可行動，因為這是倒的。使五尺童子牽引牛鼻子上的棬，就可以任意牽往要去的地方，因為這是順的。世上的人主貴族，不論賢不肖，沒有不希望長生久視，可是日常生活的荒淫暴慢，不順生道，那希望又有何用？大凡生命的長久，要能順應自然，使生活不能順應，是因為人有情欲，所以聖人必定要首先實行節欲。

室大則多陰，臺高則多陽，多陰則蹷，多陽則痿，此陰陽不適之患也㊀。是故先王不處大室，不為高臺，味不衆珍，衣不燀熱，燀熱則理塞，理塞則氣不達，味衆珍則胃充，胃充則中大鞔，中大鞔而氣不達㊁，以此長生，可得乎？

【今註】㊀此承上文適欲而言。蹷已見上本生篇註。痿（ㄨㄟˇ）是筋肉萎縮不能動作的病症，素問有痿論。春秋繁露循天之道篇：「高臺多陽，廣室多陰，遠天地之利也，故聖人弗為，適中而已矣。」本此。㊁衆珍是山珍海味。燀（ㄉㄢˇ）熱是過熱之意，猶燠熱，其熱在內，脈理為之閉塞，故曰燀熱則理塞。鞔（ㄅㄨㄥ）是虛脹如鼓，衆珍滿胃，胃太飽則感腹脹而氣血不流暢。

【今譯】室大則多陰，臺高則多陽；多陰則易患兩足不能行動的蹷病，多陽則易患筋肉萎縮不能動作的痿病，這些都是陰陽不調和的害處。所以古代帝王不住大室，不建高臺，吃的不要太多的山珍海味，穿的不要太厚太煖的衣服。因為穿得太煖則脈絡閉塞，脈絡閉塞則氣血不通達；吃得太飽則胃裏充滿，胃裏充滿則腹部鼓脹，腹部鼓脹則氣血不能流暢。在這種情形之下要求長生，可能得到嗎？

昔先聖王之為苑囿園池也，足以觀望勞形而已矣，其為宮室臺榭也，足以辟燥濕而已矣，其為輿馬衣裘也，足以逸身煖骸而已矣，其為飲食酏醴也，足以適味充虛而已矣㊀，其為聲色音樂也，足以安性自娛而已矣；五者聖王之所以養性也，非好儉而惡費也，節乎性也㊁。

【今註】㊀酏（一）是清酒，醴是麴少而米多的濁酒。充虛是吃飽，猶言果腹。㊁「節」：高注「猶和也」，即中庸所謂「發而皆中節謂之和」，節適和三字的意義都相通。

【今譯】古代聖王的生活非常簡樸，所建苑囿園池，但求足以觀望勞形而已；所築宮室臺榭，但求足以避風雨寒暑而已；所用車馬衣裘，但求足以安逸溫暖而已；所吃飲食酒醴，但求足以可口充腹而已；所好聲色音樂，但求足以娛樂養性而已。這五種都是聖王所以養生的準則，他們所以如此，並不是喜好節儉而不願破費，其實是要和適人性、節制情欲罷了。

四曰貴公

【今註】貴公是呂氏春秋的基本政治思想。本篇說明統治者應以人民的共同意見、利益為貴，乃能保障人民的生活和生命。所以說：「治天下必先公，公則天下平矣，平得於公。」又說：「天下非一人之天下也，天下人之天下也。」先秦的儒道法各家思想固多不同，但對於君主如何運用其統治權力，卻有相通相似的原則，就是君主必須一秉至公。不過本篇所舉事例，則多屬儒家言論，禮記禮運篇記孔子之言說：「大道之行也，天下為公」，故尹子說：「孔子貴公」。

昔先聖王之治天下也，必先公，公則天下平矣；平得於公。嘗試觀於上志，有得天下者眾矣，其得之以公，其失之必以偏㈠。凡主之立也生於公㈡，故鴻範曰：「無偏無黨，王道蕩蕩，無偏無頗，遵王之義，無或作好，遵王之道，無或作惡，遵王之路㈢。」天下非一人之天下也，天下之天下也㈣，陰陽之和，不長一類，甘露時雨，不私一物，萬民之主，不阿一人。伯禽將行，請所以治魯，周公曰：「利而勿利也㈤。」荊人有遺弓者而不肎索，曰：「荊人遺之，荊人得之，又何索焉？」孔子聞之，曰：「去其荊而可矣。」老聃聞之，曰：「去其人而可矣。」故老聃則至公矣㈥。天地大矣，生而弗子，成而弗有，萬物皆被其澤、得其利，而莫知其所由始，此三皇五帝之德也。

【今註】㊀上志是古代的記載。「其得之以公，其失之必以偏」正如孟子所謂「三代之得天下也以仁，其失天下也以不仁」。畢校謂得之下當有必字，御覽等引並有必字，尹校據補。按失之以偏可必，得之以公不可必。義大利馬基維利（N. Machivelle）的君王論（*The Prinse*）（何欣譯）中有三章論述獲得君王高位者，有以自己的武力與才能獲得的，有以他人的力量或幸運而得到的，有以邪惡手段獲得的，並不是皆得之於公；中國古代亦有以邪惡手段獲得的，故此句中不宜有必字。御覽引用古書，每由抄引者任意增損，不足為據。㊁「生於公」：高注「『生』，性也。」許釋引陶鴻慶說：「廣雅釋詁、生、出也，言立君之本義出於人心之公，高注非是。」㊂鴻範是尚書洪範篇，論治天下的大法。蕩蕩是廣大平坦，頗（ㄆㄛ）是傾斜不平，作好是營私舞弊，作惡是擅作威福，無或的或字，高注「或、有也」，許釋謂今本尚書洪範或字並作有。㊃高注：「書曰，皇天無親，惟德是輔，故曰天下之天下也。㊄伯禽是周公旦之子，周成王封為魯國公。「利而勿利」高注「務在利民，勿自利也。」許釋引陶鴻慶札記：「下文云，天地大矣，生而弗子，成而弗有，萬物皆被其澤，得其利，而莫知其所由始。即此文利而勿利之義，高注解為利民勿自利，未得其旨。」按陶說可供參考，惟生而弗子，成而弗有，萬物皆被澤各句，是老子「生而不有，為而不恃，功成不居」之意，是說明老明則至公矣句的意義，不宜以此解釋周公所言。㊅荊人即楚國人，老明即老子。得之必有人，去其人則何有得，高注謂天下得之而已，何必人，亦非老子之意。孔子的去其荊，已可謂大公無私。

【今譯】古代聖王的治理天下，必以公正為先，公正則天下和平了，和平得於公正。曾試觀覽上古的記載，得天下而王的很多，那得到的是由於公正，那失去的必定由於偏私。大概立君的本義是出於人心的公正，所以洪範說：「沒有偏私，沒有結黨，王道是廣大平坦的；沒有偏私，沒有傾斜，應該遵守聖王的法則；不可有營私舞弊的行為，應該遵守聖王的大道；不可有擅作威福的情事，應該遵循大公的正路。」天下不是一個人的天下，是天下人的天下，好像陰陽和順，不只是長育那一類生物，甘露時雨，不偏私那一種生物，君臨天下的萬民之主，不可能偏私那一個人。伯禽將往魯國去，向其父周公請示如何治魯，周公說：「利民而不可自利。」楚國有人遺失了他的弓，而不肯去尋找，他說：「楚人遺失的，楚人得到，又何必尋找？」孔子聽到這話，便說：「去了楚字就好了。」老子聽到這些話，也說：「去了人字就可以了。」所以老子可謂至公了。天地何等偉大，生育人民而不以他們為子，成長萬物而不視為私有，萬物蒙受天地的德澤，都得到天地的福利，卻都不知道這些澤利是從那裏來的，這可知古代三皇五帝的功德了。

管仲有病，桓公往問之，曰：「仲父之病矣，漬甚，國人弗諱㈠，寡人將誰屬國㈡？」管仲對曰：「昔者臣盡力竭智，猶未足以知之也，今病在於朝夕之中，臣奚能言？」桓公曰：「此大事也，願仲父之教寡人也。」管仲敬諾，曰：「公誰欲相？」公曰：「鮑叔牙可乎？」管仲對曰：「不可，夷吾善鮑叔牙。

鮑叔牙之為人也，清廉潔直，視不己若者不比於人，一聞人之過，終身不忘。勿已、則隰朋其可乎㊂？隰朋之為人也，上志而下求，醜不若黃帝，而哀不己若者，其於國也、有不聞也，其於物也、有不知也，其於人也、有不見也。勿已乎則隰朋可也。」夫相大官也，處大官者不欲小察，不欲小智，故曰大匠不斲，大庖不豆，大勇不鬭，大兵不寇。桓公行公去私惡㊃，用管子而為五伯長，行私阿所愛，用豎刁而蟲出於戶。

【今註】㊀管仲是春秋時齊國的大政治家，相齊桓公，成霸業，桓公尊稱他為仲父。「仲父之病矣」猶今言「仲父病了！」句中「之」字是語氣詞，本書中此種句例頗多，如「此之謂大惑」「生之稻粱」「巧佞之近，端直之遠」等都同，畢校許釋據列子莊子作「仲父之病病矣」，亦可。漬（ㄗˋ）或作瘠，漬甚是很瘦之意。國人弗諱是說國人都知道不可諱言。㊁寡人是古時國君的謙辭，禮記玉藻「凡自稱，天子曰予一人，諸侯曰寡人，小國之君曰孤。」㊂「勿已」是非說不可的意思。上志是效法上世賢人的善行，下求是不恥下問，詢及芻蕘，醜是恥辱之意。㊃去私惡是說桓公不念帶鉤之辱而用管仲，事見下贊能、貴卒篇，這是說公的可貴；阿所私是指桓公不用管仲之言而用豎刁易牙，終於國亂五子爭立，停屍不殯，致蟲出於戶外，事見下知接篇，這是說私的失敗。五伯即五霸，齊桓公最先，故曰為五霸長。

【今譯】管仲有病，桓公去慰問他，說：「仲父病了，很瘦了，國人都知道，不必諱言，我將國事付託給誰呢？」管仲說：「從前我曾盡力竭智，還未足以知人；現在病重危在旦夕之中，能說什麼呢？」桓公說：「這是國家大事，希望仲父教寡人。」管仲恭敬的說：「好吧，公要誰為相呢？」桓公說：「鮑叔牙可以嗎？」管仲說：「不可，夷吾和鮑叔牙友善，深知鮑叔牙的為人，清廉潔直，輕視不如自己的人，一次聽到別人的過失，便終身不忘。如果一定要我說的話，那麼，隰朋或者可以吧！隰朋的為人，效法上世的賢人而不恥下問，恥不及古代聖賢而同情不如己的人。他對於國家所做的善事，有不聞於世，志在利國而已；對於非其職責的事物，有所不知，不欲干涉他人；對於人事，務在濟民，有不見知於人。非說不可嗎？那麼隰朋可以吧！」相國是國家的大官，做大官的人不要察察為明，不要用小聰明，所以說：大匠但察看規模而不要親自斲削；大庖但調和五味而不要親自陳列籩豆；大勇的人但運籌帷幄而不要上陣鬭力；強大的軍隊但掃蕩無道而不會侵略寇害。桓公早年能公正而不念私惡，信用管仲而成為五霸之長；晚年私心自用而偏袒所愛，信用豎刁而不得善終，以致屍蟲出於戶外。

人之少也愚，其長也智，故智而用私，不若愚而用公㈠。日醉而飾服，私利而立公，貪戾而求王，舜弗能為㈡。

【今註】㊀用私以敗，用公則成，不論賢愚老幼都是如此，桓公之事足以證明公之可貴。㊁貪戾是自私自利而不利民。

【今譯】一個人年輕時無知無識，年長時足智多謀，可見足智多謀而用私，不如無知無識而能用公。整天醉酒而整飾服裝，實為私利而表示公正，施政貪戾而求王天下，雖聖如大舜亦不可能成功。

五曰去私

【今註】本篇是闡發貴公篇的意義，去私心、存公道，是道德的基本精神，要行公必先去私，故本篇接著上篇而引伸其義。本書所謂私是指傳子而言，故舉堯舜不與其子為例。戰國後期，讓國傳賢運動盛極一時，如秦孝公要讓國於商鞅，梁惠王要讓國於惠施，至燕王噲讓國於子之而幾於亡國。本書作者並不贊同此舉，故在不屈篇即說魏王（即梁惠王）失察，當時一般儒生多主張封建，其用意乃在不以天下私之於天子一人。故本篇末說：「王伯之君亦然，誅暴而不私，以封天下之賢者，故可以為王伯。」漢代以後，即實行此意，而未能去私，故漢有七國之變，晉有八王之亂，歷代都受封建制度的禍害，這就可見貴公去私的要義所在了。

天無私覆也，地無私載也，日月無私燭也，四時無私行也㊀，

行其德而萬物得遂長焉。黃帝言曰㈡：聲禁重，色禁重，衣禁重，香禁重，味禁重，室禁重。堯有子十人，不與其子而授舜㈢，舜有子九人㈣，不與其子而授禹，至公也。

【今註】㈠禮記孔子閒居篇：「天無私覆，地無私載，日月無私照，」為三無私，孔子要治國平天下的人有像天地日月四時的無私精神。㈡「黃帝言曰」數語，許釋引蘇時學文山筆話謂「與前後文義並不相蒙，通篇亦無此意，蓋必重己篇內所引，而後人傳寫錯誤混入此篇者。」按蘇說甚是，似應在重己篇「以此長生、可得乎？」之後，所謂聲色衣服臭味居室等禁止太過，都是申述室大多陰一節的意義。㈢高注引孟子曰，堯使九男二女事舜，此曰十子，殆以丹朱為亂子，不在數中。㈣高注引國語曰，舜有商均，此曰九子，不知出於何書也。

【今譯】天沒有私覆，地沒有私載，日月沒有私照，四時沒有私行，天地日月四時各行其生生不已的大德，於是萬物得以順利成長。（黃帝說：聲音禁止太過，美色禁止太過，衣服禁止太過，香氣禁止太過，滋味禁止太過，宮室禁止太過。）堯有子十人，不以天下傳給兒子而傳給舜；舜有子九人，不以天下傳給兒子而傳給禹；可以說是大公無私的了。

晉平公㈠問於祁黃羊㈡曰：「南陽㈢無令，其誰可而為之？」祁黃羊對曰：「解狐可。」平公曰：「解狐非子之讎邪？」對曰：「君問可，非問臣之讎也。」平公曰：「善」。遂用之，國人稱善焉。居有閒，平公又問祁黃羊曰：「國無尉㈣，其誰可而為之？」對曰：「午可」。平公曰：「午非子之子邪？」對曰：「君問可，非問臣之子也。」平公曰：「善。」又遂用之，國人稱善焉。孔子聞之曰：「善哉！祁黃羊之論也，外舉不避讎，內舉不避子㈤。」祁黃羊可謂公矣。

【今註】㈠晉平公是晉悼公之子，依左傳此事應為晉悼公。㈡祁黃羊是晉大夫，左傳作祁奚。㈢南陽是今河南省南陽縣，令是地方長官。㈣尉是掌理刑獄兵事的官，大概祁黃羊任此官，晉悼公四年（西元前五七〇年）祁請退休，平公問繼任人選，祁推舉解狐，是他的仇人，可是將要用解狐而解狐死。平公又問，祁乃薦其子祁午為尉。事見左傳襄公三年。梁玉繩呂子校補謂本篇所記與韓非子外儲說左下相同。㈤內舉不避子、左傳作內舉不避親。

【今譯】晉平公問祁黃羊說：「南陽沒有令官，誰可以治理這地方？」祁黃羊說：「解狐可以。」平公說：「解狐不是你的仇人嗎？」回答說：「君問的是誰可以做南陽令，不是問我的仇人。」平公說：「很好。」就用解狐為南陽令，國人都稱得人。過了一些時，平公又問祁黃羊說：「國家沒有尉官，誰可以擔任這職務？」祁黃羊說：「午可以。」平公說：「午不是你的兒子嗎？」回答說：「君問的是誰可以為尉，並非問我的兒子。」平公說：「很好。」又即用祁午為尉，國人都稱得人。孔子聽到這事，說：「祁黃羊的說法真太好了，外舉不避仇，內舉不避子。」祁黃羊可以說是公正的了。

墨者有鉅子腹䵍居秦㈠，其子殺人，秦惠王曰：「先生之年長矣，非有它子也，寡人已令吏弗誅矣。先生之以此聽寡人也㈡。」腹䵍對曰：「墨者之法曰：殺人者死，傷人者刑，此所以禁殺傷人也。夫禁殺傷人者、天下之大義也，王雖為之賜，而令吏弗誅，腹䵍不可不行墨子之法。」不許惠王而遂殺之。子、人之所私也，忍所私以行大義，鉅子可謂公矣。

【今註】㈠鉅子是墨家的領袖，畢校是。腹䵍（ㄊㄨㄣˊ）是姓腹名䵍。㈡秦惠王是秦孝公之子。許釋引陶鴻慶札記謂「句首當有欲字，不屈篇魏惠王謂惠子，亦有此語，正作欲先生之以此聽寡人也，此文當與彼同。」

【今譯】墨者有鉅子名叫腹䵍住在秦國，他的兒子犯殺人罪，於法當死。秦惠王對腹䵍說：「先生的年紀大了，又沒有其他兒子，我已命令法官不要判死刑了。這件事希望先生聽我的。」腹䵍回答說：「墨者的法律規定，殺人者死，傷人者刑，這所以禁止殺傷人。禁止殺傷人是天下的大義，大王雖賜予寬赦，而令吏弗誅；可是腹䵍不可不執行墨子之法。」於是不接受惠王的赦免，就殺了他自己的兒子。兒子是為人父母所愛的，鉅子竟忍心執法以行大義，鉅子可以說是大公的了。

庖人調和而弗敢食，故可以為庖；若使庖人調和而食之，則不可以為庖矣。王伯之君亦然，誅暴而不私，以封天下之賢者，故可以為王伯；若使王伯之君誅暴而私之，則亦不可以為王伯矣。

【今譯】廚子調和食物而他自己不敢吃，故可以做廚子；要是廚子調和食物而自己吃了，那就不可以做廚子了。王霸的君主亦是如此，平定暴亂的國家而不自私，用以分封天下的賢者，故可以成為王霸；如果平定暴亂而據為私有，那也不可以成為王霸了。

卷二　仲春紀

第二，凡五篇

一曰仲春

【今註】仲春是夏曆的二月，其應時的時令事物與孟春相同。惟其時日行中天，正是春分時節，雷乃發聲，蟄蟲始出，天氣和暖，蠶事將興，故應生而勿殺，以順應養生之道。

仲春之月，日在奎，昏弧中，旦建星中㈠。其日甲乙，其帝太皞，其神句芒，其蟲鱗，其音角，律中夾鐘，其數八。其味酸，其臭羶，其祀戶，祭先脾㈡。始雨水，桃李華，蒼庚鳴，鷹化為鳩㈢。天子居青陽太廟，乘鸞輅，駕蒼龍，載青旂，衣青衣，服青玉，食麥與羊，其器疏以達㈣。

【今註】㈠奎是西方宿，今屬仙女座；弧及建星不是二十八宿，弧矢九星在狼星東南，建星在斗宿上，這個月的昏旦分別出現於南方中天。㈡「其日甲乙」至「祭先脾」，已詳見孟春篇註。夾鐘是十二律之一，請參閱音律篇。㈢雨水後亦為二十四節氣之一，其時冰雪融化為水，土壤始發濕可耕。

華是開花。蒼庚亦作鶬鶊、黃鸝或黃鳥，是鳴禽類的小鳥。「鷹化為鳩」是不可能的，古時鳩的種類甚多，有分為祝鳩、鳲鳩、鶻鳩、爽鳩、鶻鳩五種，依現代動物學的分類，祝鳩是鴿類，鶻鳩是鳩類，鳲鳩即布穀是攀禽類，鶻鳩是鶚類，而爽鳩是鷹類。所謂鷹化為鳩，或指爽鳩而言。爽鳩與鳲鳩形狀相似，其聲亦呼「布穀」催人耕種，於是誤認鷹化為鳩。莊子有「鷂為鸇，鸇為布穀，布穀復為鷂。」鷂一名雀鷹，本草綱目謂「雀鷹春化布穀。」是古時有此說法。㊃青陽太廟、鸞輅、蒼龍等已詳孟春篇註。

【今譯】　仲春二月，太陽的位置在西方奎宿，向晚時可以望見弧矢星在南方中天，向曉時則見建星出現。二月的日干也是甲乙，上應的天神是木德之帝太皞和木官之神句芒。應時而出的動物以鱗蟲為主，應時音律是角音和夾鐘，其數為八。應時的氣味是酸和羶，祭祀以戶及脾為先。其時冰雪化為雨水，桃李開花，黃鸝始鳴，形如老鷹的布穀也出現了。到了二月，天子移居在青陽中央的太廟，出則乘鸞輅，駕蒼龍，載青旗，穿青衣，佩青玉。食則以麥與羊為主，用器要雕鏤粗疏而透氣。

是月也、安萌牙，養幼少，存諸孤㊀。擇元日命人社㊁。命有司省囹圄，去桎梏，無肆掠，止獄訟㊂。

【今註】　㊀萌牙是指草木，幼少是指禽獸，諸孤是指沒有父母撫養的孤兒，三者必有所區別而不重複。春主生，故應該順應天時，分別予以安養存恤。㊁元日已見孟春篇，社是土地之神，春社祈福，秋社報功，禮記郊特牲：「社日用甲。」晉嵇含社賦序：「有漢卜日丙午，魏氏擇用丁未，至於大晉則社孟月之酉日，各因其行運。」是則歷代社日不同，近世多以夏曆二月二日為土地神誕辰，鄉農競為土地會。「命人社」是命令人民舉行社祭。㊂有司指掌理司法及監獄之官。囹圄是周代的牢獄。桎梏是禁繫罪犯手足的枷鎖。肆掠是任意鞭扑的意思。

【今譯】在這個月裏，要保護草木的萌芽，要養育幼小的禽獸，要存恤無依的孤兒。選擇吉日，命令人民舉行社祭。命令司法人員省減囚犯，解去刑具，不可任意鞭笞，禁止人民訟爭。

是月也、乡鳥至㊀。至之日，以太牢祀于高禖㊁。天子親往，后妃率九嬪御㊂，乃禮。天子所御，帶以弓韣，授以弓矢于高禖之前㊃。

【今註】㊀乡即玄，玄鳥是燕子，春分來，秋分去。㊁高禖（ㄇㄟˋ）是古時求子的祭名及求子所祭之神，後世乃有觀音送子之說。太牢是牛、羊、豕三牲齊備的大祭。㊂古時王者一后三夫人九嬪二十七世婦，周禮天官「九嬪掌婦學之法」，又「以婦職之法教九御」，所以九嬪御都是宮中治事的女官，高注謂御見天子、非是。㊃弓韣（ㄉㄨˋ）是弓衣。天子所御是天子所寵愛而懷孕的妃嬪。當后妃行祭禮時，在高禖之前，授以帶有弓衣的弓矢，以表示勇猛得男的象徵，亦即生男懸弧之意。

【今譯】這個月裏，燕子飛來。飛到的那天，乙太牢之禮祭於高禖祠。天子親往，後妃率領九嬪九御前往，乃舉行祭禮；天子在高禖神像之前，把帶有弓衣的弓矢，授予所寵愛的妃嬪，表示懸弧得男之意。

是月也、日夜分㈠，雷乃發聲，始電，蟄蟲咸動，開戶始出。先雷三日，奮鐸以令于兆民曰：雷且發聲，有不戒其容止者，生子不備，必有凶災㈡。日夜分，則同度量，鈞衡石，角斗桶，正權概㈢。

【今註】㈠「日夜分」就是後來二十四節氣中的「春分」，其時日行周天，恰滿三百六十度，太陽自南向北，正射赤道上，南北兩半球晝夜均分，又適當春季之半，故名春分。春分之後，晝長夜短，至夏至為止。今陽曆為三月二十一日或二十二日。一年二十四節氣中，以二至（夏至、冬至）二分（春分、秋分）為要。春分居春陽之中，是日前後的溫度濕度不同，氣候變化很大，身體衰弱之人容易生病，生育較多的婦女尤多腰酸頭痛的現象，這在中醫叫做「發節氣」。所以此時應注意養生，遠聲色，去憂鬱，務使精神舒暢，以順應天時。㈡鐸是木鈴，金口木舌為木鐸，金口金舌為金鐸。奮鐸是用力振動木鐸，以警告國人，使知春分已到，將發生雷電。古時相信婦女如於此時受胎，則所生子女將會有聾啞狂癡的病症。㈢度是長短的標準，量是多寡的標準，權（即衡）是輕重的標準。斗桶是量器，權是秤錘，概是平斗斛的木條，俗名斗括子，形如丁字。同、鈞是使之平均合於規定的標準。角、正是校正使之正確，這是國家應有的統一制度，歷代都有專司度量衡標準的機構。

【今譯】這個月裏，晝夜均分，其時陽氣上升，與陰氣相震盪，開始閃電，雷乃發聲，蟄伏土中的昆蟲一齊驚動，開啟封口而出。在發雷之前三日，地方官都要力振木鐸以警告國人說：快要響雷了，大家都要戒慎，如果於此時懷孕，那麼所生子女發育不全，將會有聾啞狂癡的病症。同時由於晝夜均分，就要順應天道，劃一度量，平準衡稱，校量斗桶，修正權概，都要合於規定的標準。

是月也、耕者少舍㈠，乃修闔扇㈡，寢廟必備，無作大事，以妨農功㈢。是月也、無竭川澤，無漉陂池，無焚山林㈣。天子乃獻羔開冰，先薦寢廟㈤。上丁命樂正入舞舍采㈥，天子乃率三公九卿諸侯親往視之；中丁又命樂正入學習樂。是月也、祀不用犧牲，用圭璧；更、皮幣㈦。

【今註】㈠「少舍」：高注「皆耕在野，少有在都邑」未妥。鄭玄謂舍是止息，少舍是稍得空閒時間。㈡「闔扇」：高注「門扇也」意未明。按說文闔、門扉是合木而成的；韻會「雙曰闔，門也；單曰扃、戶也。」㈢「大事」：高注「兵戈征伐也。」未妥，此處只是農家事，其意謂耕者稍得休閒，以修理門戶，不能再作其他大事，如修築房屋、辦理兒女婚娶等事，以免妨礙農功。㈣漉（ㄌㄨˋ）是放水使涸之意。森林可以固隄防旱，調節氣候，故勿焚山林，此三語皆為防備水旱。㈤羔一般皆訓為小羊，惟徐灝謂「羔之本義為羊炙，故從火，小羊味重，為炙尤宜，因之羊子謂之羔。」徐說是。獻羔當即是進獻羊羔；羊羔需要冰凍，故開啟冰室。㈥「丁」有丁丑、丁卯、丁巳、丁未、丁酉、丁亥，上丁是每月上旬的丁日，中丁是每月中旬的丁日。「入舞」是入學習舞。「舍采」有三說：⑴高注以采為贄，舞童初入學官，必禮先師，置采帛於前以贄神也。周禮、春入學、舍采合舞。⑵畢校以月令作習舞釋菜，鄭注菜謂芹藻之類。⑶許釋引梁玉繩呂子校補謂贄帛古禮也，似勝鄭注，此與周禮春官大胥作采，蓋菜采古通。或曰、學者皆人君卿大夫之子，衣服采飾，舍菜者減損盛服以下其師。按高注有周禮為據，當以高注為是。㈦春主生，故祭祀不用犧牲而用圭璧或皮幣代替。許釋引俞樾平議：「更皮幣三字當自為句，周官女祝掌以時招梗襘禳之事，注曰、杜子春讀梗為更，玄謂梗御未至也。此文更字即招梗襘禳之梗，與杜讀合。正義引蔡氏云、此祀不用犧牲者，祈不用犧牲，謂祈禱小祀也。然則祀謂祈禱，更謂梗御，其事相近。凡有祈禱之事，不用犧牲而用圭璧；若梗御之事則止用皮幣而已，以其事尤輕也。」按俞說是。

【今譯】　這個月裏，耕者稍有休閒時間，於是修理門戶，凡安身的寢室、事祖的廟堂，必須整頓完備，不要作其他大事，以免妨害農事的功效。這個月，不要使川澤乾涸，不要放去陂池的積水，不要焚燒山林。天子乃命有司進獻羊羔，開啟冰室，先要薦於祖廟。上旬丁日命樂正率卿大夫之子入學習舞，必先行舍采禮，天子乃率三公九卿諸侯親往觀賞；中旬丁日又命樂正入學練習六代之樂。這個月的祈禱之祀不用犧牲而用圭璧；至於梗御之事則用皮幣可也。

仲春行秋令，則其國大水，寒氣總至，寇戎來征㈠。行冬令、則陽氣不勝，麥乃不熟，民多相掠㈡。行夏令、則國乃大旱，燠氣早來，蟲螟為害㈢。

【今註】㈠各種政令如果不能順應天時，則時令失調，如仲春行秋令，春主生而秋主殺，則大水寒氣多至而寇兵來攻。春秋繁露治亂五行篇亦謂「金干木有兵」。㈡冬令陰氣肅殺，陽氣不勝，故麥不成熟，民眾飢寒，故多劫掠為生。㈢夏主火，熱氣早來，故有旱災而螟蟲傷害稻禾。

【今譯】二月正陽氣長養之時，如果天時不正而氣候涼爽如秋，則大水寒氣都到而寇兵來犯。如行冬令則陰寒肅殺之氣制勝春陽的溫暖，麥子不能成熟，人民因飢餓而有所劫掠。又如行夏令，則熱氣早來，使川澤陂池之水乾旱，而吸食稻心的螟蟲因而為害。

二曰貴生

【今註】本篇是孟春紀重己篇的引伸，重己是要適欲以順生，而貴生是要六欲皆得其宜以尊生。文中引述子州支父、王子搜及顏闔三例證，以說明為貴生而賤視天下國家及富貴，而功業輝煌非所以完身養生之道。戰國時有貴生說，韓非子六反篇謂「畏死遠難，降北之民也，而世尊之曰貴生之士。」

貴生之士是指道家者流；惟按貴生二字，初見於道德經七十五章，老子說：「夫唯無以生為者，是賢於貴生。」其意謂貴生者重視自己的生命而貪圖生活的享受，是不如無以生為者之賢；而本篇以貴生為最高目的，則並非老子思想。韓非子認為楊朱是貴生之士，因為列子楊朱篇說：「智之所貴，存我為貴。」這正是本篇所謂「道之真以持身，其緒餘以為國家，其土苴以治天下。」的意義了。

聖人深慮天下，莫貴於生。夫耳目鼻口、生之役也㈠，耳雖欲聲，目雖欲色，鼻雖欲芬香，口雖欲滋味，害於生則止；在四官者不欲、利於生者則弗為㈡。由此觀之，耳目鼻口不得擅行，必有所制㈢，譬之若官職不得擅為，必有所制，此貴生之術也。

【今註】㈠役是供人使喚，耳目鼻口是供生所使喚的。㈡高注以「在四官者」四字為句；許釋、尹校據陳昌齊說，以「在四官者不欲」六字為句，謂此即前本生篇「利於性則取之，害於性則舍之」之意，此說是也。又陳謂「弗字衍」，尹校據刪，按弗字並不衍，其意謂在四官雖不欲而有利於生者則弗止，如毒藥害於生則止；良藥苦口是口所不欲飲的，而有利於病者，故弗止。㈢「不得擅行」是受心所制，孟子說：「耳目之官不思而蔽於物，物交物則引誘而已矣。心之官則思，思則得之，不思則不得也。」故耳目鼻口都受制於心。

【今譯】聖人深知天下的事物，莫貴於生命。耳目鼻口都是生命的使役。耳雖然要聽聲音，目雖然要看美色，鼻雖然要聞芳香，口雖然要吃滋味；可是這些聲色香味如果有傷害於生命，則禁止不用。反之，如果四官不要聽、不要看、不要聞、不要吃，可是這些聲色香味實有利於生命，則弗禁止。這樣看來，耳目鼻口是不得專擅行動的，必有所制；譬如國家的官職不得專擅行事，必有所制，這就是貴生的法則。

堯以天下讓於子州支父㈠，子州支父對曰：「以我為天子猶可也，雖然，我適有幽憂㈡之病，方將治之，未暇在天下也。」天下、重物也，而不以害其生，又況於它物乎？惟不以天下害其生者也，可以託天下。

【今註】㈠這是說子州支父貴生而輕天下。子州支父是古代賢人，孟夏紀尊師篇「堯師子州支父。」又慎行論求人篇為堯以天下讓許由。㈡幽憂是隱憂，是他人所看不見的，高注引詩云：「如有隱憂，我心不悅。」這不過是子州支父的託辭而已。

【今譯】　堯以天下讓於子州支父，子州支父對他說：「要我做天子，倒是可以；雖然，我正有隱憂之病，方將去治療，還沒有餘暇的時間顧到天下呀！」天下是重大的事物，而子州支父不肯為天下損害他的生命，又況對於其他事物呢？亦惟有不肯為天下損害生命的人，纔可以付託天下。

越人三世殺其君，王子搜患之㈠，逃乎丹穴㈡。越國無君，求王子搜而不得，從之丹穴，王子搜不肎出，越人薰之以艾，乘之以王輿。王子搜援綏㈢登車，仰天而呼曰：「君乎？獨不可以舍我乎？」王子搜非惡為君也，惡為君之患也。若王子搜者，可謂不以國傷其生矣，此固越人之所欲得而為君也。

【今註】㈠這是說王子搜貴生而輕國家。王子搜，高注引淮南子云，「越王翳也」。畢校：「按竹書紀年，翳之前唯有不壽見殺，次朱句立，即翳之父也。翳為子所弒，越人殺其子，立無余，又見弒，立無顓，是無顓之前方可云三世殺其君，王子搜似非翳也。」許釋引梁玉繩校補，以搜為翳子無顓。㈡丹穴是採丹硃的井，史記「巴蜀寡婦清，其先得丹穴而擅其利。」㈢綏（ㄙㄨㄟˊ）是車中索。上車者執綏以升車。

【今譯】越人已三世殺其國君，王子搜害怕，逃於丹穴中。越國沒有國君，求王子搜而不得，追到丹穴，王子搜躲在穴中不肯出來，越人用艾草薰煙穴中，迫他出來，請他乘王輿。王子搜拿著馬繮登車，仰天大叫說：「國君嗎？獨不可以放了我嗎？」王子搜並不是惡做國君，是惡做了國君的禍患；如同王子搜這樣的人，可以說是不以國家損害其生命了，這實在是越人所以要求得他做國君呀！

魯君聞顏闔得道之人也㊀，使人以幣先焉。顏闔守閭，鹿布之衣而自飯牛㊁，魯君之使者至，顏闔自對之。使者曰：「此顏闔之家邪？」顏闔對曰：「此闔之家也。」使者致幣，顏闔對曰：「恐聽繆而遺使者罪，不若審之。」使者還反審之，復來求之，則不得已。故若顏闔者，非惡富貴也，由重生、惡之也。世之人主多以富貴驕得道之人，其不相知，豈不悲哉㊂？

【今註】㊀這是說顏闔貴生而輕富貴。顏闔是魯國賢人，又見適威篇。㊁古代五家為比，五比為閭，守閭是看守閭里之門。鹿布、許釋引洪頤煊謂鹿即麤字之省，莊子讓王篇作苴布之衣，苴即粗字。晏子春秋外篇「晏子相景公，衣鹿裘以朝。」鹿裘亦是麤裘。㊂高注引淮南記曰，魚相忘於江湖，人相忘於道術，故不相知也。此處是說世主不知得道之人的志趣，而以富貴驕之。老子說：「富貴而驕，自遺其咎」故曰可悲。

【今譯】魯君聽說顏闔是得道之人，使人致送幣帛以為先容。顏闔看守閭門，穿著粗布之衣，正在餵牛吃草，魯君的使者來到，顏闔親自接待他，使者說：「這是顏闔的家嗎？」顏闔說：「這是闔的家。」使者致送幣帛，顏闔說：「恐怕聽錯了而使使者得罪，不如再考慮吧。」使者回來，反覆的加以考慮，再來找顏闔，不得復見。所以如顏闔這種人，並不是厭惡富貴，實由於重視生命而厭惡富貴，可是世之人主多以富貴驕得道之人，如此不瞭解別人，豈不可悲哀嗎？

故曰：道之真以持身，其緒餘以為國家，其土苴以治天下㈠。由此觀之，帝王之功，聖人之餘事也，非所以完身養生之道也㈡。今世俗之君子、危身棄生以徇物，彼且奚以此之也？彼且奚以此為也㈢？凡聖人之動作也，必察其所以之，與其所以為。今有人於此，以隨侯之珠，彈千仞之雀，世必笑之，是何也？所用重、所要輕也。夫生、豈特隨侯珠之重也哉㈣？

【今註】㈠這一節是道家思想，莊子讓王篇「道之真以治身，」道家的理想人生是完身養生，也就是擺脫人為環境的束縛和外界物質的引誘，以求取一種自由而適性的生活。故曰，「道之真以持身，其緒餘以為國家，其土苴以治天下。」許釋引孫鏘鳴高注補正謂「土苴輕賤之物也」，緒餘以治國家，土苴以治天下，言天下國家不如生之為貴，而以治身之餘治之。㈡帝王如堯舜禹湯的治天下，黎黑瘦瘠，三過家門而不入，自為犧牲以求雨，雖然濟世救民，可不是完身養生之道。㈢徇猶曲從，徇物是偏重於物慾。奚以猶何以。且猶將。之是至或往的意思。此之猶言如此嚮往。此為猶言如此。（許釋引陶鴻慶札記）㈣隨是周時國名，滅於楚，故地在今湖北省隨縣南，隋文帝初封於此，後改隨為隋。「隨珠彈雀」比喻貴物賤用。

【今譯】 所以說：道的真意是用以治身，治身而有餘力，則用以治理國家，再用其多餘的精神來治理天下。這樣看來，所謂帝王治平天下的功業，實在是得道聖人的多餘之事，並不是完身養生的大道。可是現在世俗的人，多偏重物慾以危身棄生，他們何以如此嚮往呢？他們何以如此作為呢？凡是聖人的一舉一動，必定審察他的所以嚮往以及所以作為的目的。譬如說，如果有人用隨侯的明珠來彈千仞之上的麻雀，必受世人所笑，這為什麼？因為所用的重，而所要得的輕，那麼，一個人的生命，豈但隨侯之珠那樣貴重嗎？

子華子㈠曰：「全生為上，虧生次之，死次之，迫生為下。」故所謂尊生者，全生之謂，所謂全生者，六欲皆得其宜也㈡。所謂虧生者，六欲分得其宜也㈢。虧生、則於其尊之者薄矣，其虧彌甚者也，其尊彌薄。所謂死者，無有所以知，復其未生也㈣。所謂迫生者，六欲莫得其宜也，皆獲其所甚惡者，服是也，辱是也，辱莫大於不義，故不義、迫生也，而迫生非獨不義也，故曰迫生不若死㈤。奚以知其然也？耳聞所惡，不若無聞，目見所惡，不若無見，故雷則揜耳，電則揜目，此其比也。凡六欲者、皆知其所甚惡，而必不得免，不若無有所以知，無有所以知者，死之謂也，故迫生不若死。嗜肉者非腐鼠之謂也，嗜酒者非敗酒之謂也，尊生者非迫生之謂也。

【今註】㈠子華子是戰國時道家書，劉向校錄有子華子十篇，作者程本字子華，晉人，曾與孔子遇於郯，傾蓋而語，或謂鬼谷子之師。又下先己、誣徒、明理、知度、審為各篇均記子華子言論，是當時的縱欲派。又莊子讓王篇注為魏人。㈡全生是六欲皆得其宜，虧生是六欲的一部分得其宜，迫生是六欲皆不得其宜，且行不義，不如死亡，故為下。尊生（即貴生）是尊重生命，六欲皆能得宜，所以就是全生。㈢「六欲」一詞初見於此，高注為生死耳目鼻口，清金其源讀書管見：謂「死未可謂欲。」荀子云：「欲者情之應也。」徐鍇注說文「欲、人六情之所生也。」則六欲者六情也，白虎通云「喜怒哀樂愛惡，謂之六情。」孟子謂耳目鼻口四肢與心，分別需求聲色臭味安佚與禮義，而未稱之為欲。尹校謂「殆即去私篇黃帝所言之聲色衣香味室。」亦可供參考。後世所說的六欲，常指佛家的六根，般若經：「六根者謂眼耳鼻舌身意根。六塵者謂色聲香味觸法也。眼見為色塵，耳聞為聲塵，鼻齅為香塵，舌嘗為味塵，身染為觸塵，意著為法塵。合為十二處也。」此與孟子所言相同。㈣尹校：「死無知覺，未生亦無知覺，故曰復其未生也。」㈤道家思想雖主張「去甚去奢去泰」，「見素抱樸，少私寡欲」，但仍重視物欲，注意有良好的生活以完身養生，老子說：「聖人為腹不為目」又說：「甘其食，美其服，安其居，樂其俗。」可知其所不贊同的祇限於戕賊身心及虛浮淺薄的物欲，故曰迫生不若死，又曰，尊生者非迫生之謂也。

【今譯】　子華子說：「全生為上，虧生次之，死次之，迫生為下。」所謂尊生就是全生之意；所謂全生，是六欲皆得其宜。所謂虧生，是六欲的一部分得其宜，虧生的人對其所尊貴的生命已覺得微薄了，所虧越多，所尊越薄。所謂死，是六欲都沒有知覺，回復到未生時的狀態。所謂迫生，是六欲都不得其宜，祇得到那些最壞的，就是伏事他人，受人恥辱；恥辱沒有大於不義，所以不義就是迫生；可是迫生並不祇是不義，所以說，迫生不如死亡。何以知道是這樣的呢？因為耳朵聽到所厭惡的聲音，不如沒有聽到，眼睛看到所厭惡的事物，不如沒有看到；所以雷聲隆隆則掩耳，電光閃閃則掩目，這是很好的比喻。大凡六欲都知道什麼是最壞的，但當必不得避免的時候，反覺得不如沒有。大家知道死是什麼都沒有知覺，而迫生是無法避免所厭惡的六欲，所以說，迫生不如死亡。喜愛吃肉並不是指死老鼠的腐肉，喜愛飲酒並不是指敗壞了的酸酒，尊貴生命並不是指苟且偷生的意思。

三曰情欲

【今註】　本篇承接上文貴生篇的六欲，而闡明節欲的重要，故曰：「由貴生動，則得其情矣，不由貴生動，則失其情矣，此二者死生存亡之本也。」此下即依此二者先說明俗主不知節欲，以致百病叢生，亂難時至；再說得道者知道節欲，得以長壽。最後引述孫叔敖助楚莊王成霸業，日夜不息，不得養生之道。寡欲節欲是儒道兩家的共同主張，惟本篇中多用道家的言論。

天生人而使有貪有欲，欲有情，情有節㈠，聖人修節以止欲㈡，故不過行其情也。故耳之欲五聲，目之欲五色，口之欲五味，情也。此三者、貴賤愚智賢不肖欲之若一，雖神農黃帝、其與桀紂同，聖人之所以異者，得其情也。由貴生動，則得其情矣；不由貴生動，則失其情矣㈢；此二者死生存亡之本也。

【今註】㈠人的情欲是與本能俱生，孟子說：「口之於味也，目之於色也，耳之於聲也，鼻之於臭也，四肢之於安佚也，性也。」荀子亦說：「凡人有所一同：飢則欲食，寒則欲煖，勞則欲息，好利而惡害，是人之所生而有也，是無待而然也。」故曰天生人而使有貪有欲。荀子說：「欲者情之應也。」說文徐注「欲、人六情之所生也。」故曰欲有情。白虎通謂「喜怒哀樂愛惡謂之六情。」中庸謂「喜怒哀樂發而皆中節謂之和」，故曰情有節。㈡情欲固為人生所必需，可是人的欲望無窮，永無滿足的時候，如果任其放縱恣肆，則反足以害生。所以禁慾主義者主張摒除一切情欲，實違反人性，故儒道兩家都主張節欲，故曰聖人修節以止欲，故不過行其情也。所謂修節就是使六情之發皆能中節，能中節則不至於放縱。㈢「由貴生動」就是本生篇所說的「利於生則取之，害於生則舍之」。得其情是得其情之節。

【今譯】 天生人而使有貪有欲。欲生於情而情之發有節，聖人修節以止欲，所以不過用其情而得適其欲。故耳要聞五聲，目要看五色，口要嘗五味，這是人情；不論貴賤愚智賢不肖，對這三項都是一樣需要的，神農黃帝也與桀紂相同。聖人所以異於常人的地方，就是聖人能得情之節。情欲之動由於貴生，則得情之節；如不由於貴生，則失情之節；這一得一失，實在是死生存亡的關鍵。

俗主虧情㊀，故每動為亡敗，耳不可贍，目不可厭，口不可滿，身盡府種，筋骨沈滯，血脈壅塞，九竅寥寥，曲失其宜㊁，雖有彭祖猶不能為也㊂。其於物也、不可得之為欲，不可足之為求，大失生本，民人怨謗，又樹大讎㊃，意氣易動，蹻然不固㊄，矜勢好智，胷中欺詐，德義之緩，邪利之急，身以困窮，雖後悔之，尚將奚及。巧佞之近，端直之遠，國家大危，悔前之過，猶不可反，聞言而驚，不得所由㊅。百病怒起，亂難時至，以此君人，為身大憂，耳不樂聲，目不樂色，口不甘味，與死無擇。

【今註】 ㊀「虧情」即貴生篇的虧生，是情欲不得滿足。㊁贍是足夠。府種即肘腫，是膚肉浮滿的病症。沈滯是不靈活。壅塞是不流通。九竅是人身上的耳目口鼻及前後陰等九孔。寥寥本是空虛之意，靈樞脈度篇「五藏不和，則七竅不通，」此處九竅寥寥可釋為九竅可通者少。尹校謂耳不可贍一節，與上下文不相接，疑是錯簡。按尹說非是，此節是虧情的說明，虧情則六欲不得其宜，自不免肘腫等病，故曰「雖有彭祖猶不能為也。」㊂彭祖相傳是古代最長壽的人，性清靜，不欲於物，得壽八百歲，此言雖彭祖之無欲，不能化治俗主使之無欲。㊃上文說俗主因虧情而患病，故需求情欲的滿足。高注「貴不可得之物，寶難得之貨，此之謂欲。規求無足，不足紀極，不可盈厭，此之謂求。」貪欲無厭，大失養生之道，這一節是說俗主妄求私欲，違反自然之理，終必歸於失敗。故禮記曲禮警告世人：「欲不可縱，志不可滿，樂不可極。」㊄蹻（ㄑㄧㄠ）是高舉足，謂俗主因人民反對，而意氣用事，趾高氣揚，心無定見，故下文謂「矜勢好智，胸中欺詐。」㊅上文謂「雖後悔之，尚將何及」，此則謂雖悔前過，猶不足挽回國家的危亡，語氣較重，故下文謂聞將危亡乃始驚懼，但因近巧佞而遠端直，仍不知其危亡是由於不仁不義的暴政所致，故曰不得所由。

【今譯】世俗的君主由於情欲不得滿足，故動輒得咎，終於身亡國敗。當耳目口的情欲都不能滿足，於是全身肌肉浮腫，筋骨不靈活，血脈不流通，九竅都似失其作用，在這種情況之下，雖有彭祖的無欲，亦不能化治俗主使其貴生適欲。對於貨物而言，貴不可得之物，貪難得之寶，這叫做欲；欲望無窮，不可滿足，此所以盡力去求得；貪求無厭，完全失去了貴生的本意。於是人民怨憤而誹謗，又多樹了仇敵。而俗主見人民反對，愈加意氣用事，趾高氣揚，矜其權勢，剛愎自用，以欺詐國人，輕德義而重邪利，身敗名裂以至於困窮，雖後悔之，尚將何及？而且親近巧佞的小人，而疏遠端直的君子，國家因而大危，到了這個時候，即使痛悔前過，猶不可挽回國家的危亡。於是聽到國家危亡的傳言而始驚惶失措，可是仍然不知道其所以致此之由。以身言則百病怒起，以國言則亂難時至，以如此不知愛民之道來主持大政，適足以害其身，終於耳不樂聲，目不樂色，口不甘味，與死亡無別。

古人得道者生以壽長，聲色滋味能久樂之，奚故？論早定也㈠。論早定則知早嗇，知早嗇則精不竭㈡，秋早寒則冬必煗矣，春多雨則夏必旱矣，天地不能兩，而況於人類乎㈢？人之與天地也同，萬物之形雖異，其情一體也，故古之治身與天下者，必法天地也㈣。尊酌者眾則速盡，萬物之酌大貴之生者眾矣㈤，故大貴之生常速盡，非徒萬物酌之也，又損其生以資天下之人，而終不自知，功雖成乎外，而生虧乎內，耳不可以聽，目不可以視，口不可以食，胷中大擾，妄言想見，臨死之上，顛倒驚懼，不知所為，用心如此，豈不悲哉㈥！

【今註】㈠此段說明得道者知節欲而長壽，論早定是說早已知道節欲以養生。㈡嗇（ㄙㄜˋ）是愛惜省儉、多入而少出。老子所理想的自由而適性的生活，第一是守嗇，即儘量減少不必要的心思行為，他說：「治人事天莫如嗇。」「聖人之用神也靜，靜則少費，少費謂之嗇。」第二是自治，即自力照顧、約束本身生活的行為，他說：「聖人去甚、去奢、去泰。」「知足不辱，知止不殆，可以長久。」

㊂「不能兩」：如易謙卦「天道虧盈而益謙」。列子天瑞「故凡物損于彼者盈于此，成于此者虧于彼。」荀子勸學篇「目不能兩視而明，耳不能兩聽而聰。」易本命「四足者無羽翼，戴角者無上齒，無角者膏而無前齒，無羽者脂而無後齒。」都是說明不能兩的意思，春秋繁露天道無二篇亦有同樣說明。㊃春秋繁露通國身篇：「故治身者務執廣靜以致精，治國者務盡卑謙以致賢。」又循天之道篇「循天之道以養其身，謂之道也。」「能以中和理天下者，其德大盛；能以中和養其身者，其壽極命。」本書審分篇「夫治身與治國，一理之術也。」都是本句的註解。㊄尊是一樽酒，酌飲者多則速飲盡。大貴之生是指國君之身，以言國君個人的精神，消耗於萬物，則亦將速盡；何況不只萬物，尚須勞神照顧天下之人，故不免功成乎外而生虧乎內。高注引班固幽通賦「張修襮而內逼」，張謂張毅，事見莊子、淮南子。㊅「妄言想見」是說妄言耳可以聽，目可以見，口可以食，皆由想像而言。許釋引李寶洤高注補正：「王充論衡訂鬼篇，凡人不病則不畏懼，故得病寢衽，畏懼鬼至，畏懼則存想，存想則目虛見，此之謂妄言想見，臨死之上，顛倒驚懼也。」又臨死之上，許釋「安死篇注、上、前也。」

【今譯】古代得養生之道者，生於世而得長壽，聲色滋味都能長久享受，這是什麼緣故？是因為他早就認識節欲貴生的道理。早知節欲貴生，則早知愛惜精神，早知愛惜精神則精神充沛，用之不竭。這猶如秋天早寒則冬天必煖了，春天多雨則夏天必旱了，天地猶不能兩全，何況人類呢？人類是和天地同樣的不能兩全，萬物的形態雖異，其好生之情是一體相同的。所以古代的治身與治天下，必要效法天地。一樽的酒，酌而飲之的人眾多，那酒就很快完了；國君的大貴之身，酌取的萬物太多了，所以大貴之身也常要很快的完了。非但萬物酌取之而已，還要減損其有生之年以分別照顧天下之人，而他本人卻始終不覺得。故雖功業成就於外，而生命活力虧損於內，終於耳不可以聽，目不可以視，口不可以食，胷中煩悶，還妄言可以聽，可以視，可以食，臨死之前，神魂顛倒，內心驚懼，也不知道怎樣才好。所以一個人用心如此以致虧生，這不是太可悲哀的嗎？

世人之事君者，皆以孫叔敖之遇荊莊王為幸㈠，自有道論之，則不然，此荊國之幸。荊莊王好周遊田獵，馳騁弋射，歡樂無遺，盡傅其境內之勞與諸侯之憂於孫叔敖㈡。孫叔敖日夜不息，不得以便生為故，故使莊王功迹著乎竹帛，傳乎後世㈢。

【今註】㈠孫叔敖是春秋時楚莊王的賢相，施政導民，上下和合，不以個人的得失為意，助成楚國的霸業。其事又見下贊能、異寶、察傳各篇。荊即楚，楚莊王是春秋五霸之一。㈡傅即付託。㈢此謂孫叔敖不知重己貴生，日夜不休，不得注意個人生活上的利益。

【今譯】世人說到事君之事，都認為孫叔敖的遇到楚莊王為幸運，可是從養生有道而言，則不盡然，只能說這是楚國的幸運。楚莊王喜歡周遊田獵，馳騁弋射，歡樂無厭，把他國內的施政和諸侯間外交上的麻煩，統統付託於孫叔敖。孫叔敖公忠體國，任勞任怨，日夜不休，幾無暇顧及一己生活的便利，所以能使莊王的霸功著於史冊，傳於後世」。

四曰當染

【今註】　本篇主旨是尚賢，也是貴生篇「立官以全生」的發揮，說明人君應為官職擇人用賢，得到好的濡染，以成就其道德事功。如不能用賢，所染不當，則反受其害。當（ㄉㄤˋ）是適當、恰當之意，染是濡染、感染之意，即所謂耳濡目染和近朱者赤、近墨者黑的意思。篇中就所染當與所染不當兩方面舉引事例，原文多取墨子所染篇而人名稍有不同。所謂國有染、士亦有染兩點，則是儒家所說的「近君子、遠小人」「觀人視其師友」的意義。

墨子見染素絲者而歎㈠，曰：「染於蒼則蒼，染於黃則黃，所以入者變，其色亦變，五入而以為五色矣㈡，故染不可不慎也。」非獨染絲然也，國亦有染。舜染於許由、伯陽㈢，禹染於皐陶、伯益㈣，湯染於伊尹、仲虺㈤，武王染於太公望、周公旦㈥。此四王者所染當，故王天下，立為天子，功名蔽天地，舉天下之仁義顯人，必稱此四王者。

【今註】㊀墨子名翟（ㄉㄧˊ）（約西元前四七九—三八一年間），生於魯國，曾為宋大夫，授徒講學，主張兼愛、非攻、尚賢、非樂、節葬。㊁「五入而五色」，今人認為必須加入防染劑，才能顯示五色。現代蠟染要五色分明，是用蠟防染的，由此可見蠟染的技術是起源於中國，後世失傳，也為國人所遺忘。現在世界各國都傳習蠟染，認為最富有東方神奇色彩的藝術。㊂本書尊師篇謂舜師許由，求人篇謂堯以天下讓許由。伯陽是舜的七友之一，韓非子說疑篇謂許由伯陽是「見利不喜，臨難不恐，或與之天下而不取。」高注以伯陽為老子，許釋引梁玉繩校補，已辨其謬誤。㊃論語「舜有天下，選於眾，舉皋陶，不仁者遠矣。」孟子「舜以不得禹、皋陶為己憂」，又禹欲讓天下於伯益，「益避禹之子於陽城。」高注「伯益、皐陶之子也。」畢校已證其非，崔述考信錄對於益非伯翳及非皐陶子，言之頗詳。㊄伊尹相湯而王天下，論語「湯有天下，選於眾，舉伊尹，不仁者遠矣。」孟子「伊尹、聖之任者也。」伊尹事又見本書先己、慎大、本味、求人各篇。仲虺（ㄏㄨㄟˇ）是湯的左相，古文尚書有「仲虺之誥」。㊅太公望佐武王伐紂，封於齊。周公旦是武王之弟，輔成王，封於魯，其事又見本書下賢、精諭、觀世各篇。

【今譯】墨子看見素絲染色的事，因而感歎的說：「染於青則青，染於黃則黃，所加入的顏料一變，絲的顏色亦變，五次加入不同的顏料，就成為五種顏色了，所以染色是不可不謹慎將事。」不獨染絲如此，國家亦有所染。舜從染於許由、伯陽，禹從染於皐陶、伯益，湯從染於伊尹、仲虺，周武王從染於太公望、周公旦。這四位君王從染得人，故王天下，立為天子，功名極於天地，舉凡天下有道德仁義的尊顯之人，必稱頌這四王的美德以為法則。

夏桀染於干辛、歧踵戎㈠，殷紂染於崇侯、惡來㈡，周厲王染於虢公長父、榮夷終㈢，幽王染於虢公鼓、祭公敦㈣。此四王者所染不當，故國殘身死，為天下僇，舉天下之不義辱人，必稱此四王者。

【今註】㈠夏桀是夏代亡國之君，干辛、歧踵戎是桀的邪臣。歧踵戎、墨子作推哆。㈡殷紂是商代亡國之君，崇侯、惠來都是紂的邪臣。㈢周厲王是武王的八世孫，在位三十七年，施行亂政，國人將他流放在彘地（西元前八四二年），周公召公代理國事十四年，史稱共和時代。虢公長父、榮夷終是厲王的卿大夫，好聚斂而不知大難。㈣幽王是宣王之子，厲王之孫。幽王寵褒姒，信用虢公鼓、祭（ㄓㄞˋ）公敦兩大夫，都是讒諂巧佞的邪臣。犬戎為亂，殺幽王於驪山之下（西元前七七〇年），其子平王繼位，東遷洛邑，此後即為春秋時代。

【今譯】夏桀從染於干辛、歧踵戎，商紂從染於崇侯、惡來，周厲王從染於虢公長父、榮夷終，幽王從染於虢公鼓、祭公敦。這四位君王所從染的不得其人，所以國殘身死，為天下所恥辱，舉凡天下不義無道的可恥之人，必稱引這四王的暴虐以為鑒戒。

齊桓公染於管仲、鮑叔㈠，晉文公染於咎犯、郄偃㈡，荊莊王染於孫叔敖、沈尹蒸㈢，吳王闔廬染於伍員、文之儀㈣，越王句踐染於范蠡、大夫種㈤。此五君者所染當，故霸諸侯，功名傳於後世。

【今註】㈠齊桓公是春秋時五霸之一，管仲相桓公，成霸業；是鮑叔所推薦的，其事散見本書贊能、直諫、察傳、不廣、勿躬、貴信、達鬱、任數、重言各篇。㈡晉文公也是五霸之一，文公未得國之前，在外流亡十九年，咎犯、郄偃都是流亡時的從者，其事散見本書不廣、義賞各篇，許釋謂郄偃是郭偃之誤。㈢荊莊王也是五霸之一，孫叔敖為相是沈尹蒸所推薦的，其事散見本書情欲、贊能、察傳、尊師、異寶各篇。許釋謂沈尹蒸當依察傳篇作沈尹筮。㈣闔廬、國語作闔閭，名光，是吳王夷昧之子。伍員即伍子胥，自楚奔吳，耕於野以待王子光，事見本書求人、論威篇。文之儀、墨子作文義，是闔廬的大夫，其事蹟不詳。㈤越王句踐臥薪嘗膽，以雪會稽之恥，皆得力於范蠡、大夫種的計謀，事見本書順民篇。

【今譯】齊桓公從染於管仲、鮑叔，晉文公從染於咎犯、郭偃，楚莊王從染於孫叔敖、沈尹筮，吳王闔廬從染於伍子胥、文之儀，越王句踐從染於范蠡、大夫種。這五位國君所從染的得人，故能稱霸於諸侯，功名傳於後世。

范吉射染於張柳朔、王生㈠，中行寅染於黃藉秦、高彊㈡，吳王夫差染於王孫雄、太宰嚭㈢，智伯瑤染於智國、張武㈣，中山尚染於魏義、椻長㈤，宋康王染於唐鞅、田不禋㈥。此六君者所染不當，故國皆殘亡，身或死辱，宗廟不血食，絕其後類，君臣離散，民人流亡，舉天下之貪暴可羞人，必稱此六君者。凡為君、非為君而因榮也，非為君而因安也，以為行理也，行理生於當染。故古之善為君者，勞於論人，而佚於官事，得其經也。不能為君者，傷形費神、愁心勞耳目，國愈危，身愈辱，不知要故也。不知要故則所染不當，所染不當，理奚由至？六君者是已。六君者非不重其國、愛其身也，所染不當也，存亡故不獨是也，帝王亦然㈦。

【今註】㈠范吉射是晉六卿范獻子鞅之子昭子，信賴家臣張柳朔、王生的讒言以至失敗。墨子作長柳朔、王胜。㈡中行寅即荀寅，是晉大夫中行穆子之子荀文子，信任家臣黃藉秦、高彊。㈢吳王夫差是闔閭之子，闔閭敗於越王句踐，夫差報父仇而敗越，困句踐於會稽。句賤用范蠡、大夫種的計謀，厚賂夫差的寵臣太宰嚭，得以保存，夫差終為句踐所殺而吳國亡。王孫雄、墨子作王孫雒，其事不詳。㈣智伯瑤是晉六卿之一，聽信家臣智國、張武之言，貪得無厭，終為韓趙魏三卿所滅而分其地，事見本書權勳、恃臣、序意、察傳、自知各篇。㈤中山尚是魏公子牟之後，寵信其家臣魏義、椻長，亂男女之別，為魏所滅，事見本書自知、樂成篇。㈥宋康王無道，寵信唐鞅、田不禮二臣，為齊所滅，田不禮、墨子作佃不禮。㈦「凡為君」以下是總結所染當與所染不當，說明當染在於擇人用賢，不知用賢則所染不當，故曰「古之善為君者勞於論人，而佚於官事，得其經也。」又尹校刪「存亡故不獨是也」句。

【今譯】范吉射從染於張柳朔、王生，中行寅從染於黃藉秦、高彊，吳王夫差從染於王孫雄、太宰嚭，智伯瑤從染於智國、張武，中山尚從染於魏義、椻長，宋康王從染於唐鞅、田不禮。這六位國君和世卿，所從染的不得其人，所以國皆殘亡，身或死或辱，宗廟不得血食，後嗣乏絕，君臣離散，人民流亡，舉凡天下的貪汙暴虐的可羞之事，必稱引這六人。

大凡為君之道，並不是因為可得榮華而為君，也不是因為可得安佚而為君，是為的要福國利民，福國利民是由於所從染的得人。所以自古以來，善於為君的人，祇是勞心於用人求賢，而不甚勞神於治理公事，這就得為君之道了。不能為君的人，傷身勞神，中心憂愁而耳目煩勞，結果是國事愈益危殆，身體愈益受辱，這是由於不得要領的緣故，不得要領則所從染的不得其人，所從染的不得其人，那麼國家大事如何會得到治理呢？這六位君卿就是如此。他們並不是不重視他們的國家，也不是不愛惜他們的身體，祇是所從染的不得其人而已；不過存亡的事故不獨由於此，還有其他的因素，所有帝王都是一樣的。

非獨國有染也，孔子學於老聃㈠、孟蘇、夔靖叔；魯惠公使宰讓請郊廟之禮於天子，桓王使史角往，惠公止之，其後在於魯，墨子學焉㈡。此二士者，無爵位以顯人，無賞祿以利人，舉天下之顯榮者，必稱此二士也。皆死久矣，從屬彌眾，弟子彌豐，充滿天下㈢，王公大人從而顯之，有愛子弟者隨而學焉，無時乏絕。子貢、子夏、曾子學於孔子，田子方學於子貢，段干木學於子夏，吳起學於曾子；禽滑釐學於墨子，許犯學於禽滑釐，田繫學於許犯。孔墨之後學顯榮於天下者眾矣，不可勝數，皆所染者得當也。

【今註】㈠老聃（ㄉㄢ）、孟蘇、夔靖叔三人對於孔子的影響，無可稽考。㈡墨子學於史角，不見他書。㈢韓非子顯學篇：「世之顯學，儒墨也，……孔墨之後，儒分為八，墨離為三」故曰充滿天下。

【今譯】非獨國君要有所從染，一般人士亦是一樣。孔子學於老聃、孟蘇、夔靖叔。魯惠公使其宰讓請示郊廟之禮於周天子，桓王使史角往魯，惠公留住他，他的後裔定居魯國，墨子曾從學於史氏。這兩位學者，沒有高官足以顯耀於人，也沒有厚祿足以施惠於人，可是提起天下的顯榮，必稱述這二位學者。他們去世很久了，而從屬的人益多，門弟子益盛，散布於天下，王公大人都加以讚美，使他們所愛的子弟去從遊學習，從來沒有間斷。子貢、子夏、曾子學於孔子，田子方學於子貢，段干木學於子夏，吳起學於曾子。禽滑釐學於墨子，許犯學於禽滑釐，田繫學於許犯。孔墨兩家的知名之士顯榮於天下的很多，不可勝數，這些都是由於所染得人罷了。

五曰功名

【今註】本篇是主張行仁義而反對嚴刑峻法，所以說：「善為君者，蠻夷反舌、殊俗易習皆服之，德厚也。」又「桀紂以去之之道致之，罰雖重，刑雖嚴，何益？」這是反對法家的。韓非子亦有功名篇，說立功成名之道，是天時、人心、技能及勢位四項，其實著重在勢位，故本篇一再強調桀紂的勢位，以證明勢位刑罰並不能立功成名，必須用賢人，行仁義纔能成大功，得賢名，以得民心。

由其道，功名之不可得逃㊀，猶表之與影，若呼之與響㊁。善釣者出魚乎十仞之下，餌香也，善弋者下鳥乎百仞之上，弓良也，善為君者、蠻夷反舌殊俗異習皆服之，德厚也㊂。水泉深則魚鼈歸之，樹本盛則飛鳥歸之，庶草茂則禽獸歸之，人主賢則

豪桀歸之。故聖王不務歸之者，而務其所以歸㊃。

【今註】㊀「由其道」即依循孟子所謂得民心之道。孟子說：「桀紂之失天下，失其民也，失其民者，失其心也。得天下有道，得其民、斯得天下矣。得其民有道，得其心、斯得民矣。得其心有道，所欲、與之聚之，所惡、勿施爾也。民之歸仁也，猶水之就下，獸之走壙也。」㊁表是測量日影的表竿，中國古代天文學用八尺高的表竿，測量日影的長短，以定二至點。表之與影二句是說表動則日影隨之而移動，呼則回聲隨之而應，故由其道則功名隨之而成，雖欲逃避亦不可能。㊂仞是高七尺，十仞之下是極言其深，百仞之上是極言其高。弋是以箭繫繩發射。古時以東方為夷，南方為蠻，反舌即鴃舌，是語言不通的民族，殊俗異習是風俗習慣生活特殊的民族。㊃「所以歸」即本文所謂「德厚」及「人主賢則豪桀歸之」。

【今譯】依循正道，則功名的成就是不可逃避的，猶如表竿之與日影，呼聲之與回響。善釣的人能夠把游魚從七仞之深的水底釣出來，是因為魚餌的香味；善弋的人能夠把飛鳥從百仞之高的天空射下來，是由於良弓的力強；善於治國的人，則蠻夷戎狄、語言不通、風俗習慣不同的民族都心悅誠服的來歸，是由於德澤的深厚。水泉深則魚鼈來歸，樹木盛則飛鳥來歸，百草茂則禽獸來歸，人主賢則豪傑之士來歸。所以聖君賢主不汲汲於求人來歸，而致力於修德行仁，求其所以來歸之道。

彊令之笑不樂，彊令之哭不悲，彊令之為道也，可以成小，而不可以成大㊀。缶醯黃，蜹聚之，有酸，徒水則必不可㊁。以貍致鼠，以冰致蠅，雖工不能。以茹魚去蠅，蠅愈至，不可禁㊂，以致之之道去之也。桀紂以去之之道致之也，罰雖重，刑雖嚴，何益㊃？大寒既至，民煖是利，大熱在上，民清是走，故民無常處，見利之聚，無之、去㊄。欲為天子，民之所走，不可不察。今之世至寒矣，至熱矣，而民無走者，取則行鈞也㊅；欲為天子，所以示民，不可不異也，行不異亂雖信今，民猶無走㊆。民無走，則王者廢矣，暴君幸矣，民絕望矣。

【今註】㊀中庸謂「唯天下至誠，為能經綸天下之大經。」強令之為道，不是出於至誠，故可以成小而不可以成大。㊁缶（ㄈㄡˇ）是盛酒的瓦器，大肚而小口。醯（ㄒㄧ）是醋，以米穀作糜和麴入瓦器，使變酸味而成的。黃是糜和麴發酵而成的黃衣。蜹即蚋（ㄖㄨㄟˋ）是小蚊。醯發黃則有酸味而蚊蚋聚集，水無酸味故蚊蚋不來。㊂貍（ㄌㄧˊ）是野貓，善捕鼠，故不可以致鼠。蒼蠅出現於夏季，故不能以冰致。茹魚是腐敗腥臭的魚，最能吸引蒼蠅。㊃此處舉引許多「不可」的事例，充分說明凡事必須順應自然之道，不可違抗，亦不能改變，即使桀紂用嚴刑重罰，亦不能達到目的。或說這是近乎道家的思想，如老子說「以正治國，……我無為而民自化，我好靜而民自正，我無事而民自富，我無欲而民自樸。」㊄煗即煖，清是清涼。民心的去留是有利則聚，無利則去。㊅鈞是相等，取是有所擇取，取則行鈞是說擇取要走，則到處亂暴，往那裏去都是一樣，故曰民無走者。尹校據蔣維喬等校刪改「者取」為「聚」，似可不必。㊆許釋引俞樾平議謂「高注非也，信疑是倍之誤。上云、今之世至寒矣，至熱矣，而民無走者，取則行鈞也。此云，行不異亂，雖倍今，民猶無走。言雖寒熱加倍於今之世，民猶無可走也。倍信形似而誤。知士篇、視若是者倍反，戰國策作若是者信反，即其例。」楊師樹達校說謂「俞說是也，此當以行不異為句，行不異承上句不可不異而言，亂雖倍今當為一句。」按楊說甚是，尹校據改信為倍。

【今譯】　勉強的使人笑是不會快樂的，勉強的使人哭是不會悲哀的，勉強的使行仁義，可以成小事而不可以成大事。瓦器裏醯已發酵變黃，蜹蚋自然聚集，是因為有酸味；祇是清水必不可能誘致蜹蚋。所以使野貓去引誘老鼠，用冰塊去引誘蒼蠅，雖巧於安排，亦是不可能的；反之，用臭魚來驅除蒼蠅，蒼蠅會愈來愈多，不可禁止，這是用誘致的方法來驅除，是不可能有效的。桀紂對於人民是用驅除的方法來誘使來歸，故罰雖重，刑雖嚴，又有何益？天氣到了大寒，人民是以溫暖為利，到了大熱，則又趨向清涼之處，所以人民沒有一定的趨避，利之所在便趨集，無利可圖便避去了。要做君臨萬民的天子，對於人民的趨避，不可不知道。現在的時世正是水深火熱，可以說極寒了，極熱了，可是人民無所適從，因為到處亂暴，走往那裏都是一樣的呀！要做濟世救民的天子，對於政治措施，不可不有異於亂暴的表示。如果所行的與亂暴無異，雖寒熱倍甚於今世，人民還是無所適從。人民無所適從，則無人可成為良心所歸的王者了，暴君得以倖存了，人民因而絕望了。

故當今之世，有仁人在焉，不可而不此務，有賢主、不可而不此事㈠。賢不肖不可以不相分㈡，若命之不可易，若美惡之不可移。桀紂貴為天子，富有天下，能盡害天下之民，而不能得賢名之。關龍逢、王子比干、能以要領之死爭其上之過，而不能與之賢名㈢。名固不可以相分，必由其理㈣。

【今註】㈠此務、此事都是指行仁義，以與亂暴相異。㈡許釋引陶鴻慶札記謂「不相分、不字誤衍。分如分人以財之分，言賢自賢，不肖自不肖，賢不肖之名不可以相分與，高所見本不字尚未衍，故注云、分猶與也。下文若命之不可易，若美惡之不可移云云，皆申說此義。而篇末總結之云，名固不可以相分，是其明證。畢校失之。」按陶說義明。㈢關龍逢是桀的忠臣，王子比干是紂的叔父，兩人都以死諫諍桀紂的過失。要領之死都是斬刑，要同腰，古有腰斬之刑，領是頭頸。㈣高注：「為善得善名，為惡得惡名，故曰必由其理。」

【今譯】所以在這個時世，如有仁人在位，不可以不行仁義，有賢主治國，不可以不行仁義。賢不肖是不可以互相分與的，猶如生命的長短不可互易，事物的美惡不可移動。夏桀商紂貴為天子，富有天下，他們有權力害盡天下的人民，可是不能利用權勢取得賢名；關龍逢、王子比干能不顧生命諫諍桀紂的過失，可是不能為桀紂爭取賢名。功名實在是不可相分與的，為善得善名，為惡得惡名，必定依循一定的道理。

卷三　季春紀

第三，凡五篇

一曰季春

【今註】季春是夏曆的三月，生氣方盛，萬物滋育，重要的政令是布德施惠，救濟貧窮，禮遇賢士，修理隄防，禁止田獵。后妃倡導蠶事，百工從事製作。如時令得宜，則甘霖時降，可卜豐年。

季春之月，日在胃，昏七星中，旦牽牛中㊀。其日甲乙，其帝太皞，其神句芒，其蟲鱗，其音角，律中姑洗，其數八。其味酸，其臭羶，其祀戶，祭先脾㊁。桐始華，田鼠化為鴽㊂，虹始見，萍始生㊃。天子居青陽右个，乘鸞輅，駕蒼龍，載青旂，衣青衣，服青玉。食麥與羊，其器疏以達㊄。

【今註】㊀胃是西方宿，今屬白羊座。七星是南方宿，亦名星宿，今屬長蛇座。牽牛是北方宿，亦名牛宿，今屬摩羯座。㊁「其日甲乙」至「祭先脾」，已詳孟春篇註。姑洗見下音律篇。㊂桐是梧桐，三月始開花，其花排列枝梢，色紫或白；秋初落葉，所謂一葉落而知秋，即指桐葉。田鼠是水老鼠，亦名飛鼠。鴽即鵪鶉，形似雞而小。田鼠化為鴽是不可能的，或者因為田鼠跳躍如飛，而形體又頗相似，因而誤傳。㈣虹是雨後或日出、日沒時，日光照射空中水氣，因折射反射所形成的七彩圓弧。三月是穀雨時節，天多雨，日光又漸強烈，故虹始現，到了十月孟冬，「虹藏不見。」商代人以虹為雨龍，故其字從蟲，周秦時尚沿襲商代人的觀念，詩云：蝃蝀在東，莫之敢指。古人重視虹的出現，故特予記載。直至宋沈括始認識虹的成因。㈤青陽右个是明堂東方的右偏室，餘詳孟春篇註。

【今譯】季春三月，太陽的位置在西方胃宿，向晚時可以望見南方的七星出現在南方中天，向曉時則見北方的牽牛星出現在南方中天。三月的日干也是甲乙，上應的天神也是太皞和句芒。應時的動物仍以鱗蟲為主，應時的音律是角音和姑洗，其數為八。應時的氣味是酸和羶，祭祀以戶與脾為先。其時梧桐開花，田鼠化為鵪鶉，虹霓始現於空中，浮萍始生於田野池塘。天子移居在明堂東方的右偏室，出則乘鸞輅，駕蒼龍，載青旗，穿青衣，佩青玉。春天主要的食物是麥和羊，所用的器皿要刻鏤粗疏而容易透氣的。

是月也，天子乃薦鞠衣于先帝㈠。命舟牧覆舟，五覆五反，乃告舟備具于天子焉㈡。天子焉始乘舟，薦鮪于寢廟，乃為麥祈實㈢。

【今註】㈠「鞠衣」高注謂王后的六服有菊衣，畢校引鄭玄注謂為黃桑色的衣服，色如麴塵，象桑葉始生，后妃服此親自採桑。先帝是指太皞等古代帝王。㈡舟牧是管理舟船的官，舟船一物二名，戰國前僅稱為舟，戰國時舟船並稱。天子將於三月乘舟，恐有穿漏，要經過五次的反覆檢查修理，以表示慎重。㊂鮪是鯉魚的別種，色青色，夏小正「二月祭鮪」，進此魚於祖廟，是為祈求麥苗結實良好。

【今譯】這個月，天子進獻黃色的禮服於古代帝神。又命舟官把船翻過來加以檢查，要經過五次的反來覆去，纔報告天子舟船已經準備完好；於是天子始乘船，以鮪魚進獻於祖廟，祈求麥苗結實良好。

是月也，生氣方盛，陽氣發泄，生者畢出，萌者盡達，不可以內㊀。天子布德行惠，命有司發倉窌，賜貧窮，振乏絕㊁，開府庫，出幣帛，周天下，勉諸侯。聘名士，禮賢者㊂。

【今註】㊀不可以內、高注未明，這是說春時生物都出生暢達，不可使鬱藏於內而不得萌芽。㊁高注「方者曰倉，穿地曰窌，無財曰貧，鰥寡孤獨曰窮，行而無資曰乏，居而無食曰絕。」倉窌是貯藏糧食，府庫是貯藏幣帛。周天下是普遍救濟。㊂春秋繁露五行相生篇「東方者木、農之本，司農尚仁，進經術之士。」白虎通貢士篇「治國之道，本在得賢，得賢則治，失賢則亂。」故曰聘名士，禮賢者。

【今譯】這個月是生氣正盛，陽氣向外發散，出生的統統出生了，萌芽的都很暢達，不可使鬱藏在內。天子於是順應天道，布德行惠，命主管官吏發出倉儲的糧食，賜給貧民，救濟窮乏；同時打開府庫裏的幣帛，周濟天下，以勉勵諸侯。並且聘請名士，禮遇賢者，為國家培養人材。

是月也，命司空曰：時雨將降，下水上騰，循行國邑，周視原野，修利隄防，導達溝瀆，開通道路，無有障塞㈠。田獵罼弋罝罘羅網餧獸之藥，無出九門㈡。

【今註】㈠司空是主理土木工程之官，三月雨水多，恐傷五穀，故使視察原野，修理隄防溝洫，開通道路，不可有障塞積水之患。㈡罼（ㄅㄧˋ）是長柄的小網捕鳥，弋（ㄧˋ）是用箭射鳥，罝（ㄐㄩ）是捕兔用的，罘（ㄈㄨˊ）是捕鹿用的，羅網是捕鳥獸用的，餧（ㄨㄟˋ）獸之藥是用毒藥毒斃猛獸的，這些都是田獵所用的，禁止攜出九門。九門是天子皇城的城門，亦即國門，春時是禽獸生長的時候，為順應上天好生之德，故予以限制。

【今譯】這個月，天子命令主管土木的司空說：時雨將要下降，地上的水要向上湧出，應該巡行都邑，視察原野的情形，要整修隄防，疏導溝瀆，開通道路，不可有障礙淤塞的地方。同時，田獵所用的罼弋罝罘羅網以及餵獸的毒藥，都不可攜出城門外去。

是月也，命野虞無伐桑柘㈠，鳴鳩拂其羽，戴任降于桑㈡，具栚曲篆筐㈢。后妃齋戒，親東鄉躬桑。禁婦女無觀，省婦使勸蠶

事㊃。蠶事既登，分繭稱絲效功，以共郊廟之服，無有敢墮㊄。

【今註】㊀野虞是看守山澤的官吏。桑柘（ㄓㄜˋ）兩種木葉，都可飼蠶。㊁戴任或作戴勝，亦是鳩類，其時桑柘茂盛，綠葉扶疏，這些候鳥都來棲息。㊂栚（ㄘㄧㄥ）是架蠶箔（ㄅㄛˊ）的木柱，一柱可安十箔。曲是蠶箔、蠶牀，詩豳風傳「預畜萑葦，可以為曲也。」簇（ㄐㄩˋ）筐是盛物的竹器，圓底為簇，方底為筐，這些都是養蠶用的器具。㊃王者一后三夫人，妃即夫人，后妃親自採桑，以為天下婦女倡導，禁止一般婦女不可遊玩，省問婦女勸其從事蠶桑工作。㊄效是績效，稱絲效功就是絲多功大，絲少功小。郊廟之服、郊是祭天，廟是祭祖，周禮司服章，每年都要后妃率同內外命婦蠶於北郊，以供郊廟所用的祭服。

【今譯】這個月裏，命令看守山林原野的官吏不可斫伐桑柘，如果看到鳴鳩在桑間拂拍毛羽，戴任亦飛來棲於桑上，就要準備養蠶的栚曲和盛桑葉的簇筐。於是后妃齋戒，親自前往東郊去採桑，禁止一般婦女不可遊觀廢時，並且省問她們勸使從事蠶桑工作。等到蠶事完成，就要分繭稱絲，以考查績效，而以所得蠶絲供給郊廟祭服之用，沒有人敢於偷懶誤事。

是月也，命工師令百工審五庫之量，金鐵、皮革筋、角齒、羽、箭幹、脂膠丹漆，無或不良㊀。百工咸理，監工日號無悖於時，無或作為淫巧，以蕩上心㈡。是月之末，擇吉日大合樂㈢，天子乃率三公九卿諸侯大夫親往視之。

【今註】㈠工師是管理工人的官吏。五庫是貯藏⑴金鐵、⑵皮革筋、⑶角齒、⑷羽管幹、⑸脂膠丹漆等五種器材的倉庫。量是數量，無或不良是品質良善。㈡監工是監督百工製造的工頭。日號是每日呼籲、提醒工人注意：第一不可違背時令，第二不可造作淫巧不切實用的東西。㈢大合樂猶今言大合唱，高注「樂以和民，故擇於是月下旬吉日，大合六樂，八音克諧，簫韶九成。周禮大胥司樂章，以舞樂教國子，舞雲門、大卷、大咸、大韶、大夏、大護、大武大合樂，以和邦國，以諧萬民，以安賓客，以悅遠人。」這就是古代的大合樂。

【今譯】這個月裏，命工師督率百工檢查五個倉庫所藏器材的數量，如金鐵、皮革筋、角齒、羽箭桿以及脂膠丹漆，不可或有不良的品質。百工都按照規格從事製作，監工經常呼籲大家注意：不可製作違背時令的器物，不可製作奇異美觀而不切實用的東西，以免搖蕩君王的心意。這個月的下旬，選擇吉日舉行大合樂，天子乃率三公九卿諸侯大夫親往觀賞。

是月也，乃合纍牛騰馬游牝于牧，犧牲駒犢，舉書其數㈠。國人儺，九門磔禳，以畢春氣㈡，行之是令，而甘雨至三旬㈢。季春行冬令、則寒氣時發，草木皆肅，國有大恐㊃。行夏令、則民多疾疫，時雨不降，山陵不收。行秋令、則天多沉陰，淫雨早降，兵革並起。

【今註】㊀「纍牛騰馬」：高注為父牛父馬，似無所據，按纍（ㄌㄟˋ）或作絫，騰是奔騰之意，這是說集合所有壯健優良的牛馬，牝牲都有，使其游牝交配於游牧之野，乃是選種優生的意義。駒犢是小馬小牛。㊁儺（ㄋㄨㄛˊ）是古時的大拜拜，或作難。十二紀中有三種：季春「國人儺，九門磔禳，以畢春氣。」仲秋「天子乃難，以達秋氣。」季冬「命有司大難，旁磔土牛以送寒氣。」季冬大儺，貴賤皆可舉行，論語鄉黨「鄉人儺。」當是季冬的大儺。此一禮俗歷代相沿，不過舉行方式，各有不同。磔（ㄓㄜˊ）禳（ㄖㄤˊ）或作磔攘，是禳除凶災的祭名，與儺祭同時舉行於國門外，故磔裂犧牲以祭九門之神，使疫鬼不得復入。㊂「行之是令」是承上謂舉行大儺磔禳之祭合於時令，可得甘雨三十日，即三月雨水充足，五穀可望豐收。㊃季春生氣方盛，如行冬令、秋令或夏令，必定氣候失調，災變多起，與孟春仲春相似。

【今譯】這個月裏，應該集合壯健的牝牲牛馬於牧地上，使羣相交配；可供犧牲的牛羊及小馬小牛，都要登記數量。其時舉行大儺祭典，同時在九門舉行磔禳之祭，驅除不祥，以結束春季的節氣，這些祭典如行之得時，可得甘雨多至三十日。如時令失調，季春而行冬令，則寒氣時發，草木皆遭肅殺，國有大恐。如行夏令、則民多瘟疫，而時雨不降，山陵所種作物沒有收成。如行秋令、則天多沉陰，淫雨為災，兵亂並起。

二曰盡數

【今註】盡數是自盡其長久的壽數、不要促而短之之意，所以說：「長也者非短而續之也，畢其數也；畢數之務，在於去害。」篇中對於去害，言之頗詳，於飲食方面更多合理實用的提示，都是古人經驗所得的養生論，與近代保健之法，多相符合。如所謂「流水不腐，戶樞不螻，動也。」「形不動則精不流，精不流則氣鬱，」及「今世上卜筮禱祠，故疾病愈來。」實為古今不易之理。

天生陰陽寒暑燥溼，四時之化，萬物之變，莫不為利，莫不為害㊀。聖人察陰陽之宜，辨萬物之利以便生，故精神安乎形，而年壽得長焉㊁。長也者、非短而續之也，畢其數也㊂，畢數之務，在乎去害。何謂去害？大甘、大酸、大苦、大辛、大鹹，五者充形則生害矣㊃；大喜、大怒、大憂、大恐、大哀，五者接神則生害矣㊄；大寒、大熱、大燥、大溼、大風、大霖、大霧，七者動精則生害矣㈥。故凡養生莫若知本，知本則疾無由至矣㈦。

【今註】㈠陰陽寒暑燥溼是天地間的六氣，陰陽生寒暑，寒暑生燥溼，四時之化，萬物之變，皆由此而來。素問天元紀大論：「物生謂之化，物極謂之變。」「燥以乾之，暑以薰之，風以動之，溼以潤之，寒以堅之，火以溫之。」「在天為氣，在地成形，形氣相感，而化生萬物矣。」可知六氣與萬物化生的關係。㈡高注：「精神內守無所貪欲，故形性安，形性安故壽命長也。」㈢畢同盡。㈣充形的形是形體，這五種過於刺激的食物充塞人體則生害，此與本生篇「肥肉厚酒，務以自盡，命之曰爛腸之食」的意思相同。各句中的大字都是過甚之意。㈤人的精神要中和，大喜大怒大憂大恐大哀都是發而不中節，故生害。素問：「百病生於氣也，怒則氣上，喜則氣緩，悲則氣消，恐則氣下，寒則氣收，炅（ㄍㄨㄟ）則氣泄，驚則氣亂，勞則氣耗，思則氣結」九氣皆能致病。㈥素問「味傷形，氣傷精。」靈樞「凡百病之始生也，皆生於風雨寒暑。」故謂大寒大熱等七氣動精則生害。㈦高注：孟子謂人性無不善，本其善性，閉塞利欲，則為知本。亦即本生篇所謂「利於性則取之，害於性則舍之。」

【今譯】天生陰陽寒暑燥溼六氣，乃有四時之化，萬物之變，人類生存於六氣變化之中，順應而適中則為利，過或不及則為害。聖人察知陰陽之所宜，辨別萬物的利害，以便利於生存，所以精神安於形體，而年壽得以長久。所謂長壽，並非短而續之，是要盡其應有的壽數而已。要盡其應有的壽數，其要在於去害。怎樣去害呢？大甘、大酸、大苦、大辛、大鹹的五味，充實腸胃則生害了；大喜、大怒、大憂、大恐、大哀的五欲，接觸精神則生害了；大寒、大熱、大燥、大溼、大風、大霖、大霧的七氣，動搖精氣則生害了。大概養生之道，要知道節制嗜欲是全生之本，知道全生之本，則疾病無從發生了。

精氣之集也，必有入也，集於羽鳥、與為飛揚，集於走獸、與為流行，集於珠玉、與為精朗，集於樹木、與為茂長，集於聖人、與為夐明㊀。精氣之來也，因輕而揚之，因走而行之，因美而良之，因長而養之，因智而明之㊁。流水不腐，戶樞不螻，動也㊂。形氣亦然，形不動則精不流，精不流則氣鬱㊃，鬱處頭則為腫為風，處耳則為挶為聾，處目則為䁾為盲，處鼻則為鼽為窒，處腹則為張為疛，處足則為痿為蹷㊄。輕水所多、禿與癭人，重水所多、尰與躄人，甘水所多、好與美人，辛水所多、疽與痤人，苦水所多、尪與傴人㊅。凡食無彊厚味，無以烈味，重酒，是以謂之疾首㊆。食能以時，身必無災。凡食之道，無飢無飽，是之謂五藏之葆㊇。口必甘味，和精端容，將之以神氣，

百節虞歡，咸進受氣，飲必小咽，端直無戾㊈。

【今註】 ㊀這一段統說明去害的事例。集是成效，入是納之，必有入也是說必有所受之。此數句是說明精氣的成效，必有所受之，有所受則必有特殊的表現。敻（ㄒㄩㄥˋ）是高遠。㊁「因長而養之」句，許釋引丁聲樹說謂本作因善而長之，揚紆良長明皆複上文諸句之末字為誤，尹校據改。惟原句亦可通。㊂「戶樞不螻（ㄌㄡˊ）」，畢校謂意林作不蠹（ㄉㄨˋ）。今人都習用戶樞不蠹。㊃形氣亦然，尹校刪氣字非是，形要動，氣亦要動。鬱是積聚蘊結之意。㊄挶即膣（ㄓˋ）是贅肉橫生，使耳塞而不通。聵（ㄇㄧˋㄝ），高注「眵也」，眵（ㄔ）是眼中凝聚的汙液，俗謂眼矢，使目昏瞀（ㄇㄠˋ）不明。鼽（ㄑㄧˇㄡ）窒是鼻塞不通。張即脹（此處音ㄔㄤˋ）是肚子過滿。疛（ㄔㄡˇ）是小腹痛。痿（ㄨㄟˇ）蹷（ㄐㄩㄝˊ）是足不能行走。㊅輕水是普通水，氫與氧的化合物 H_2O，重水是重氫與氧的化合物H_2O_2。氫與重氫的原子結構不同，即氫原子含有一個質子及一個電子運行於軌道上，重氫原子含有一個質子，一個中子及一個電子運行於軌道上。這是輕水重水的現代意義。其他各種水都因所含礦物質各異而性能不同，多食用自然發生種種不同的病症。癭（ㄧㄥˇ）是頭頸上生的瘤，能使喉啞，巢元方諸病源候論亦謂飲沙水成癭，有核瘟瘟無根，浮動在皮中。尰（ㄔㄨㄥˇ）是足部浮腫。躄（ㄅㄧˋ）是兩腳都跛，不能行走。疽（ㄐㄩ）痤（ㄘㄨㄢ）都是惡瘡。尪（ㄨㄤ）是突胸仰向病，傴是彎腰曲背，都是脊椎骨症。㊆厚味、烈味、重酒都是過於刺激的飲食。疾首、畢校謂猶言致疾之端，高注謂頭痛，非是。㊇葆與保通用，是保養、調養、保護之意，許釋謂此借為寶，未妥。㊈「將之以神氣」句，許釋引陶鴻慶札記謂神為沖之誤，神即沖之異文，荀子非十二子篇沖澹作神禫，老子上德篇「萬物負陰而抱陽，沖氣以為和，」將之以神氣者養之以和氣也，下文百節虞歡，咸進受氣，即指此言。按陶說是。虞即娛，虞歡即歡娛。

【今譯】 精氣的集成，必有所受之。集在鳥類，成為飛揚；集在走獸，成為奔馳；集在珠玉，成為光彩；集在樹木，成為茂盛；集在聖人，成為智慧。精氣到來的時候，或因其輕而揚之，或因其走而速之，或因其美而善之，或因其長而養之，或因其智而明之。流水是不會臭敗的，戶樞是不會蛀蝕的，因為都不停的在動。人的形體和精氣亦是一樣的，形體不運動則精血不流通，精血不流通則精氣鬱積，鬱積在頭部則發生浮腫和頭風的病症，在耳部則發生膛塞和耳聾的病症，在目部則發生昏瞽不明和目盲的病症，在鼻部則發生鼻塞不通的病症，在腹部則發生鼓脹和小腹痛的病症，在足部則發生筋肉萎縮不能行走的病症。其次，輕水地方多禿頭和頸瘤的人，重水地方多足部浮腫不便行動的人，甘水地方多正常而美好的人，辛水地方多生疽痤惡瘡的人，苦水地方多曲背傴僂的人。大凡飲食不可多用滋味濃厚的食物，不可用猛烈而味重的酒，這些都是致病的禍首。飲食能夠定時，身體必無疾苦，大概飲食的道理，不可飢餓，亦不可過飽，這就是保養五臟。飲食必須要中和甘醇的五味，食時精神要和緩，容色要端正，養之以和氣，則百節歡娛，都能吸受食氣；飲時必須小口咽入，端直下喉，不可狼吞虎嚥。

今世上卜筮禱祠，故疾病愈來㊀，譬之若射者，射而不中，反修于招，何益於中？夫以湯止沸，沸愈不止，去其火則止矣，故巫醫毒藥，逐除治之，故古之人賤之也，為其末也。

【今註】㊀卜筮禱祠不能治病，故必須去其害，這是當時名醫扁鵲所最反對的。扁鵲說：「信巫不信醫，六不治也。」古代醫學的演進，始而巫，繼而巫和醫混合，再進而巫和醫分立，以巫術治病是世界各民族在文化低下時代的普遍現象，非獨戰國時如此。

【今譯】現在世上卜筮禱祠，頗為流行，所以疾病愈來愈多。譬如射箭的人，射而不中，反過來要整修箭標，這對於中不中又有何益處？用湯來止沸，沸愈不可止，除去了火則沸便止了。故巫醫毒藥是不能治病的，必須除去，古人所以賤視卜筮禱祠，因為這些是微末不足道的。

三曰先己

【今註】盡數先己是重己貴生的發揮，盡數要在去害，先己要在治身。又重己貴生是重視身體生命，而先己則是先成己而後成物。本書採用儒家修齊治平的原則，主張治身與治國同理，故情欲篇說：「故古之治身與天下者，必法天地也。」本篇則說：「凡事之本，必先治身。」「治其身而天下治。」

「為天下者不於天下，於身。」這與孔子所說的「欲治其國者先修其身」「為政在人，取人以身」的意義完全相同。篇中所說：「故欲勝人者必先自勝，欲論人者必先自論，欲知人者必先自知。」「得之於身者得之人，失之於身者失之人。」都是說明先己的重要。

湯問於伊尹曰：「欲取天下，若何？」伊尹對曰：「欲取天下、天下不可取，可取、身將先取㊀。」凡事之本，必先治身，嗇其大寶，用其新，棄其陳，腠理遂通，精氣日新，邪氣盡去，及其天年，此之謂真人㊁。昔者先聖王成其身而天下成，治其身而天下治㊂。故善響者不於響，於聲，善影者不於影，於形㊃，為天下者不於天下，於身。詩曰：「淑人君子，其儀不忒，其儀不忒，正是四國㊄。」言正諸身也，故反其道而身善矣，行義則人善矣，樂備君道而百官已治矣，萬民已利矣㊅，三者之成也，在於無為㊆。

【今註】㊀尹校引范耕研補注「老子、取天下常以無事，及其有事，不足以取天下。河上公注云：取、治也，此猶言天下不可治，可治，則身當先治。」㊁嗇是愛惜，已見情欲篇，大寶是身。用新棄舊是新陳代謝，吐故納新之意。腠（ㄘㄡˋ）理遂通是肌膚間的氣血流通。及其天年之及字，畢校引御覽作反，尹校據改。許釋引俞樾平議謂及當作終。按各說皆非，此及字乃動詞，如及格，是達到之意。「真人」，高注為真德之人，按此是道家名詞，秘要經「上品曰聖，中品曰真，下品曰仙」莊子秋水篇「謹守而勿失，是謂反其真」正是此意。又尹校謂此節疑為盡數篇文，按先已要在治身，此言凡事之本，必先治身，不應為盡數篇文。㊂「先聖王」是孟子所謂「聖人，百世之師也。」成其身是成己，天下成是成物。中庸「知所以修身，則知所以治人；知所以治人，則知所以治天下國家矣。」故曰治其身而天下治，這是強調儒家「壹是皆以修身為本」的思想。㊃響是聲的回音，聲之所至即響之所至，列子六瑞篇「聲動不生聲而生響」故曰善響者不於響，於聲。影是物體的形象，列子說符篇「形枉則影曲，形正則影直。」故曰：善影者不於影，於形。又管子宙合篇「景不為曲物直，響不為惡聲美。」可以參證。㊄詩是曹風鳲鳩，大學第九章亦引此詩，謂治國在修身齊家。㊅「反其道」是中庸所謂「反求諸其身」及孟子所謂「反求諸己」之意。孔子說「上好義則民莫不服」，孟子說「君仁莫不仁，君義莫不義，」故曰行義則人善矣。季康子問政於孔子，孔子對曰：「政者正也，子帥以正，孰敢不正？」故曰樂備君道而百官已治矣，萬民已利矣。在昔君主時代，國主固須身正，即在今民主時代的各級官吏，亦須正己以為表率，事事為民謀福利。「道得眾則得國，失眾則失國」，治身之於治國的關係，如此重要。㊆無為是儒道兩家共同的主張，其意義見下段。

【今譯】 商湯問於伊尹說：「要治天下、怎麼辦？」伊尹對答說：「要治天下，天下是不可治的；如果說可治，那就要先治其身。」由此，可知萬事成功的基本，必須先治身。治身要愛惜身體，經常吐故納新，使氣血流通，則精氣日新，邪氣盡去，以盡其天年，這就是得道的真人。古代的聖王大都先成己而後成物，治其身而天下治。好聽的回響不是由於響善，而是由於聲善；正直的影子不是由於影直，而是由於形正；善治天下的君王不是求治於天下，而是求治自身。詩經說：「善人君子，禮儀是不差的，禮儀不差，可以治理四方的國家。」這是說為政當以身作則。所以能反求諸己而身修了，能行仁義則人民善良了，能具備君道而百官已治了，萬民已利了，這三者的成就在於無為。

無為之道㈠曰勝天，義曰利身，君曰勿身。勿身督聽，利身平靜，勝天順性。順性則聰明壽長㈡，平靜則業進樂鄉㈢，督聽則姦塞不皇㈣。故上失其道則邊侵於敵，內失其行、名聲墮於外。是故百仞之松，本傷於下，而末槁於上，商周之國，謀失於胷，令困於彼㈤。故心得而聽得，聽得而事得，事得而功名得。五帝先道而後德，故德莫盛焉，三王先教而後殺，故事莫功焉，五伯先事而後兵，故兵莫彊焉。當今之世，巧謀並行，詐術遞用，攻戰不休，亡國辱主愈眾，所事者末也㈥。

【今註】㈠先秦儒道法三家的政治思想，雖各有不同的主張，但對於君主如何運用其統治權力，卻有相似相通的原則。他們都認為君主必須一秉至公，把握大政方針，任用賢能處理政事，不要察察為明，以達無為而治的境界。故上文曰三者之成也，在於無為。㈡「勝天」，高注「天無為而化，君能無為而治，民以為勝於天。」即人定勝天之意。孔子說：「為政以德，譬如北辰，居其所而眾星拱之。」朱子註「為政以德，則無為而天下歸之。」范氏說：「為政以德，則不動而化，不言而信，無為而成，所守者至簡而能御煩，所處者至靜而能制動，所務者至寡而能服眾。」能勝天故能順應天性，能順應天性故得聰明而長壽，此即盡數篇所謂「精神安乎形，而年壽得長焉。」㈢「利身」，行仁義則人善是利人，其實是利其身；既可利身，則不復外求，故內心無欲而平靜，內心平靜故德業進步而精神愉快，故曰「行義則人善矣」「義曰利身」「利身平靜」「平靜則業進樂鄉」。㈣「勿躬」，高注「為君之道，務在利民，勿自利身，故曰勿身。」按高注未妥，勿身即下文審分篇的「勿躬」，本書主張為君之道，在能正身而勿躬，正身而勿躬則知用賢，故上文謂「樂備君道而百官已治矣」，下文謂「勿身督聽」「督聽則姦塞不皇」，前後文義是相連貫的。督聽是正聽而不偏聽，不偏聽則奸邪閉塞，不皇是不至於惶惑。㈤「商周之國」是指其季世而言，胸為內，彼為外。㈥「心得」猶大學「慮而後能得」之意，心得者得知事物的本末終始。心能知事物的本末始終則聽言行事皆可得合理而功名可得成就。這是申說上文謀失於內，令困於外的意義。五帝三王五霸皆能反求諸己，先得於心，故德莫盛焉，事莫功焉，兵莫強焉；而當時諸侯所事者末，故謀失於內，令困於外，亡國辱主愈眾。

【今譯】 無為之道可以勝天，行義可以利身，君道在於勿躬。勿躬則知用賢而不偏聽，利身則內心無欲而平靜，勝天則能順應自然。能順應自然則聽明而長壽，內心平靜則業進而愉快，不偏聽則奸邪閉塞而不致惶惑。所以國君暴虐，則敵兵侵犯邊境，內不能撫治百姓，則惡聲播於國外。猶如高大的松樹，根傷於下，而葉枯於上；商周季世，謀失於內，令困於外。所以心有所得則聽言不失，聽言不失則行事順利，行事順利而功成名就了。五帝先道而後德，故德澤極盛，莫之能比；三王先教而後殺，故事功成就，世莫與大；五霸先事而後兵，故兵力最強，世莫能爭。現在的時代，巧謀並行，詐術代用，攻戰不休，亡國辱主愈來愈多，都是不務其本而務其末呀！

夏后伯啟與有扈戰於甘澤而不勝㊀，六卿請復之㊁。夏后伯啟曰：「不可，吾地不淺，吾民不寡，戰而不勝，是吾德薄而教不善也。」於是乎處不重席，食不貳味，琴瑟不張，鍾鼓不修，子女不飭，親親長長，尊賢使能，期年而有扈氏服㊂。故欲勝人者必先自勝，欲論人者必先自論，欲知人者必先自知。詩曰：「執轡如組」㊃，孔子曰：「審此言也，可以為天下。」子貢曰：「何其躁也？」孔子曰：「非謂其躁㊄也，謂其為之於此，而成文於彼也。」聖人組修其身，而成文於天下矣。故子華子曰：「丘陵成而穴者安矣，大水深淵成而魚鼈安矣，松柏成而塗之人已蔭矣㊅。」

【今註】 ㈠夏后伯啟是夏禹之子啟，后即帝。有扈氏是夏同姓諸侯，在今陝西鄠縣，甘澤是有扈郊地，書經有甘誓，史記夏本紀「有扈氏不服，啟伐之，大戰於甘，將戰，作甘誓。」㈡六卿是六軍之將，即周禮的太宰、大司徒、大宗伯、大司馬、大司寇、大司空，平時各任其職，戰時則任軍將。請復之是請再戰。㈢孟子「親其親、長其長而天下平。」期通朞（ㄐㄧ），期年是周年。㈣詩是邶風簡兮，「有力如虎，執轡如組」轡（ㄆㄟˋ）是馬韁繩，其意謂御者雖有大力，而執轡不必用力，只要如織匠編組的柔和，猶如老子所謂治天下如烹小鮮，不可操切。高注「組織之匠成文於手，猶良御執轡於手而調馬口，以致萬里也。」畢校改馬口為馬足，評釋謂：「畢校誤，淮南子主術篇云、聖主之治也，其猶造父之御，齊輯之於轡銜之際，而緩急之於唇吻之和，高注殆約此文。」按此是比喻夏啟的修德而服有扈氏。㈤躁是著急之意，老子「靜為躁君」，王弼注「不動者制動」。稽康養生論「精神之於形骸，猶國之有君也，神躁於中，而形喪於外，猶君昏於上，國亂於下。」㈥子華子已見貴生篇注。

【今譯】 夏帝伯啟與有扈氏戰於甘澤而不勝，六卿請再戰，夏帝伯啟說：「不可，我的土地不算小，人民亦不少，戰而不勝，是由於我德薄而教不善呀！」於是勵精圖治，坐不重席，食不二味，琴瑟不張，鐘鼓不修，子女不文飾，親其親而長其長，尊賢而用能；這樣的過了一年而有扈氏心悅誠服。所以要戰勝他人，必定先要克制自己；要批評他人，必定先要反省自己；要知道他人，必定先要瞭解自己。詩經說：「執轡應該如同編組的柔和。」孔子說：「審察這句話，可以治平天下。」子貢說：「這不急煞了嗎？」孔子說：「並不要著急，這是說為之於此而成之於彼。」聖人修治其身而成效著於天下了，所以子華子說：「丘陵高厚而穴居者安了，水大淵深而魚鼈安了，松柏茂盛而路人得以蔭涼了。」

孔子見魯哀公，哀公曰：「有語寡人曰：為國家者為之堂上而已矣，寡人以為迂言也㊀。」孔子曰：「此非迂言也。丘聞之，得之於身者得之人，失之於身者失之人，不出於門戶而天下治者，其惟知反於己身者乎㊁？」

【今註】㊀魯哀公是周敬王二十五年（西元前四九五年）即位，其時孔子周遊列國後返魯。畢校謂「說苑政理篇、家語賢君篇俱作衛靈公問。」迂言是迂闊不切實際的話。㊁高注：「論語曰，君子求諸己，故曰得之身者得諸人，失之身者則失之人也。」按中庸「反求諸其身」，孟子「行有不得者，皆反求諸己。」故本篇所論是儒家思想。

【今譯】孔子見魯哀公，哀公說：「有人告訴我：治理國家祇要在朝堂上治事就可以了。我認為這是迂潤的話。」孔子說：「這不是迂闊的話，我聽說：得之於自身，才可以得之於他人，失之於自身，亦就失之於他人。不出於門戶之外而天下已得治平，這恐怕祇有知道反求於己身的人纔能做到吧！」

四曰論人

【今註】　當染篇說：「古之善為君者，勞於論人，而佚於官事，得其經也。」高注「論猶擇也。」論人就是擇用賢能，本篇是勞於論人的闡明。為政之道，首重用人，惟本篇承先己篇之後，用人先須正己，即中庸所謂「為政在人，取人以身」，故先論反諸己的重要，再說明知人的重要。知人要觀察人的品德才能，內則用六戚四隱，外則用八觀六驗，則可辨識人的誠偽、愚智、善惡、賢不肖了。這些都是儒家知人善任的道理。

主道約，君守近㈠。太上反諸己，其次求諸人㈡。其索之彌遠者，其推之彌疏，其求之彌彊者，失之彌遠。何謂反諸己也？適耳目，節嗜欲，釋智謀，去巧故㈢，而游意乎無窮之次，事心乎自然之塗，若此則無以害其天矣；無以害其天則知精㈣，知精則知神，知神之謂得一㈤，凡彼萬形，得一後成。故知一則應物變化，闊大淵深，不可測也；德行昭美比於日月，不可息也；

豪士時之，遠方來賓不可塞也；意氣宣通，無所束縛，不可收也；故知知一，則復歸於樸㈥。嗜欲易足，取養節薄，不可得也；離世自樂，中情潔白，不可量也；威不能懼，嚴不能恐，不可服也；故知知一，則可動作當務，與時周旋，不可極也。舉錯以數，取與遵理，不可惑也；言無遺者，集肌膚，不可革也㈦；讒人困窮，賢者遂興，不可匿也；故知知一，則若天地然，則何事之不勝，何物之不應。譬之若御者、反諸己則車輕馬利、致遠復食而不倦。

【今註】㈠約是約束，論語孔子說「以約失之者鮮矣。」謂人能善自約束，即不致驕奢放縱，自然很少過失。下文的「適耳目、節嗜欲、釋智謀、去巧故」，都是約。守近是守之於身。㈡論語孔子說：「君子求諸己，小人求諸人。」反諸己即是反求諸己，孟子對自反之道，言之最詳。以射箭為喻：君子射而不中，惟反求諸己（見中庸）；小人射而不中，則反修其招（見上盡數篇）。㈢適與節意同，「巧故」：高注「偽詐也」，孟子「天下之言性也，則故而已矣。故者以利為本。」荀子「不隆本行，不敬舊法，而好詐故。」義皆相同。㈣「無以害其天」是情欲篇所謂「知早嗇則精不竭。」㈤「得一」：高注「一，道也」。要道莫二，故謂之一。荀子修身篇「凡治氣養心之術，莫徑得禮，莫要得師，莫神一好。好一則博，博則精，精則神，神則化，是以君子務結心乎一也。」又勸學篇「行衢道者不至，事兩君者不容，……故君子結於一也。」與此節所言相似，可知本篇是荀子一派的思想，而荀子已受道家思想的影響。又許釋謂「王念孫校本重知字，是故知知一，下文凡三見，知一猶云得一，審應篇注：知猶得。」按尹校為故知知一，其實這是不必加的。㊅樸是道家思想中一個重要名詞，老子「為天下谷，常德乃足，復歸於樸。」這是說為天下最寬大的人，這種寬大的德性是人生最富足的享受，以至達到博大崇高的精神意境。樸是真實純樸的精神，高注「樸，本也。」意亦是。㊆「遺者」是過失，「集肌膚」：尹校為「集於肌膚」，高注引「孝經曰，言滿天下無口過，此之謂也。」

【今譯】　為君之道要善自約束，而守之於身。最上等的是反求諸己，其次是求之於人。求之愈遠，則離開愈疏，求之愈強，則失之愈遠。什麼叫做反諸己呢？調適耳目，節制嗜欲，釋去智謀，除去詐偽，使心意舒暢自由，以順應自然之道，這樣就不會傷害到本身了；本身不受傷害則可知精力充沛，精力充沛則可知神氣旺健，神氣旺健就可說是得道，大凡萬事萬物，都要得道而後成。所以得道，則適應萬物的變化，博大高深，是不可測量的；德行昭美，比於日月，是不可息滅的；豪傑之士應時而至，遠方之人賓來如歸，是不可阻止的；意氣宣通暢達，無所束縛，是不可收斂的；故知得道之君則復歸於真樸淳厚的境界。得道則嗜欲易於滿足，取以養生者有節制而寡少，是不可得多欲的；離世絕俗而自得其樂，中情潔白，是不可思量的；威武不能使其驚懼，嚴厲不能使其恐怕，是不可屈服的；

故知得道之君，則能動作得當，與時世從容周旋，而不可窮極。而且得道則進退以義，取與合理，是不可誘惑的；言無過失，如附於肌膚，是不可改革的；讒人困窮，賢人興起，是不可隱蔽的；故知得道之君，猶如天高地厚，沒有什麼事不能勝任，亦沒有什麼事不能適應。譬如善御者能自知克己，則車輕馬快，到了遠地再回來進食也不會覺得疲倦。

昔上世之亡主，以罪為在人，故日殺僇而不止，以至於亡而不悟。三代之興王以罪為在己，故日功而不衰，以至於王。何謂求諸人？人同類而智殊，賢不肖異，皆巧言辯辭以自防禦，此不肖主之所以亂也。

【今註】　亡主不知反求諸己而求諸人，故剛愎自用以至於亡；興王則躬自厚而薄責於人，功歸人而罪歸己。

【今譯】　古代的亡國之君，不知反求諸己，以為一切錯誤都在他人，故經常殺戮而不止，以至於亡國而不覺悟。三代的興國之王知道反諸己，躬自厚而薄責於人，故日日有功而不衰滅，以至於王天下。什麼叫做求諸人呢？人類相同而智慧有差別，不論賢不肖不能互信，都用其巧言辯辭以自防禦，此不肖主所以惑亂而不明是非。

凡論人：通則觀其所禮，貴則觀其所進，富則觀其所養，聽則觀其所行，止則觀其所好，習則觀其所言，窮則觀其所不受，賤則觀其所不為㊀。喜之以驗其守，樂之以驗其僻，怒之以驗其節，懼之以驗其特，哀之以驗其人，苦之以驗其志㊁。八觀六驗，此賢主之所以論人也。論人者又必以六戚四隱：何謂六戚？父母兄弟妻子。何謂四隱？交友、故舊、邑里、門郭㊂。內則用六戚四隱，外則用八觀六驗，人之情偽貪鄙美惡，無所失矣，譬之若逃雨汙，無之而非是，此先聖王之所以知人也。

【今註】㊀「八觀」是古代知人之說，與此相似者頗多，茲舉數例：⑴禮記文王官人「富貴者觀其禮施也；貧窮者觀其有德守也；嬖寵者觀其不驕，隱約者觀其不懾。其少、觀其恭敬好學而能悌也；其壯、觀其廉潔務行而勝其私也；其老、觀其意慮慎強其所不足而不踰也。父子之間、觀其孝慈也；兄弟之間、觀其和友也；君臣之間、觀其忠惠也；鄉黨之間、觀其信憚也。省其居處，觀其義方；省其喪哀，觀其貞良；省其出入，觀其交友；省其交友，觀其任廉。考之，以觀其信；絜之，以觀其知；示之難，以觀其勇；煩之，以觀其治；淹之以利，以觀其不貪；監之以樂，以觀其不寧；喜之以物，以觀其不輕；怒之，以觀其重；醉之，以觀其不失也；縱之，以觀其常；遠使之，以觀其不貳；

邇之，以觀其不倦；採取其志，以觀其情；考其陰陽，以觀其誠；覆其微言，以觀其信；曲省其行，以觀其備成。此之謂觀誠也。」(2)莊子列禦寇「遠使之而觀其忠，近使之而觀其敬，煩使之而觀其能，卒然問焉而觀其知，急與之期而觀其信，委之以財而觀其仁，告之以危而觀其節，醉之以酒而觀其側，雜之以處而觀其色。」(3)劉劭人物志八觀「觀其奪救，以明間雜；觀其感變，以審常度；觀其志質，以知其名；觀其所由，以辨依似；觀其愛敬，以知通塞；觀其情機，以辨恕惑；觀其所短，以知所長；觀其聰明，以知所達。」所言多與本篇有相同之處，可供參考。止是不達，但非獨善其身的窮。習是因受社會影響而改變的習性，觀其所言是否合禮。㊁「六驗」是考察一個人的意志是否堅定，有無自信心，是否會為喜怒哀樂所動搖改變。僻同癖，高注為邪，非是。特、許釋疑當作持，意較明。人即仁，是惻隱之心。㊂隱是隱私，是各人私人的關係。邑里是同鄉；門郭、許釋引孫詒讓札迻謂應作門郎，即左右近習之人。

【今譯】 大凡論人之道：達則觀其所禮遇之人，貴則觀其所進薦之賢，富則觀其能否養賢及自養的厚薄，聽言則觀其所行是否一致，未達則觀其是否好義，習性則觀其所言是否合理，窮則觀其有所不受，賤則觀其有所不為。再復喜之以考驗其操守，樂之以考驗其癖性，怒之以考驗其克己，懼之以考驗其持守，哀之以考驗其仁愛之心，苦之以考驗其堅定之志。這八觀六驗，是賢主所以論人之道。此外，又必須注意其六親四隱。什麼叫做六親？就是父母兄弟妻子至親的親屬。什麼叫做四隱？就是好友、故舊、同鄉、近習。對內注意其六親四隱，對外則用八觀六驗之法詳加觀察考驗，那麼一個人的真偽、貪鄙、善惡，沒有不知道清楚了，譬如逃避雨點，隨便往那裏都要沾溼的。這就是古代聖王所以知人善任之道。

五曰圜道

【今註】　易說卦傳「乾為天，為圜」，圜者圓形而能運轉，宇宙渾圓一體，運轉不息，故以圜取象，這圜道就是天道。本篇是論為君之道。春秋繁露天地之行篇「為人君者其法取象於天，天執其道為萬物主，君執其常為一國主。」「為人臣者其法取象於地，……」這就是本篇所謂「主執圜，臣處方。」全篇在說明圜道的重要，賢主立官，必使之分職治事，修己以出號令，令出於主口，百官受而行之，洽於民心，達於四方，故國家得以治安。所以本篇的主旨，與上文的先己、論人各篇，都有相通之處，其實都是君主任賢無為而治思想的引伸而已。

天道圜，地道方，聖王法之，所以立上下㈠。何以說天道之圜也？精氣一上一下，圜周復襍，無所稽留，故曰天道圜㈡。何以說地道之方也？萬物殊類殊形，皆有分職，不能相為，故曰地道方㈢。主執圜，臣處方，方圜不易，其國乃昌。

【今註】㈠中國古代的宇宙觀念，最早的是「蓋天說」，認為天圓而地方。大戴禮天圓篇記曾子對單居離說：「天之所生上首，地之所生下首。上首謂之圓，下首謂之方。如誠天圓而地方，則是四角之不揜也。……參嘗聞之夫子曰：天道曰圓，地道曰方，方曰幽而圓曰明。」圜（ㄩㄢˊ）同圓。立上下謂上君下臣。春秋繁露離合根篇謂人主法天，人臣法地。㈡精氣是指日月。襍（雜）、高注猶帀，帀（ㄗㄚ）是環繞一周，圜周復襍是周而復始，無所稽留是運行不止。㈢「不能相為」是各有分職，不能相兼。

【今譯】天道是圓的，地道是方的，古代的聖王取法天地，所以立君臣上下之分。為什麼說天道是圓的呢？日月運行，一上一下，周而復始，運行不止，所以說天道是圓的。為什麼說地道是方的呢？萬物種類不同，形狀各異，都有分職，不能相兼，所以說地道是方的。君主執圓，臣下處方，方圓不易，其國乃昌。

日夜一周，圜道也㈠。月躔二十八宿，軫與角屬，圜道也㈡。精行四時，一上一下，各與遇，圜道也㈢。物動則萌，萌而生，生而長，長而大，大而成，成乃衰，衰乃殺，殺乃藏，圜道也。雲氣西行云云然，冬夏不輟，水泉東流，日夜不休，上不竭，下不滿，小為大，重為輕，圜道也㈣。黃帝曰：「帝無常處也，有處者乃無處也，」以言不刑蹇，圜道也㊄。人之竅九，一有所居則八虛，八虛甚久則身斃，故唯而聽、唯止，聽而視，聽止，以言說一，一不欲留，留運為敗，圜道也㊅。一也齊至貴，莫知其原，莫知其端，莫知其始，莫知其終，而萬物以為宗，聖王法之以令其性，以定其正，以出號令，令出於主口，官職受而行之，日夜不休，宣通下究，瀸於民心，遂於四方，還周復歸至於主所，圜道也㊆。令圜、則可不可、善不善、無所壅矣，無所壅者，主道通也，故令者人主之所以為命也，賢不肖安危之所定也。

【今註】㊀此段是取天文地理及人身上循環不息的事例來說明圜道。循環律是宇宙運動的規律。㊁二十八宿的第一宿為角，第二十八宿為軫，在二十八宿月宮圖上看，從角至軫成為一環，而角與軫相連屬，故曰圜道。㊂「精」，高注為日月之光明，許釋引楊樹達校說謂說文晶、精光也，又曐省作星，實則晶乃星之初字。按上文「精氣一上一下」與此同，以高注為是。㊃「云云然」是形容雲氣的繁盛。小為大是說水泉之源向東流，集於海是為大。重為輕是說水溼為重，水蒸氣上升為雲則為輕。雨水遇熱化為水蒸氣上升，遇冷凝成微細水點，在空浮游為雲，雲氣遇冷凝成大水點，因體重而下落，復為雨水，此乃循環之道。可知先秦對於雲、雨、水蒸氣三者間的循環關係，已有所認識，與現代水文循環原理相暗合。㊄「黃帝曰」是道家依託之言，高注「無常處，言無為而成乃有處也。有處、有為也，有處則不能化，乃無處為也。」道家認為人生無常的感覺，是由於對外物的得失而起，外物無常是自然之理，熱中富貴的人重視外物，對生死、禍福、得失妄求有為，因而影響行為無定，所以「帝無常處」就是老子所說的「上德無為而無不為」。無為而無不為，有處者乃無處，也就是「有無相生」，所以說是圜道。不刑蹇、許釋引俞樾平議「刑蹇與形倨同，莊子山木篇曰，君無形倨，注曰，躓礙之謂也。然則不刑蹇者，不躓礙也，蓋引黃帝之言而釋之曰，帝無常處者以言不躓礙也，是圜道也。」俞說是，不躓（ㄓˋ）礙是無阻礙之意。㊅居猶壅閉，這是說有一竅不通，則八竅皆空虛無用。唯是答應，唯而聽則唯止，聽而視則聽止，這是說要專一，但專一而不能長久留滯，是圜道。許釋謂以言說一猶專精於一官。㊆高注：「一為道本，道無匹敵，故曰至貴。」畢校謂文選注引此句作「一也者至貴也。」高注所謂道就是自然法則。自然法則的原始終極是莫測的，而為萬事萬物形成的宗本。瀸（ㄒㄧㄢ）是融洽，遂是達。

【今譯】　日夜一周，是圜道。月亮運行於二十八宿，始於角而終於軫，軫與角相連屬，是圜道。日月運行而成四時，一上一下，互相遇合，是圜道。凡物動而萌芽，萌芽而出生，出生而成長，成長而壯大，壯大而成物；成物以後乃漸衰落，衰落乃殺死，殺死乃收藏，自萌芽至收藏，是圜道。雲氣繁盛而西行為雨，冬夏不止；水泉東流注於海，晝夜不休。雨水未嘗竭盡，而海水未嘗滿溢，水泉雖小而東流成大海，雨水雖重而蒸發為輕雲，這些都是圜道。黃帝說：「帝王沒有常處，有處反是無處。」一這是說沒有阻礙，是圜道。人有九竅，一竅壅閉則八竅空虛，八竅空虛太久則身死；所以答應而聽則應聲止，聽而視則聽止，這是說八竅的運用要專於一官，專於一官而不要留滯，留滯而不運行則一官敗壞，這是圜道。所謂一乃是自然的法則，莫知其原，莫知其端，莫知其始，莫知其終，而萬物的形成以此為宗本。聖人效法自然；以全其性，以定其正，以出號令於其口，使百官受而行之，日夜不休，宣通下達，洽於民心，達於四方，德音遠布，四海歸心，又回到主所，這是圜道。號令遍布，則事之可不可、善不善，都無所壅閉，無所壅閉，則主道通達。所以號令是人主所以安身立命，賢不肖、安危，由此而立。

人之有形體四枝，其能使之也，為其感而必知也，感而不知，則形體四枝不使矣。人臣亦然，號令不感，則不得而使矣，有之而不使，不若無有㈠。主也者使非有者也㈡，舜禹湯武皆然。堯先王之立高官也，必使之方，方則分定，分定則下不相隱㈢。堯舜賢主也，皆以賢者為後，不肎與其子孫，猶若立官必使之方㈣。今世之人主皆欲世勿失矣，而與其子孫，立官不能使之方，以私欲亂之也，何哉？其所欲者之遠，而所知者之近也。今五音之無不應也，其分審也，宮徵商羽角各處其處，音皆調均，不可以相違，此所以無不受也。賢主之立官，有似於此，百官各處其職，治其事，以待主，主無不安矣，以此治國，國無不利矣，以此備患，患無由至矣。

【今註】㈠此段說明臣處方的意義，四枝即四肢手足，四肢不能相使則形體病，以喻人臣不可得而使則國亂。㈡「使非有者」是使用「號令不感」的人臣，高注不合。㈢「方」，高訓為「正」，意未明，按方與圜對，下文謂「百官各處其職、治其事」，就是方的意思（見俞樾諸子平議）。百官各分職治事，故分定，就是今人所謂各守各的崗位。㈣許釋引俞樾平議謂「高注大失呂氏之旨，本篇大旨以為主執圜而臣處方，故上文曰先王之立高官也必使之方，此文立官必使之方，即承上文而言。『猶若』者猶然也，……此言堯舜不以天子傳之子孫，而其立官也猶然必使之方；下文曰，今世之人主皆欲世勿失矣，而與其子孫，立官不能使之方，以私欲亂之也。何哉？其所欲者之遠，而所知者之近也，此正見其與堯舜相反。」

【今譯】人有形體四肢，所以能使用自如，是因為有感觸而必定知道，如果有所感觸而不知，則形體四肢不能相使了。人臣亦如此，號令之而不感受，就不得使用了；有臣下而不能使用，不如沒有。人主要能使用那些號令不感的臣下，舜禹湯武都是一樣。古代帝王的設立高官，必使其分職治事，分職治事則分定，分定則臣下的隱私不致壅蔽。堯舜是古代的賢主，都以賢者為後，不以天下傳給自己的子孫，可是他們的立官亦必使分職治事。今世的人主都希望世世守而勿失，而以天下傳與子孫，而立官不能使分職治事，這是由於私欲所亂。為什麼呢？他們的欲望很遠而所見又很近，不知其子孫並不能守而勿失。五音所以無不相應，是因為音階的高低強弱各守其分以相和，宮商角徵羽各守其分，音階調勻，不可以相違背，此所以沒有不相應。賢主的立官有似於此，百官各處其職，治其事，以待人主的使用，人主自然沒有不安心了。用這辦法治理國家，國家沒有不安和樂利了；用這辦法防備禍患，禍患就無從來到了。

卷四　孟夏紀

第四，凡五篇

一曰孟夏

【今註】　孟夏是夏曆的四月，夏主長，萬物因陽盛而發育長大，本書認為人的發育成長，乃來自學問，而從藝術上使人精神舒暢，則莫如音樂，故孟夏首在勸學尊師，而仲夏季夏皆重視音樂。春生夏長，星移物換，夏季的時令及所應的事物，都與春季不同。四月的重要節候是立夏，農事最忙，升麥收繭，勸民無或失時。

孟夏之月，日在畢，昏翼中，旦婺女中㈠。其日丙丁，其帝炎帝，其神祝融，其蟲羽，其音徵，律中仲呂，其數七㈡。其性禮，其事視㈢，其味苦，其臭焦，其祀竈，祭先肺。螻蟈鳴，丘蚓出，王菩生，苦菜秀㈣。天子居明堂左个，乘朱輅，駕赤駵，載赤旂，衣赤衣，服赤玉。食菽與雞，其器高以觕㈤。

【今註】　㈠畢是西方宿，今屬金牛座。翼是南方宿，今屬長蛇座。婺（ㄨˋ）女是北方宿，亦作女或須女，（不可與織女星混），今屬寶瓶座。㊁「其日丙丁」至「祭先肺」已詳孟春篇註。說文「丙位南方，萬物成炳然，陰氣初起，陽氣將虧。」丁謂「夏時萬物皆丁實」，丙丁屬火，俗稱火為丙丁，如密件閱後燒去則說「付丙」。仲呂是十二律中的陰聲，見音律篇。㊂畢校謂月令無此二句，此書前後亦無此例，當為衍文。五常仁義禮智信及五事貌視思言聽，古人亦以配合五行。㊃螻（ㄌㄡˊ）蟈（ㄍㄨㄛ）高注為蝦蟆，就是青蛙，雄者能鳴。王菩（ㄆㄨˊ），草名，可為席，高注「菩或作瓜，瓠瓤也，」月令作王瓜，鄭玄引今月令作王萯，萯與菩音近，黃以周說王萯是栝樓，未知孰是。苦菜就是荼（ㄊㄨˊ），詩邶風「誰謂荼苦，其甘如薺。」㊄明堂左个已見孟春篇註，夏屬火，故天子居處向南，車馬服飾都用赤色，騮（ㄌㄧㄡ）即騮，是赤身黑鬣尾的馬。菽是豆類。觕（ㄘㄨˋ）是粗大，月令作粗。許釋謂觕當作牬，形近而誤，按說文「牬角長貌」，許釋非是。

【今譯】　孟夏四月，太陽在西方畢宿，向晚時可望見南方的翼宿上升在南方中天，向曉時則見北方的婺女出現在南方中天。四月的日干是丙丁，上應的天神是火德炎帝和火官之神祝融。應時的動物是羽類的禽鳥，應時的音律是徵音和仲呂，其數為七。其性為禮，其事為視。其味為苦，其臭為焦。夏屬火，故祀竈，祭以肺臟為先。其時蝦蟆咕咕的叫，蚯蚓從土中出來，菩草初生，苦菜秀茂。氣候到了夏天，天子移居於明堂的左偏室；出則乘著赤色的大車，駕著赤色的馬，載著赤色的旂，穿著赤色的衣，佩著赤色的玉。食的以菽豆和雞為主，用的器具要高而粗的。

是月也、以立夏㈠，先立夏三日，太史謁之天子曰：「某日立夏，盛德在火。」天子乃齋。立夏之日，天子親率三公九卿大夫以迎夏於南郊㈡；還乃行賞，封侯慶賜，無不欣說㈢。乃命樂師習合禮樂㈣。命太尉贊傑儁，遂賢良，舉長大，行爵出祿，必當其位㈤。

【今註】㈠立夏在春分後四十六日，太陽運行在四十五度。立夏多在四月，陽曆則在五月六日或七日。㈡迎夏南郊猶如迎春東郊，這是配合五行，順應天時。㈢古禮賞以春夏，故孟春篇「還乃賞卿諸侯大夫於朝」孟夏「還乃行賞，封侯慶賜。」㈣「習合禮樂」，高注「禮所以經國家，定社稷，利人民；樂所以移風易俗，蕩人之邪，存人之正性。故命樂師使合習之。」㈤太尉是秦官名。贊、遂、舉是選拔推薦之意。儁即俊。本書重視以賢治國，在三月有「聘名士，禮賢者」，四月復有「贊傑儁，遂賢良，舉長大。」

【今譯】這個月是立夏。在立夏前三天，太史報告天子說：「某日立夏，盛德在火。」天子乃依例齋戒。到了立夏那天，天子親自率領三公九卿大夫到南郊舉行迎夏之禮；回來時乃大行賞，封侯慶賜，大家都很高興。於是命樂師合併學習禮樂；命太尉選故俊傑賢良之士，因材任用，各給以適當的俸祿。

是月也、繼長增高，無有壞隳，無起土功，無發大眾，無伐大樹㈠。是月也、天子始絺㈡，命野虞出行田原，勞農，勸民，無或失時㈢。命司徒循行縣鄙，命農勉作，無伏于都㈣。是月也、驅獸無害五穀，無大田獵，農乃升麥㈤，天子乃以彘嘗麥，先薦寢廟。

【今註】㈠夏主長，萬物已長的助其繼長，已高的助其增高，不可有所毀壞。隳（ㄏㄨㄟ）月令作墮。㈡絺是細葛的夏衣，葛是豆科植物，莖長二三丈，纖維可分析織布，後則用麻。史記五帝本紀「堯乃賜舜絺衣」，論語鄉黨「當暑袗絺綌。」細麻衣為絺，粗麻衣為綌。㈢野虞見季春篇，月令、勞農上有「為天子」三字，按凡奉命辦事都是「為天子」，不必有此三字。㈣司徒是民政長官，縣鄙、都、是畿內地方，古制、二千五百家為縣，五百家為鄙。野虞司徒分別去慰勉農民，可見古代重視農時。㈤升、高注訓獻，畢校月令作登。

【今譯】這個月要順應天時，使已長的更長，已高的增高，不可有所破壞。因此，不可大興土木，不可發動大眾，不可砍伐大樹。其時天氣漸熱，天子始服細葛的單衣，因而念到農民的勞苦，命農官到鄉村田野去巡視，代表天子慰勞農民，勸他們不可有失時令。又命司徒到縣鄙都邑去巡視，勸告農民下鄉去耕作，不可逗留在都市中，荒廢時日。這個月裡要驅逐獸類，使不致損害五穀，但不可大舉田獵。其時農官獻上新麥，天子乃以彘嘗麥，先薦祭於祖廟，表示孝道。

是月也、聚蓄百藥，靡草死㈠。麥秋至，斷薄刑，決小辠，出輕繫㈡。蠶事既畢，后妃獻繭，乃收繭稅，以桑為均㈢，貴賤少長如一，以給郊廟之祭服。是月也、天子飲酎㈣用禮樂。

【今註】㈠靡草高注為葶藶之類。按靡當即蘼蕪，是一種香草，古人多採用，古詩有「上山採蘼蕪」句，故此處特予述及。㈡「麥秋」是大小麥成熟的時候。薄刑小罪，予以判決結案，輕繫拘留，予以從輕釋放，都是順應天時之意。㈢均是公平的標準。繭稅是以繭為稅，桑多稅多，桑少稅少。㈣酎（ㄓㄡˋ）是春釀的醇酒，高注「天子與羣臣飲酒作樂，詩云：『為此春酒，以介眉壽。』」

【今譯】這個月裡，百藥長成，要及時聚蓄，祇有蘼蕪已枯死了。其時大小麥都已成熟收穫，應該把薄刑小罪予以判決，輕繫拘留予以釋放。蠶事完畢，后妃獻上蠶繭，於是徵收繭稅，以桑為準，桑多稅多，桑少稅少，不論貴賤少長都是一樣，所收的繭是供給郊廟祭服之用。其時春釀已熟，天子與羣臣飲酒作樂，以介眉壽。

行之是令，而甘雨至三旬。孟夏行秋令、則苦雨數來，五穀不滋，四鄙入保。行冬令，則草木早枯，後乃大水，敗其城郭。

行春令、則蟲蝗為敗，暴風來格，秀草不實。

【今譯】孟夏月的政令行之都得其宜，則甘雨十日一至，三旬三雨。如時令失調，孟夏而行秋令，則苦雨數來，損害五穀不能滋育，四境之民畏懼寇盜，將進入城郭來避難。如果行冬令，則草木早枯，此後復有大水，敗壞城郭。如果行春令，則蝗蟲為害，暴風來襲，茂盛的草都要凋零了。

二曰勸學

【今註】春主生，故重其生，養其性；夏主長，故重於學，行其教。重學行教，故孟夏紀的勸學、尊師、誣徒、用眾四篇，皆以教育為中心，所論是儒家的教育思想。孔孟學說首以孝弟忠信教人，故本篇先提出忠孝，由忠孝以引出重學尊師。惟勸學尊師兩篇似互有錯簡，勸學篇所言多為尊師，而尊師篇的中間兩段則為勸學，過去校釋者都未注意校正。畢校本於本篇標題下注「一曰觀師」，或者原為觀師，本篇內容也是觀師的意義居多，後人因受荀子勸學篇的影響而改以勸學名篇。

先王之教，莫榮於孝，莫顯於忠。忠孝人君人親之所甚欲也，顯榮人子人臣之所甚願也，然而人君人親不得其所欲，人子人臣不得其所願，此生於不知理義㊀；不知義理，生於不學。

【今註】 ㈠高注「不知理義，在君父則為不仁不慈，在臣子則為不忠不孝。不忠不孝，故君父不得其所欲也；不仁不慈，故臣子不得其所願也。」

【今譯】 先王之教，莫榮於孝，莫顯於忠。忠孝是為人君父所最大希望的，顯榮是為人臣子所最大企願的，可是君父多得不到他們的希望，臣子多得不到他們的企願，這都是由於不知理義；不知理義，則是由於不學。

學者師達而有材，吾未知其不為聖人㈠。聖人之所在，則天下理焉，在右則右重，在左則左重，是故古之聖王，未有不尊師者也。尊師則不論其貴賤貧富矣，若此則名號顯矣，德行彰矣。故師之教也，不爭輕重尊卑貧富㈡，而爭於道，其人苟可，其事無不可。所求盡得，所欲盡成，此生於得聖人，聖人生於疾學㈢，不疾學而能為魁士名人者，未之嘗有也㈣。疾學在於尊師，師尊則言信矣，道論矣。故往教者不化，召師者不化，自卑者不聽，卑師者不聽㈤，師操不化不聽之術，而以彊教之，欲道之行、身之尊也，不亦遠乎？學者處不化不聽之勢，而以自行，欲名之顯、身之安也，是懷腐而欲香也，是入水而惡濡也。

【今註】 ㈠學者從師，其師通達理義而有材能，以聖人的言行教導，則亦可以學為聖人，這是孟子所謂「人皆可以為堯舜」之意。㈡高注「論語曰，人能弘道，非道弘人，故曰不爭輕重尊卑。」㈢尹校引劉文典三餘札記「疾猶力也」疾學即力學。㈣高注「魁大之士，名德之人。」都是傑出人才之意。㈤高注「易曰，匪我求童蒙，童蒙求我。故往教之師不見化從也。童蒙當求師而反召師，亦不宜化師之道也。」按易蒙卦謂發蒙之道，不是要我去有求於童蒙，是要童蒙肯來求我，必須誠心求教。化是感化，往教者即自卑者，召師者即卑師者。

【今譯】 學者所從之師如通達理義而有材能，我不相信他不會成為聖人。聖人所在則天下治，在右則右重，在左則左重，所以古代的聖王未有不尊師。尊師則不論究師的貴賤貧富了，如此則為師的名號顯達了，德行昭彰了，所以觀師之教，不計較輕重尊卑貧富，而計較為師之道，其人的品德言行如果可以為人師，則其所教自無不可，學者如能盡得其所求，盡成其所欲，這就是由於得聖人為師。聖人得於力學，不能力學而能成為傑出的人士，是不可能的。力學在於尊師，師尊則其言可信從了，其道可論究了。所以前往教人的老師不能感化人，召師去教的人不會被感化；自卑的老師不能使人聽話，看不起老師的人不會聽老師的話。老師憑著不感化不見聽的本領，而勉強去行教，希望其道之得行，身之得尊，不是距離愈遠嗎？學者處於不被化不聽話的地位，而自行其是，乃要揚名安身，這猶如懷抱腐臭而希望芳香，又如跳到水裏而不要沾溼。

凡說者兌之也，非說之也㈠，今世之說者、多弗能兌而反說之。夫弗能兌而反說，是拯溺而硾之以石也，是救病而飲之以堇也㈡，使世益亂、不肖主重惑者，從此生矣。故為師之務，在於勝理，在於行義㈢，理勝義立，則位尊矣，王公大人弗敢驕也，上至於天子朝之而不慚。凡遇、合也，合不可必，遺理釋義以要不可必，而欲人之尊之也，不亦難乎？故師必勝理行義，然後尊㈣。

【今註】㈠「說者」是指為師者的傳道解惑。兌（ㄉㄨㄟˋ）許釋尹校皆謂喜悅之意，（下說字亦是喜悅之意）孔子說：「知之者不如好之者，好之者不如樂之者」故為師能啟發學者向學的樂趣是需要的，因為必先得學者的歡心，而後其說乃可行也。㈡硾（ㄓㄨㄟˋ）重反使溺者下沈堇（ㄐㄧ）是毒藥，能毒殺人。㈢勝理是辨惑，明辨是非；行義是崇德，行義向善。（論語子張問崇德辨惑）㈣天子朝師、尊有德，這是遇合，不可必常，故師必勝理行義而後尊。

【今譯】大凡說者要先得聽者的歡心，不是要取悅於人。現在的說者多未能得人歡心而反求悅於人，這樣的弗得歡心而反求說於人，猶如拯救溺者而硾之以石，醫治病人而飲以毒藥，使時世益亂，使不肖主大惑不解，就從此發生了。所以為師的要務，在於勝理辨惑，在於行義崇德，理勝義行，則師道稱尊了，王公大人不敢驕以富貴，貴如天子以禮朝見，亦受之無愧，大凡遇必有合，而合是不可必得，要是違理去義而希求不可必得的遇合，要取得他人的尊敬，不是難事嗎？所以為師必定能勝理行義然後可尊。

曾子曰：「君子行於道路，其有父者可知也，其有師者可知也；夫無父而無師者，餘若夫何哉㈠？」此言事師之猶事父也。曾點使曾參，過期而不至，人皆見曾點曰：「無乃畏邪㈡？」曾點曰：「彼雖畏，我存，夫安敢畏？」孔子畏於匡，顏淵後，孔子曰：「吾以汝為死矣。」顏淵曰：「子在，回何敢死㈢？」顏回之於孔子也，猶曾參之事父也，古之賢者與，其尊師若此，故師盡智竭道以教。

【今註】㈠尹校引范耕研補注「餘者父師而外之人也，夫與彼同。」㈡畏是畏避，高注非。曾點即曾皙，是曾子之父。曾子名參。㈢「畏於匡」見論語先進篇，匡是地名，在今河北省長垣縣境，史記孔子世家說，魯的陽虎曾經虐待匡人，誤認孔子是陽虎，當孔子由衞往晉經過匡地時，正值衞國的貴族公叔氏在蒲反叛，蒲與匡近，便把孔子拘留了五天，直待孔子答應不再回衞國，才予釋放。由顏淵之言證明事師如事父。

【今譯】　曾子說：「有道德的君子在路上行走，從他的態度上可以知道他是有父親的，也可以知道他是有良師的；那沒有父親和良師的，父師以外的人，將會怎樣呢？」這是說事師猶如事父。曾點有事差遣曾參去，過了期限還沒有到，許多人見到曾點說：「恐怕是畏避吧？」曾點說：「他雖然畏避，祇要我健在，怎敢畏避呢？」孔子在匡地受到驚險，顏淵遲到，孔子說：「我以為你死難了。」顏淵說：「夫子在，回何敢死？」這可見顏回對於孔子，猶如曾參的事父，真是古代的賢者吧！他尊敬老師如此，所以老師也竭盡智能予以教導。

三曰尊師

【今註】　尊師是我國的重要德行，蓋尊師所以重道，是智識德行所自承，是為學做人的基礎。本篇先舉古代帝王君主的尊師，以下則述為學的重要，並舉出子張段干木等六人，本來是「刑餘死辱之人，今非徒免於刑戮死辱也，由此為天下名人顯士，以終其壽，王公大人從而禮之，此得之於學也。」此足以勸人為學。再說明師生情誼深厚，有如父子，生事之以禮，死葬之以禮，此種尊師理論殊不多得，本書專篇闡發此義，如所說「義之大莫大於利人，利人莫大於教；知之盛莫大於成身，成身莫大於學。」完全是儒家立己立人之意。

神農師悉諸，黃帝師大撓，帝顓頊師伯夷父，帝嚳師伯招，帝堯師子州支父，帝舜師許由，禹師大成贄，湯師小臣，文王武王師呂望、周公旦，齊桓公師管夷吾，晉文公師咎犯、隨會㈠，秦穆公師百里奚、公孫枝，楚莊王師孫叔敖、沈尹巫，吳王闔閭師伍子胥、文之儀，越王句踐師范蠡、大夫種㈡，此十聖人、六賢者，未有不尊師者也。今尊不至於帝，智不至於聖，而欲無尊師，奚由至哉？此五帝之所以絕，三代之所以滅。

【今註】 ㈠ 此段多與當染篇相同，荀子大略篇、韓詩外傳及新序亦載聖賢之師，而文與本篇異，崔述考信錄指此乃楊墨之所託言。悉諸、伯夷父、伯招、大成贄皆不見他處。大撓作甲子見勿躬篇，子州支父見貴生篇，許由見求人篇，小臣是伊尹，見先己、慎大、本味、求人各篇，（許釋引李慈銘日記謂小臣為卞隨）。 ㈡ 咎犯見義賞、不廣篇，隨會即范武子，畢校謂隨會在文公後。公孫枝即大夫子桑，見不苟篇。沈尹巫見當染、察傳、贊能各篇，其名多不同，或作筮、蒸、莖。

【今譯】 神農師悉諸，黃帝師大橈，帝顓頊師伯夷父，帝嚳師伯招，帝堯師子州支父，帝舜師許由，禹師大成贄，湯師小臣，文王武王師呂望、周公旦；齊桓公師管夷吾，晉文公師咎犯、隨會，秦穆公師百里奚、公孫枝，楚莊王師孫叔敖、沈尹巫，吳王闔閭師伍子胥、文之儀，越王句踐師范蠡、大夫種；此十大聖人、六賢者，未有不尊師。現在尊不及帝、智不及聖，而希望不尊師而成帝王，如何能達到呢？此五帝所以絕而不復見，三代所以滅亡而不復興。

且天生人也，而使其耳可以聞，不學，其聞不若聾；使其目可以見，不學，其見不若盲；使其口可以言，不學，其言不若爽，使其心可以知，不學，其知不若狂。故凡學、非能益也，達天性也，能全天之所生而勿敗之，是謂善學㈠。子張、魯之鄙家也，顏涿聚、梁父之大盜也，學於孔子㈡；段干木、晉國之大駔也㈢，學於子夏；高何、縣子石，齊國之暴者也，指於鄉曲，學於子墨子㈣；索盧參東方之鉅狡也，學於禽滑黎㈤。此六人者、刑戮死辱之人也，今非徒免於刑戮死辱也，由此為天下名士顯人以終其壽，王公大人從而禮之，此得之於學也。

【今註】㈠老子「五色令人目盲，五音令人耳聾，五味令人口爽，馳騁田獵令人心發狂。」爽或作暗，古人謂口病，亦名爽傷。狂是心病。達天性與中庸「率性之謂道」、孟子「求其放心」的意義相似。㈡子張名顓孫師，史記說他是陳人，許釋引梁玉繩校補謂左傳莊二十二年顓孫氏奔魯，子張或其後人。顏涿聚即顏讎由，史記作顏濁鄒，是子路妻兄，孔子適衞，居其家。㈢段干木是魏賢人，魏文侯要見他，他踰垣而避之。見下賢篇。駔（ㄗㄤˇ）是介紹貿易的市儈。㊃高何、縣子石畢校謂墨子書弟子有高石子，不見此二人。許釋引孫詒讓札迻謂墨子耕柱篇有縣子碩。暴者是舉動凶惡違犯法律的暴徒。㊄索盧參是極狡猾的人，禽滑釐是墨子的弟子。

【今譯】　而且天之生人，使人有耳可以聞，如果不學，則所聞或不如聾；使人有目可以視，如果不學，則所視或不如盲；使人有口可以言，如果不學，則所言或不如喑；使人有心可以知，如果不學，則所知或不如狂。所謂學並非能增益什麼，祇是通達天性，能夠保全天之所生而勿予損壞，這就可說是善於求學。子張是魯國鄙賤家庭出身的，顏涿聚是梁父的大盜，求學於孔子；段干木是晉國的大市儈，求學於子夏；高何、縣子石都是齊國的暴徒，求學於墨子；索盧參是東方極狡猾的人，求學於禽滑釐。這六個人都是刑戮死辱之人，可是他們不但免於刑戮死辱，由於知道求學而成為天下的名士顯人，以終其天年，王公大人反從而敬禮他們，這就是得之於學。

凡學必務進業，心則無營㊀；疾諷誦，謹司聞㊁，觀驩愉，問書意，順耳目，不逆志，退思慮，求所謂。時辨說，以論道，不苟辨，必中法㊂，得之無矜，失之無慚，必反其本。生則謹養，謹養之道，養心為貴；死則敬祭，敬祭之術，時節為務㊃；此所以尊師也。治唐圃，疾灌寖，務種樹，織葩屨㊄，結罝網，捆蒲葦，之田野，力耕耘，事五穀，如山林，入川澤，取魚鼈，求鳥獸，此所以尊師也。視輿馬，慎駕御，適衣服，務輕煖，臨飲食，必蠲絜㊅，善調和，務甘肥，必恭敬，和顏色，審辭令，疾趨翔，必嚴肅，此所以尊師也㊆。

【今註】㊀心則無營是專心求學、別無他念。㊁許釋引孫詒讓札迻「司聞義不可通，聞當為閒，國語吳語云、以司吾閒，韋注云：閒，隙也。謹司閒謂司候師閒隙而問業也。大戴禮記曾子立事云，問而不決，承閒觀色而復之。」尹校據改。㊂高注「不苟口辨，反是為非，言中法制。」㊃「生謹養，死敬祭」，即孔子所謂「生事之以禮，死祭之以禮。」養心，許釋謂養心之術，見荀子修身篇。按應即孟子所謂「若曾子則可謂養志也」的養志。㊄唐圃，許釋引王念孫校本謂即場圃，是種瓜果的。灌寖即灌溉。葩（ㄆㄚ）屨是草鞋。晏子春子問下篇「治唐圃，考非履。」本節所言都是古人日常生活的工作。㊅蠲（ㄐㄩㄢ）是除掉不潔使得清潔，絜即潔。㊆這兩節是說學者要供給老師的口體之養，是引伸上篇事師如事父之意。

【今譯】大凡為學必須專心增進學業，心中便無他念。努力誦讀，等候老師有閒暇而觀察其神色歡愉，便可詢問書中疑義，所以要順適耳目而不致干逆力學之志。退而思慮，研求老師所說的道理，時時加以辨說，深明義理，不要苟且的辨別，必須合於法制，有所得不可驕矜，說錯了也不必慚愧，必回復原本的態度。生則謹慎奉養，奉養之道是以養心為貴；死則恭敬祭祀，每年四季都要致祭；這就是尊師之道。日常家居則整治場圃，勤事灌溉，種樹果菜，編織草履，結修罝網，捆取蒲葦；到了農時則前往田野，勤力耕耘，使五穀得以豐收；又復前去山林中、獵取鳥獸，到川澤中捕取魚鼈，這亦是尊師之道。對於老師所乘的車馬，要仔細察看，小心駕御；老師所穿的衣服，必須輕便溫煖；老師飲食時，必須注意清潔，善調五味，必須甘肥；服侍老師的態度要恭敬，和顏悅色，審慎說話，趨走動作要快速而嚴肅，這亦是尊師之道。

君子之學也，說義必稱師以論道，聽從必盡力以光明，聽從不盡力，命之曰背，說義不稱師，命之曰叛，背叛之人，賢主弗內之於朝，君子不與交友㈠。故教也者、義之大者也，學也者知之盛者也，義之大者莫大於利人，利人莫大於教㈡，知之盛者莫大於成身，成身莫大於學㈢。身成、則為人子弗使而孝矣，為人臣弗令而忠矣，為人君弗彊而平矣，有大勢可以為天下正矣㈣。故子貢問孔子曰：「後世將何以稱夫子？」孔子曰：「吾何足以稱哉？勿已者、則好學而不厭，好教而不倦，其惟此邪㈤。」天子入太廟，祭先聖，則齒嘗為師者弗臣，所以見敬學與尊師也㈥。

【今註】㊀「說義稱師」：聽從盡力是開啟漢儒重師承的指示。荀子大略篇「教而不稱師謂之倍。」倍與背同。聽從不盡力猶孟子責許由「師死而遂倍之」及所謂「是猶弟子而恥受命於先師也。」所以勸學尊師是受孟荀學說的影響。㊁利人猶立人，孔子說：「夫仁者己欲立而立人，己欲達而達人。」㊂中庸說：「誠者非自成而已也，所以成物也。成己、仁也；成物、知也。」君子之學，將以明道濟世，所以說：「教也者義之大者也，學也者知之盛者也。」成身就是成己，成己的要件是道德的修養和學問的研究，故曰成身莫大於學。㊃身成是自身已成為有道德學問的仁者，仁者自無不孝不忠，仁者「為政以德，譬如北辰，居其所而眾星共之。」故曰弗彊而平，可以為天下正。㊄孟子說：「昔者子貢問於孔子曰：『夫子聖矣乎』？夫子曰：『聖則吾不敢，我學不厭而教不倦也。』子貢曰：『學不厭，智也，教不倦，仁也，仁且智，夫子既聖矣夫。』」㊅「太廟」，高注「太學明堂也」，許釋謂太廟當作太學，尹校改為太學。按太學始於西漢，先秦亦無天子入太學祭先師之禮，畢校本作太廟不誤。

【今譯】君子之學，論辨仁義必稱引師說以明道理，聽從師說必盡力闡揚以求光大。聽從而不盡力就是背師，說義而不稱師就是叛道，背師叛道的人，賢主不用他在朝，君子不和他交友。所以教是行義之要，學是求知之要。行義之要莫大於利人，利人莫大於教；求知之要莫大於成己，成己莫大於學。學而有成則為人子的弗使而孝了，為人臣的弗令而忠了，為人君的弗強而治了，得勢就可以平治天下了。從前子貢問孔子說：「後世將何以稱頌夫子？」孔子說：「我有什麼好稱頌哩，如果一定要的話，那就是好學而不厭，好教而不倦，就是這樣呀！」天子往太廟祭先師，那年長可以為師的不敢以臣禮待之，這可見敬學與尊師的重要意義了。

四曰誣徒

【今註】本篇是說明教學的方法，在於因人施教，並要求師徒同體。尊師所以重道，故為師者亦要遵道崇禮以身作則，取得弟子的尊敬。因為對上尊所得的反應是對下愛護，對下一代的愛護，自能將所知所能的盡量傳授，此乃人生樂事之一，亦是人生的重責大任。篇中列舉善教和不善教的做法及其效果。為師的能善教，則弟子能善學而有所成就；為師的不能善教，則弟子不能善學而無所成。師之被尊，為其教人以為人之道，技能知識尚在其次；所以欺騙學生的老師，結果是自受其害，所以本篇有警世作用。

達師之教也㈠，使弟子安焉、樂焉、休焉、游焉、肅焉、嚴焉，此六者得於學，則邪辟之道塞矣，理義之術勝矣；此六者不得於學，則君不能令於臣，父不能令於子，師不能令於徒。人之情不能樂其所不安，不能得於其所不樂。為之而樂矣，奚待賢者，雖不肖者猶若勸之；為之而苦矣，奚待不肖者，雖賢者猶不能久。反諸人情，則得所以勸學矣。子華子曰：「王者樂其所以王，亡者亦樂其所以亡㈡。」故烹獸不足以盡獸，嗜其脯則幾矣㈢，然則王者有嗜乎理義也，亡者亦有嗜乎暴慢也，所嗜不同，故其禍福亦不同。

【今註】㈠此段是說明達師之教。達師是通達事理的老師。安是安心求學，樂是心情愉快，休是作息有時，游是「游於藝」的優游自在，肅是態度端莊，嚴是作事認真。這六項是訓練弟子為學做人的方法，安樂休游是引伸勸學篇「說者兌也」的意義，肅嚴則是尊師篇「聽從必盡力」的補充。㈡子華子見貴生篇。孟子說：「不仁者可與言哉？安其危而利其菑，樂其所以亡者。」與「亡者亦樂其所以亡」句同。㈢脯是肉乾，嗜其脯是孔子所謂「樂之者」。

【今譯】達師的教法，要使其弟子安心求學，情緒愉快，作息有時，優游自在，態度端莊而作事認真。得於這六項情況中求學，則邪惡的念頭斷塞了，理義的道術勝行了；不得於這六項情況中求學，則國君不能行令於其臣，父親不能行令於其子，老師不能行令於其弟子。人情是不能樂於其所不安，不能有愛於其所不樂。做了而可以得到快樂的事，何必等待賢者，即使不肖者亦不待勸告就去做了；做了而得到苦難的事，不必說不肖者不肯做，即使賢者亦不能長久做下去。因此，求之於人情，就可得知所以勸學之道了。子華子說：「王者樂其所以王，亡者亦樂其所以亡。」所以烹食獸肉不足以盡知獸肉的美味，一定要長久嗜食肉乾的人幾乎知道了，那麼王者有嗜愛於理義，亡者亦有嗜愛於暴慢，所嗜愛的不同，所以其禍福亦不同。

不能教者、志氣不和，取捨數變，固無恆心，若晏陰喜怒無處，言談日易，以恣自行，失之在己，不肎自非，愎過自用，不可證移㊀。見權親勢及有富厚者，不論其材，不察其行，敺而教之，阿而諂之，若恐弗及㊁。弟子居處修潔，身狀出倫，聞識疏達，就學敏疾，本業幾終者，則從而抑之，難而懸之，妬而惡之。弟子去則冀終㊂，居則不安，歸則愧於父母兄弟，出則慙於知友邑里，此學者之所悲也。此師徒相與異心也。人之情惡異於己者，此師徒相與造怨尤也，人之情不能親其所怨，不能譽其所惡，學業之敗也，道術之廢也，從此生矣。

【今註】㊀此段是說明不能教者之不合理的態度及行為。晏陰，許釋引陶鴻慶札記「說文，晏天清也，晏陰猶言晴陰，高注非是。」此言不能教者無恆心，故喜怒無常，猶如天時晴陰不定。尹校據范耕研校補於本句上加一心字，非是。不可證移猶今言不可理喻，許釋引俞樾平議謂證字當作証，尹校據改，似無必要。㈡「權親勢」是權位、親屬（如皇親國戚）及勢力三種不同的關係，許釋引陳昌齋說謂親字是衍文；又引王引之說謂權親勢當作親權勢，尹校據改；均非是。敺（ㄑㄩ）與趨同聲借用，趨而教之，阿而諂之，正是趨炎附勢的意思。㈢「冀終」，高注「弟子欲去則冀終其業，且由豫也。」

【今譯】　不能教的老師，其志趣氣度大都躁急而不和平，患得患失，數次變易，實在沒有恆心，因此喜怒無常，猶如天時的晴陰不定，說話不算數，天天變更，任意而行，有時明明是他自己錯誤，不肯認錯，剛愎自用，不可理喻。看見有權勢顯要及富厚人家的子弟，不論其材質是否可造，不察其行為是否妥當，乃不惜自卑，趨往教之，備極阿諛，還恐怕有不周到之處。對於弟子中有居處整潔，狀貌俊秀，見解通達，學力敏捷，即將結業者，反而妬忌厭惡，予以抑制，故意為難，使其學業懸而不結。於是弟子有的憤而要去，又希望留下卒業，留下又覺得不能安心，回家則有愧於父母兄弟，出門則有慙於友好鄉里，這真是學者所悲痛的事。這樣的師生相與異心，人情大都是討厭異於己者，這就造成了師生的互相怨恨。人情是不能親愛其所怨的人，不能稱譽其所恨的人，學業的敗壞，道術的廢棄，都從此發生了。

善教者則不然，視徒如己，反己以教，則得教之情也，所加於人，必可行於己㈠，若此則師徒同體。人之情愛同於己者，譬同於己者，助同於己者，學業之章明也，道術之大行也，從此生矣。

【今註】㊀此段是說善教的做法，與上段不能教者正相反。孔子說：「己所不欲，勿施於人。」中庸「施諸己而不願，亦勿施於人。」是本文「反己以教」的所本。

【今譯】善教的則不然，視弟子如同自己，用自己所要學的教授他人，這就得到教人的情理了。大凡所施教於他人的，必定可以行之於自身，這樣的教，那麼師生如同一體。人情大都愛其所同，譽其所同，助其所同，學業的彰明，道術的大行，都從此發生了。

不能學者，從師苦而欲學之功也，從師淺而欲學之深也㊀，草木雞狗牛馬不可譙詬遇之，譙詬遇之，則亦譙詬報人㊁，又況乎達師與道術之言乎？故不能學者遇師則不中㊂，用心則不專，好之則不深，就業則不疾，辯論則不審，教人則不精。於師慍，懷於俗，羈神於世㊃，矜勢好尤，故湛於巧智，昏於小利，惑於嗜欲，問事則前後相悖，以章則有異心，以簡則有相反㊄，離則不能合，合則弗能離，事至則不能受，此不能學者之患也。

【今註】㊀此段是說不能學者的求學情形，以從師求學為苦事而希望學業成功，從師甚淺而希望學問精深。㊁譙（ㄑㄧㄠˋ）是譙呵，詬（ㄍㄡˋ）是詬病，譙詬是責罵輕侮之意。尹校據譚戒甫校呂遺誼，改「草木」為「若夫」，惟許釋引王紹蘭說謂「猶莊子所謂、昔予為禾，耕而鹵莽之，則其實亦鹵莽而報予；芸而滅裂之，其實亦滅裂而報予。（則陽篇）又晏子所謂、牛馬不可窮，窮不可服（內篇雜下）」。依此，則原文亦可通，不過以此取喻不甚妥適而已。㊂不中就是不中意，是不能學者對其師的不滿意，故下文曰「於師慍」，高注許釋皆未妥。㊃畢校「謂其精神縈擾於世務而不能脫然也。」㊄高注「心猶義也」，許釋引文心雕龍章句篇謂，積句而成章，章總一義，與注相會。許釋甚是，這是說不能學者為學不專，縈心世務，問事則前後相悖，寫成一篇文章則內容雜亂而各有異義，簡單的幾句亦有彼此相反。

【今譯】不能學者以從師求學為苦事而希望其學業有所成功，從師求學的時間淺近而希望其學問精深，這猶如對於草木雞犬牛馬亦不可任意責罵輕侮，如果以責罵輕侮的態度相待，它們亦將以責罵輕侮的態度相報，又何況達師之教與道術之言呢？所以不能學者對待老師則不中意，為學用心則不專一，對學問的愛好則不深切，經常聽從則不盡力，辯論理義則不審是非，仿效他人則不能精核。於是遷怒於其師，而自安於習俗，縈心於世務，矜誇權勢，播弄是非，因而溺於巧詐，昏於小利，惑於嗜慾。問事則前後相違悖，作為文章則內容雜亂而各有異義，即使簡短亦有彼此相反之處，分離的不能連合，連合的不能分離，一旦事至則不能接受辨成，這些都是不能學者的毛病。

五曰用衆

【今註】本篇是繼承上篇說明善學者的求學方法，在於能利用衆人的長處，以補助一己的不足，故篇目一作善學。孔子說：「吾少也賤，故多能鄙事。君子多乎哉？不多也。」孔子是好學博學的第一人，他常對弟子們說：「學不厭」「不恥下問」「博學而篤志」「溫故而知新」「三人行必有吾師焉」，可知求學是要在範圍上必由狹而求其廣，在程度上必由淺而求其深，到了廣大深厚，便要加以歸納，特別重視其中的重點，否則龐雜散漫，恐難以發生作用，這就是用衆的意義。故中庸說「博學之，審問之，慎思之，明辨之，篤行之，……果能此道矣，雖愚必明。」

善學者若齊王之食雞也，必食其跖數千而後足，雖不足猶若有跖㊀。物固莫不有長，莫不有短，人亦然。故善學者假人之長，以補其短，故假人者遂有天下。無醜不能，無惡不知㊁。醜不能、惡不知，病矣，不醜不能、不惡不知，尚矣，雖桀紂猶有可畏可取者，而況於賢者乎㊂？故學士曰：辯議不可不為，辯議而苟可為，是教也，教大議也；辯議而不可為，是被褐而出，衣錦而入㊃。

【今註】 ㊀跖（ㄓˊ）是雞腳踵，許釋引李寶淦高注補正「言齊王食雞，以跖為美，善學者亦當如其愛雞跖，必數千乃足，即不足數千，猶必有跖之可取。此以跖喻學之精者。」㊁高注「故孔子入太廟，每事問，是不醜不能，不惡不知。」㊂尹校謂「此段應屬誣徒篇，蓋誣徒篇首論不能教者，次論善教者，再次論不能學者，而獨未論善學者，以此知此為上篇之錯簡也。」按此無誣徒意，不能屬誣徒篇，尹說非是。㊃「學士曰」各書均無說明，據前後文義，似應作「故學者辯議不可不為」，因為人各有所長，各有所短，學者既要假人之長以補其短，故對人不可不加以辯議。（原文辯議不可不為即不可不為辯議，是倒裝句）辯議而苟可為即苟使加以辯議，這就是善教，教人大議，就能用眾了；辯議而不可為即不加辯議，這猶如被褐在外，衣錦在內，不見其內之美，也就不能用眾了。許釋引陶鴻慶說於「不可不為」上加「不可為」三字，意亦未明，尹校據補，非是。

【今譯】 善學者猶如齊王的吃雞，必定要吃雞腳數千隻而後滿意，即使吃不到數千，還好像有雞腳可取。萬事萬物，無不有所長，無不有所短，人亦是一樣。所以善學者是假借他人的長處來補足自己的短處，故能用眾而假人者就可以得有天下。不要以不能為恥，不要以不能為壞，以不能為恥、以不能為壞，終要受困了；不以不能為恥、不以不能為壞，就可謂高明了。桀紂雖然暴虐無道，也還有可畏可取之處，何況於賢者呢？所以學者對於人事不可不加以辯議，如果加以辯議，這就是教，教人大議，就能用眾了；辯議而不可行，這猶如被褐在外，衣錦在內，莫見其中之美，也就不能用眾了。

戎人生乎戎，長乎戎，而戎言，不知其所受之。楚人生乎楚，長乎楚，而楚言，不知其所受之。今使楚人長乎戎，戎人長乎楚，則楚人戎言，戎人楚言矣㊀。由是觀之，吾未知亡國之主不可以為賢主也，其所生長者不可耳，故所生長，不可不察也㊁。

【今註】㊀戎是西戎，楚是南蠻，習俗語言，各不相同，但如果易地生長，則習俗語言亦就改變了。孟子說：「有楚大夫欲其子之齊言也，使一齊人傅之，眾楚人咻之，雖日撻而求其齊也，不可得矣。引而置之莊嶽之間數年，雖日撻而求其楚，亦不可得矣。」與此節意同。㊁亡國之主多由於親小人、遠君子，如果能親君子，左右皆是賢者，則耳濡目染，自然可變化氣質而成為賢主了。所生長也是性相近、習相遠之意。

【今譯】戎人生於西戎，長於西戎，而能說戎言，不知道是怎樣學成的。楚人生於楚地，長於楚地，而能說楚語，不知道是怎樣學成的。現在使楚人長於西戎，戎人長於楚地，那麼楚人就能說戎言，戎人就能說楚語了。從這點看來，我不相信亡國之主不可以為賢主，祇是他所生長的環境使他不可以成為賢主罷了，故對於所生長的環境，不可不詳細審察。

天下無粹白之狐，而有粹白之裘，取之眾白也㊀，夫取於眾，此三皇五帝之所以大立功名也。凡君之所以立，出乎眾也，立已定而舍其眾，是得其末而失其本；得其末而失其本，不聞安居㊁。故以眾勇、無畏乎孟賁矣，以眾力、無畏乎烏獲矣，以眾視、無畏乎離婁矣㊂，以眾知、無畏乎堯舜矣。夫以眾者，此君人之大寶也。田駢謂齊王曰：孟賁庶乎患術，而邊境弗患㊃，楚魏之王辭言不說，而境內已修備矣，兵士已修用矣，得之眾也。

【今註】㊀粹白即純白。㊁末是君位，本是民眾，「民惟邦本，本固邦寧」故曰得其末而失其本，不聞安居。㊂孟賁是戰國時齊國的大勇士。烏獲是戰國時大力士，能力舉千鈞。離婁是黃帝時目明人，能於百步之外，看見秋毫之末。這幾句是說明羣眾團結的力量最為堅強，故曰夫以眾者此君人之大寶也。㊃田駢是齊人，學黃老之學，其書已佚，馬國翰玉涵山房輯佚書中有一卷。尹校謂此二語文義難曉，按庶字有眾多意，術字本義是邑中通行之道路，其意謂孟賁勇敢在邑中道上常足為患，但邊境有眾人防守，便不足患。

【今譯】天下沒有純白的狐，而有純白的裘，是由於集取眾多狐的白腋而成，能取用於羣眾，是三皇五帝所以能成大功、立大名的要素。大凡人君之所以成功立業，是得力於羣眾的力量，功業已成而捨棄羣眾，這是得其末而失其本；得其末而失其本，不可能長久安定的。所以利用眾人的勇敢，就不怕孟賁了，利用眾人的力量，就不怕烏獲了，利用眾人的視力，就不怕離婁了，利用眾人的智慧，就不怕堯舜了，利用眾人是為人之君的大寶呀。田駢告訴齊王說：「孟賁之勇，在邑中通行的道路，常足為患，但在邊境有眾人防守，弗足為患。」楚魏之王不以言辭為說，而境內城郭已修備了，兵士武備已修整可用了，這就是得力於眾人。

卷五　仲夏紀

第五，凡五篇

一曰仲夏

【今註】仲夏是夏曆的五月，夏令注重音樂教育，本月各篇說明音樂的功效、歷史及其重要，古代育樂藝術的有關資料，當以本書最為完備。夏至多在五月，古人在夏至時最注重節欲養生，要在止聲色；薄滋味，退嗜欲，定心氣而靜百官，所言雖甚簡單，多可為後人取法。至於有關時令物候，多與孟夏篇同。

仲夏之月，日在東井，昏亢中，旦危中㊀。其日丙丁，其帝炎帝，其神祝融。其蟲羽，其音徵，律中蕤賓，其數七。其味苦，其臭焦，其祀竈，祭先肺㊁。小暑至，螳蜋生，鵙始鳴，反舌無聲㊂。天子居明堂太廟，乘朱輅，駕赤駵，載赤旂，衣朱衣，服赤玉。食菽與雞，其器高以觕。養壯狡㊃。

【今註】㊀東井是南方宿，今屬雙子座。亢是東方宿，今屬室女座。危是北方宿，今屬寶瓶座。㊁

「其日丙丁」至「祭先肺」，與孟夏紀同。蕤（ㄙㄨㄟ）賓是陽律，見音律篇。㊂小暑是後來二十四節氣之一，在夏至後十五日。螳螂是捕食昆蟲的益蟲。鶪（ㄐㄩ）亦作鵙，即伯勞，鳴禽類，夏至後始鳴。反舌即百舌，能反其舌變易其聲，仿效百鳥之鳴，惟夏至後則不復鳴。㊃仲夏紀多「養壯狡」一句，或是錯簡，高注「壯狡、多力之士，養之慎陽施也，蓋所謂旱則資舟，夏則資皮，備之也。」意未明。

【今譯】仲夏五月，太陽在南方東井宿，向晚時可以望見東方的亢宿上升在南方中天，向曉時則見北方的危宿出現在南方中天。五月的日干是丙丁，上應的天神是火德的炎帝和火官之神祝融。應時的動物是羽類，應時的音律是徵音和蕤賓，其數為七。其味為苦，其臭為焦，其祀為竈，而祭以肺為先。其時氣候漸暑，螳螂出生，伯勞始鳴，而百舌無聲。天子順應天時，移居明堂太廟，出則乘朱輅，駕赤騮，載赤旗，穿朱衣，佩朱玉。食則以菽豆與雞為主，用器要高而粗。用人要收養多力之士。

是月也，命樂師修鞀鞞鼓，均琴瑟管簫，執干戚戈羽，調竽笙壎篪，飭鐘磬柷敔㊀。命有司為民祈祀山川百原，大雩帝，用盛樂㊁。乃命百縣雩，祭祀百辟卿士有益於民者，以祈穀實㊂。農乃登黍，是月也、天子以雛嘗黍，羞以含桃，先薦寢廟㊃。令民無刈藍以染，無燒炭，無暴布㊄，門閭無閉，關市無索。挺重囚㈥，益其食㈦。游牝別其羣，則縶騰駒，班馬正㈧。

【今註】㈠樂師是樂官。鞀（ㄊㄠˊ）鞞（ㄆㄧˊ）鼓是用以調節音樂。琴瑟管簫是管絃樂器，管絃均平，發音才正確。干是盾，戚是斧，舞者用以掩蔽其身；戈是矛戟，羽是樂舞者所執的雉尾，春夏用干戚，秋冬用羽籥。竽，笙之大者，古時以瓠為之，竽三十六簧，笙十三或十七簧。韓非解老「竽也者五聲之長也，故竽先則鐘瑟皆隨，竽唱則諸樂皆和。」壎塤以土為之，大如雁子，其上為六孔。篪（ㄔˊ）是截竹鑿孔而成管樂器，七孔，一孔上伏，橫吹之，聲音上和，故言調。詩云「伯氏吹壎，仲氏吹篪。」鍾是銅的，磬是石的，（或用玉製），懸在架上，敲擊以發聲。柷（ㄓㄨˋ）如漆桶，中有木椎，左右擊以節樂；敔（ㄩˇ）如木虎，脊上有齒，以杖梳之，以止樂。㈡夏天需要雨水，山川百泉能蒸發水氣而成雲雨，故為民祈祀之。大雩（ㄩˊ）是古代求雨的祭名，帝是炎帝，說文「夏祭炎帝以祈甘雨」。高注「帝，五帝也」非是。盛樂是六代之樂，為民祈雨，故以示隆重。㈢百縣是畿內都邑，皆舉行雩祭求雨。㈣農乃登黍，天子以雛嘗黍，先薦寢廟，與孟夏篇「農乃升麥，天子以彘嘗麥，先薦寢廟」，意義相同，故登黍與嘗黍應相接，尹校分屬兩段，未妥。含桃即櫻桃。㈤藍是染青草，其時藍青草木正在生長，故不可刈割燒炭。暴布即曝布，太陽猛烈，曝布易於脆傷。㈥門是城門，閭是里門，關市是商賈所聚，此時不征稅收，准許人民自由出入，以順應陽氣布散之意。㈦挺是引之向上，亦有寬緩之意。㈧季春牛馬交配，此時懷妊已定，故分別其羣。縶繫奔騰跳躍的小馬，不使踢傷母馬的胎育。駒是五尺以下的小馬。馬正是管理馬政的官，班同頒，是告知之意。

【今譯】　這個月，命令樂師修理鞀鞞鼓，均平琴瑟管簫，試執干戚戈羽，調節竽笙壎篪，整飭鐘磬柷敔，以備舉行大禮之用。於是命有司為百姓祭祀山川百原的神祇，舉行大雩祭祀炎帝，用隆重的古代音樂。復命畿內的都邑統舉行雩祭，祭祀前世有功德於百姓的百官卿士，以求甘雨時降，以祈五穀結實。於是農官上獻新熟的黍米，天子於這個月裏用小雞配黍，加以櫻桃，先薦祭於祖廟。仲夏生長正盛，要通知百姓不可收割染青的藍草，不可燒樹木為炭，陽光猛烈，不可曝布。城門裏門不要關閉，關塞市廛不要徵稅，聽由人民商賈自由出入。寬緩重囚，增加其伙食。已懷妊的牝馬分別游牧，要縶繫奔騰跳躍的小馬，通知馬正注意施行。

是月也，日長至，陰陽爭，死生分㈠。君子齋戒，處必揜，身欲靜無躁，止聲色，無或近，薄滋味，無致和，退嗜慾，定心氣，百官靜，事無刑，以定晏陰之所成㈡。鹿角解，蟬始鳴，半夏生，木堇榮㈢。

【今註】　㈠「日長至」就是夏至，春分以後，晝長而夜短，到了夏至，晝長達十五小時，夜短僅九小時。夏至通常在五月，今陽曆則在六月二十一或二十二日。其時陽氣已極，陰氣始至，品物滋生，而薺麥亭歷棘刺之屬死，故曰陰陽爭，死生分。㈡夏至為一重要節氣，古人認為此時應節欲攝生，頤養氣體，故於是日齋戒，莊子「顏回曰：回之家貧，不茹葷，不飲酒，數日矣，可以為齋乎？孔子曰，是祭祀之齋，非心齋也。」此時的齋戒正是心齋，故「欲靜無躁」，「定心氣，百官靜」。古時齊齋兩字通用，其意即謂齊一心志為齋，人能收心滌慮，自能致其清明，故古時的齋戒，都要沐浴更衣，不飲酒，不茹葷，所以一其心志，不為外物所乘，亦即誠意正心之謂。處必掩身以防受涼，欲靜無躁以消暑熱，即所謂心靜火亦涼，心躁則生熱。事無刑，高注「當精詳而後行。晏，安；陰，微陰。」意未明。許釋引王念孫校月令，謂此承上退嗜欲、定心氣為義。言非特節其嗜欲，定其心氣也；推而至於百體，莫不安靜；又推而至於作事，審慎精詳，毋或徑疾，以陰陽方爭，不宜妄動也。」晏陰猶陽陰也（見誣徒篇），按王說可取。㊂鹿牡者有角，夏至即解墮，取而陰乾，就是鹿茸（ㄖㄨㄥˊ）。鹿的另種麋則冬至解角，亦可為茸。蟬始鼓翼而鳴。半夏是常用的中藥，五月當夏之半，故名。木菫（槿ㄐㄧㄣˇ）俗名千年籬，是落葉灌木，其花朝開夕萎，其根皮花子可作藥用，故本書記及之。

【今譯】　這個月裏，日長至，陽極陰生，是陰陽消長的轉捩點，也是萬物生死的關頭。有識之士順應自然，因而齋戒沐浴，注意養生之道，居處必定掩蓋身體，以免受涼；內心要安靜，不可煩躁，以消暑氣。節制聲色之慾，不可稍近。飲食要清淡，不可調和五味。減少嗜好，安定身心，使百骸皆得安靜。這些節欲攝生的事並無一定法則，總以順應陰陽的變化為要。其時鹿角解墮，蟬始振翼而鳴，半夏生長而木槿榮華。

是月也、無用火南方㊀，可以居高明，可以遠眺望，可以登山陵，可以處臺榭。仲夏行冬令、則雹霰傷穀，道路不通，暴兵來至㊁。行春令、則五穀晚熟，百螣時起，其國乃饑㊂。行秋令、則草木零落，果實早成，民殃於疫㊃。

【今註】㊀夏屬火，位南方，故不可用火南方，以免火氣過盛。㊁雹是冰塊，霰是雪子，都是冰點以下的冷氣所凝結的，雹霰多則傷害五穀，道路阻塞，盜賊因而猖獗。㊂五穀需要暑熱而迅速結實，如果盛夏而溫暖如春，則五穀晚熟，蟲害應時而起，損害稻禾，因而發生饑荒。㊃果實多至秋時始成熟，如盛夏而行秋令，則草木先凋，果實早成，天時不正，人民多患瘟疫的時氣病。

【今譯】這個月，天氣暑熱，不可用火於南方。可以居住高明之處，可以向遠處眺望，可以登高山陵，可以居處高臺涼榭，這些都可以避暑乘涼，保持身體的健康。如果盛夏而行冬令，寒氣冰凍，則雹霰傷害五穀，道路亦因而不通，盜賊乘機而來。如果行春令，則五穀晚熟，蟲害時起，因而發生饑荒。如果行秋令，則草木先凋，果實早成，而人民多患瘟疫。

二曰大樂

【今註】 大樂是重視音樂之意，本篇說明音樂的重要，是針對墨家非樂而發的，所以說：「音樂之所由來者遠矣，生於度量，本於太一，……形體有處，莫不有聲，聲出於和，和生於適，先王定樂，由此而生。」以闡明樂之必不可廢。本書仲夏紀、季夏紀各篇皆言音樂，分為大樂、侈樂、適音、古樂、音律、音初、制樂、明理八篇，其重視樂教的主張，蓋出於儒者之手。較之荀子樂論、禮記樂記、史記樂書及漢書禮樂志，內容頗多相同，而記述詳備，則非樂記等篇所及。

音樂之所由來者遠矣。生於度量，本於太一㈠，太一出兩儀，兩儀出陰陽，陰陽變化，一上一下，合而成章，渾渾沌沌，離則復合，合則復離，是謂天常㈡。天地車輪，終則復始，極則復反，莫不咸當，日月星辰，或疾或徐，日月不同，以盡其行㈢，四時代興，或暑或寒，或短或長，或柔或剛㈣，萬物所出，造於太一，化於陰陽，萌芽始震，凝凙以形㈤。形體有處，莫不有聲，聲出於和，和出於適，和適、先王定樂，由此而生㈥。

【今註】 ㈠「生於度量」如適音篇「大不出鈞，重不過石，小大輕重之衷也。」太一即太極，中國古代天文學認為宇宙天體的中心是太一，在銀河北端，史記天官書「中宮天極星，其一明者，太一常居也。」太一是極星之名，天極是極中之點，就是太極，亦即論語所謂北辰，北辰斗七星是陰陽動力的根源，觀測斗柄的旋轉以定歲時。淮南子天文訓「帝張四維，運之以斗。」帝即指北辰太一，其動不可測，惟見北斗之動，太一運於中心，而臨制四方，以建立四序，構成宇宙的運行秩序。中國天文視宇宙為一有機體，此有機體以太一為中心，譬如發電機，以創造萬有，支配日月星辰的運行。春秋戰國時諸子百家所謂天，皆以太一為主宰，故曰本於太一。㈡兩儀分為天陽地陰，陰陽因相需而相求，因相求而相合，是離而復合；因相合而化生萬物，是合而復離。如此離而復合，合而復離，生生不已，這就是天的常道。㈢日月運行的軌道不同，度數有長短的不同，各盡其行度，以生四時。㈣夏暑冬寒，冬至日短，夏至日長，春柔而秋剛。㈤「凝湊」，畢校御覽作凝寒，字書無湊字。許釋謂當從御覽作凝寒以刑，以已同，刑；殺也；與上句萌芽始震義正相對。音律篇云，草木盛滿，陰將始刑，注，刑殺也。按許釋是，這是承上句化於陰陽而言。㈥「和適」：畢校「正文和適二字疑衍」，按禮記樂記「凡音之起，由人心生也。人心之動，物使之然也。感於物而動，故形於聲。聲相應，故生變，變成方，謂之音。」劉勰「異音相從謂之和」。和就是聲相應，故曰「聲出於和」。因其為異音相從，故生變，變而成方就是合於音節。本書適節兩字多互訓，如重己篇「故聖人必先適欲」注「適猶節也」。情欲篇「欲有情，情有節」，注「節，適也。」中庸「發而皆中節謂之和，」故曰「和出於適」。和適是音響相和而合於音節，故先王效法自然而制定音樂。畢校非是。

【今譯】音樂的由來是很久遠了，它是生於度量的法則，起源於宇宙中心的太一。太一生兩儀，兩儀分為陰陽，陰陽變化，一上一下，合而形成天地，天地間元氣混混沌沌，離則復合，合則復離，生生不已，滋育萬物，這可以說是天的常道。天地轉動猶如車輪，終而復始，極而復反，遵循常道，沒有不恰當的。日月星辰的運行，或快或慢，日月的軌道度數有長短的不同，各盡其行度，於是四時相代而起，或夏暑而冬寒，或夏至長而冬至短，或春柔而秋剛，萬物因而產生，實際上都是創造於太一，化生於陰陽，當春而萌芽始動，及冬而凝寒已殺。因此，凡有萬物形體所在之處，沒有不發生音響，音響相應而生聲，音響調和則生於音節，先王深知聲出於和、和出於適的原理，就由此制定音樂。

天下太平，萬物安寧，皆化其上，樂乃可成，成樂有具，必節嗜慾，嗜慾不辟，樂乃可務。務樂有術，必由平出，平出於公，公出於道㈠。故惟得道之人，其可與言樂乎？亡國戮民，非無樂也，其樂不樂㈡。溺者非不笑也，罪人非不歌也，狂者非不武也㈢，亂世之樂有似於此。君臣失位，父子失處，夫婦失宜，民人呻吟，其以為樂也，若之何哉㈣？

【今註】㈠此承上文先王定樂而說明制定音樂的基本理論。先秦社會生活注意聲是大自然在平衡或不平衡的顯示，樂記謂「樂者音之所由生也，其本在於人心之感於物也。」人心歡愉而和平，然後感覺快樂，故曰成樂有術，必由平出。鄭康成謂「德能平正天下稱為平」，所以為政最要的是公正，不公正則社會動盪不安，故曰平出於公。大道之行也，天下為公，故曰公出於道。什麼是道，下文有說明。㈡亡國之民不是沒有音樂，惟民心煩亂而不和平，故曰其樂（ㄩㄝˋ）不樂（ㄌㄜˋ）。㈢此數句申說亡國之民其樂不樂的意思。溺者非不能笑，雖笑而不歡；罪人非不能歌，雖歌而不樂；狂者非不能舞，雖舞而不中節。許釋引劉師培左盦集謂治要武作舞，尹校據改。㈣禮記樂記「治世之音安以樂，其政和。亂世之音怨以怒，其政乖。亡國之音哀以思，其民困。聲音之道，與政通矣。」亂世的人民呻吟憂戚，故曰其以為樂也，若之何哉？

【今譯】　天下太平，萬物安寧，上下和合，樂乃可成。成樂有具體要件，必須節止嗜欲，嗜欲不邪僻，樂乃可成。成樂有一定的法則，必由於人心和平，而和平出於公正，公正出於大道，所以惟有得道的君子，才可以說明定樂的道理。至於亡國受辱之民，不是沒有音樂，祇是民心煩亂而不和平，雖有音樂而不感快樂。這猶如溺者非不能笑，罪人非不能歌，狂者非不能舞，亂世的音樂有似於此。其時君臣失其職位，父子失其居處，夫婦失其相親，人民呻吟愁苦，在這種情況之下作樂，將會感覺怎樣呢？

凡樂，天地之和，陰陽之調也。始生人者天也，人無事焉，天使人有欲，人弗得不求，天使人有惡，人弗得不辟，欲與惡、所受於天也，人不得興焉，不可變，不可易，世之學者有非樂者矣，安由出哉㈠？大樂，君臣父子長少之所歡欣而說也，歡欣生於平，平生於道。道也者，視之不見，聽之不聞，不可為狀，有知不見之見、不聞之聞、無狀之狀者，則幾於知之矣。道也者，至精也，不可為形，不可為名，彊為之，謂之太一㈡。故一也者制令，兩也者從聽，先聖擇兩法一，是以知萬物之情。故能以一聽政者，樂君臣，和遠近，說黔首，合宗親。能以一治其身者，免於災，終其壽，全其天。能以一治其國者，姦邪去，賢者至，成大化。能以一治天下者，寒暑適，風雨時，為聖人。故知一則明，明兩則狂㈢。

【今註】㈠先秦學者對於音樂的效用有贊成與反對兩派。儒家尊重人性，主張禮以節眾，樂以和眾。墨家法家則重實利主義，認為音樂非日常生活所必需，墨子非樂篇謂「儒者絃歌鼓舞，習為聲樂，此足以喪天下。」㈡論人篇注「一，道也」，與此意同，都近似道家理論。道家所謂道，就是道理、運動法則的總稱，包括宇宙間一切有規律活動的現象和抽象的定律，現通稱為法則。所以老子說「昔之得一者，天得一以清，地得一以寧，神得一以靈，谷得一以盈，萬物得一以生，侯王得一以為天下貞，其致之一也。」㊂春秋繁露循天之道篇「德莫大於和，而道莫正乎中，……是故能以中和理天下者，其德大盛；能以中和養其身者，其壽極命。」所謂中和也就是一，中和是儒家學說，而守一則近於道家言論。

【今譯】　大凡音樂是表示天地的和諧，陰陽的調節。始生人的是天，人是沒有什麼作為，天使人有欲望，人不能不使欲望求得滿足，天使人有罪惡，人不能有所逃避。欲望和罪惡是受之於天，人是不得自己興起的，不可變，不可易。世之學者有反對音樂的，有什麼理由呢？我們所以重視音樂，是就君臣父子長幼的歡樂而言，歡樂生於和平，和平生於大道。所謂道是視之不見、聽之不聞，沒有形狀可以說明；如果瞭解這不見之見、不聞之聞、無狀之狀的意義，那就有些瞭解道了。所謂道是非常精微的，不可形容，不可稱名，勉強給它稱名，可以叫做太一。所以一是發號施令，兩是服從聽令，古代聖王棄兩用一，因而瞭解萬物的情偽。所以能以一為政者，可使君臣融洽，遠近和悅，百姓歡樂，宗親合一。能以一治身者，則可免除災難，終其天年而保全身體。能以一治國者，則姦邪遠去，賢能來歸，教化大行。能以一治天下者，則寒暑得宜，風調雨順，稱為聖人。所以知道一的道理則深明大義，知道兩的道理則狂妄無知。

三曰侈樂

【今註】　侈是奢侈誇大之意，侈樂是不合法度的音樂，如所謂鄭衛之聲、靡靡之音及亂世之音怨以怒、亡國之音哀以思，這些都失去了音樂的意義和效用。音樂有益身心，侈樂則反傷害人生；樂以和眾，侈樂則反使民愈怨，國愈危，身愈累。所以孔子說：「放鄭聲」，「惡鄭聲之亂雅樂也。」

人莫不以其生生，而不知其所以生，人莫不以其知知，而不知其所以知。知其所以知，之謂知道，不知其所以知，之謂棄寶，棄寶者必離其咎。世之人主多以珠玉戈劍為寶，愈多而民愈怨，國人愈危，身愈危累㊀，則失寶之情矣；亂世之樂與此同。為木革之聲則若雷，為金石之聲則若霆，為絲竹歌舞之聲則若譟㊁，以此駭心氣、動耳目、搖蕩生、則可矣，以此為樂，則不樂。故樂愈侈而民愈鬱，國愈亂，主愈卑，則亦失樂之情矣。

【今註】　㊀高注「老子曰，多藏厚亡，故曰愈危累」。許釋引陳昌齊正誤「愈多句首當疊寶字，國人愈危句衍人字，身愈危累句衍危字，注愈危累，蓋統釋二句耳。」尹校據改。㊁樂聲要和平，雷霆諠譟皆不和平。

【今譯】人沒有不為其生命而生活，而不知其所以生活的意義；人沒有不為其知識而求知，而不知其所以求知的意義。知道其所以求知的意義，這可謂知道；不知道其所以求知的意義，這可謂棄寶。棄寶的人必遭遇災殃。當世人主多以珠玉戈劍為寶，寶愈多而百姓愈怨，國家愈危，其身愈累，這就失去寶的實情了；亂世的音樂與此相同。所為木革樂器的聲音猶如雷鳴，所為金石樂器的聲音猶如霹靂，所為絲竹樂器的聲音猶如叫鬧，用這些躁音來驚駭心氣、擾亂視聽、搖蕩生性是可以的，用這些作音樂則不能使人和樂。所以音樂愈奢侈極慾，則民心愈怨鬱，國家愈混亂，人主的地位愈卑下，這亦就失去音樂的實效了。

凡古聖王之所為貴樂者，為其樂也。夏桀殷紂作為侈樂，大鼓鐘磬管簫之音以鉅為美，以眾為觀，俶詭殊瑰，耳所未嘗聞，目所未嘗見㊀，務以相過，不用度量㊁。宋之衰也，作為千鍾，齊之衰也，作為大呂，楚之衰也，作為巫音㊂，侈則侈矣，自有道者觀之，則失樂之情。失樂之情，其樂不樂，樂不樂者、其民必怨，其生必傷。其生之與樂也，若冰之於炎日，反以自兵㊃，此生乎不知樂之情，而以侈為務故也。

【今註】㊀俶詭（ㄔㄨˋ ㄍㄨㄟˇ）殊瑰是奇異古怪之意。㊁中國古代制定度量衡，以粟粒計算，而音律的大小長短亦同，故國語謂「先王之制鍾也，大不出鈞，重不過石，律度量衡，於是乎生。」侈樂則不合規定，故曰「不用度量」。㊂千鍾、大呂都是鍾名，千鍾是大出鈞，重過石之鍾，大呂是用大呂陰律為基音。貴直論「無使齊之大呂陳之廷。」巫音，高注「男曰覡，女曰巫」，則巫音是女巫之音。㊃許釋引劉師培左盦集「其生必傷，治要引生作主，主與民對詞。」按劉說是，下文其生之與樂也句，生亦應作主，尹校據改。

【今譯】古代聖王所以重視音樂，是因為音樂可以使人愉樂。夏桀殷紂作為侈樂，大鼓鐘磬管簫之音，都以鉅大為美，以眾多為尚，奇異古怪，都是耳所未嘗聞，目所未嘗見，專心求其相過，不用音樂的法則。又如宋國衰弱時，作為千鍾，齊國衰弱時，作為大呂，楚國衰弱時，作為女巫之音，這些音樂可謂侈淫之極了，用合理的眼光來看，則是失去了音樂的真情。失去音樂真情的音樂，是不能使人快樂的。不能使人快樂的音樂，其人民必然怨恨，其人主必然傷痛。其人主之與音樂，有如冰之與炎日，反用以自害，這由於不知道音樂的真情，而專力於侈淫的緣故。

樂之有情，譬之若肌膚形體之有情性也，有情性，則必有性養矣，寒溫勞逸饑飽，此六者非適也㊀，凡養也者，瞻非適而以之適者也，能以久處其適，則生長矣。生也者，其身固靜，感而後知，或使之也。遂而不返，制乎嗜欲，制乎嗜欲無窮，則必失其天矣㈡。且夫嗜欲無窮，則必有貪鄙悖亂之心，淫佚姦詐之事矣，故彊者劫弱，眾者暴寡，勇者凌怯，壯者慠幼，從此生矣㈢。

【今註】㈠適即大樂篇「聲出於和，和出於適」之適，是適合之意。㈡「制乎嗜欲無窮」，許釋引王念孫陶鴻慶說，認為「無窮」二字涉下句而衍，尹校則據俞樾說刪去「制乎」二字，按原文可通，不宜刪改。㈢禮記樂記「夫物之感人無窮，而人之好惡無節，則是物至而人化物也。人化物也者滅天理而窮人欲者也，於是有悖逆詐偽之心，有淫佚作亂之事，是故強者脅弱，眾者暴寡，知者詐愚，勇者苦怯，疾病不養，老幼孤獨不得其所，此大亂之道也。」與此節意義相同，可參考。

【今譯】音樂之有感情，猶如肌膚形體之有情性，有情性就必須有生養了，寒溫、勞逸、飢飽，這六者不是都能自然適合的，所謂生養就是要察看不適合的而使之適合，能夠長久適合，則肌膚形體可生長了。人的天性本來是安靜的，感於外物而後有知覺，或有所使而順應外物，就為嗜欲所控制，為嗜欲所控制而沈迷不返，那就要使身體有所損失了。而且嗜欲是無窮盡的，勢必因而有貪鄙悖亂之心了，有淫佚姦詐之事了，所以強者刼持弱者，多數欺負少數，勇者淩辱怯者，壯者傲慢幼者，這些不法情事，都從此發生了。

四曰適音

【今註】 適音是適合人心的音樂，與上篇侈樂的不適合相反。篇中說明音樂是與治身治國的道理相通，都以和平為主，故凡太大、太小、太清、太濁的聲音，都不適合於人心，祇有大小清濁的折衷，才是適音，才使人聽了感到諧和而心情愉快。中國傳統思想是以和諧合作為人類共生共存共進化的原則，即所謂王道文化，音樂之理與政治相通，故曰樂以和眾。最後更說明樂教的重要，先王的作樂，非但使耳目歡娛，要在於教導人民平好惡而行理義。

耳之情欲聲，心不樂，五音在前，弗聽。目之情欲色，心弗樂，五色在前，弗視。鼻之情欲芬香，心弗樂，芬香在前，弗嗅。口之情欲滋味，心弗樂，五味在前，弗食。欲之者耳目鼻口也，樂之弗樂者心也，心必和平然後樂，心必樂然後耳目鼻口有以欲之㈠。故樂之務在於和心，和心在於行適㈡。夫樂有適，心亦有適。人之情欲壽而惡夭，欲安而惡危，欲榮而惡辱，欲逸而惡勞，四欲得，四惡除，則心適矣。四欲之得也在於勝理，勝理以治身則生全，以生全則壽長矣，勝理以治國則法立，

法立則天下服矣。故適心之務，在於勝理㊂。

【今註】㊀孟子說「耳目之官不思，……心之官則思，思則得之，不思則不得也。」這一節是說耳目鼻口的聲色香味，都有待於心的思維決定。㊁大樂篇「聲出於和，和出於適」，故曰樂之務在於和心，和心在於行適。㊂「勝理」、許釋引王念孫說「勝猶任也。」

【今譯】耳的真情是要聽聲音的，但如心裏不快樂，雖有五音在前，也不要聽。目的真情是要看美色的，但如心裏不快樂，雖有五色在前，也不要看。鼻的真情是要嗅芬香的，但如心裏不快樂，雖有芬香在前，也不要嗅。口的真情是要吃美味的，但如心裏不快樂，雖有五味在前，也不要吃。要聽、要看、要嗅、要吃的欲望，是耳目鼻口的本能，可是快樂或者不快樂則在於心，心必須和平然後快樂。心必須快樂，然後耳目鼻口有要聽、要看、要嗅、要吃的欲望。所以音樂的要務，在於和平人心，和平人心在於使欲望各得適合的發展。音樂有適合，心亦有適合。人情大都希望長壽而厭惡夭折，希望平安而厭惡危險，希望榮華而厭惡恥辱，希望安逸而厭惡勞苦，四種欲望如願得償，四種厭惡摒除消失，那就稱心適意了。四種欲望的獲得在於事事任理，事事任理以治身則天性保全了，天性保全則壽命長久了。事事合理以治國則法治建立，法治建立則天下服從了。所以適心的要務在於事事任理。

夫音亦有適：太鉅則志蕩，以蕩聽鉅則耳不容，不容則橫塞，橫塞則振㈠。太小則志嫌，以嫌聽小，則耳不充，不充則不詹，不詹則窕㈡。太清則志危，以危聽清，則耳谿極，谿極則不鑒，不鑒則竭㈢。太濁則志下，以下聽濁，則耳不收，不收則不摶，不摶則怒㈣。故太鉅、太小、太清，太濁、皆非適也。何謂適衷，音之適也。何謂衷？大不出鈞，重不過石，小大輕重之衷也㈤。黃鐘之宮、音之本也㈥，清濁之衷也。衷也者適也，以適聽適，則和矣。樂無太平，和者是也，故治世之音安以樂，其政平也。亂世之音怨以怒，其政乖也。亡國之音悲以哀，其政險也。凡音樂通乎政、而移風平俗者也，俗定而音樂化之矣。故有道之世，觀其音而知其俗矣，觀其政而知其主矣。

【今註】㈠蕩是動盪不定，心志動盪對於太大的聲響，感到格格不入，故曰耳不容。耳不容納而硬要塞入，那就振動耳膜。㈡嫌是不滿意，聲音太小則聽不清楚，故曰不詹則窕。不詹（ㄓㄢ）是不足，窕（ㄊㄧㄠˇ）是空虛而不滿足。左傳昭二十一年，冷州鳩論鑄無射，「小者不窕（ㄊㄧㄠˇ），大者不槬（ㄏㄨˋ），則和於物，物和則嘉成。故和聲入耳而藏於心，心億則樂。窕則不咸，槬則不容，心是以感，感實生疾。」這正是說明太鉅太小的不適。㊂危是憂懼之意，谿（ㄒㄧ）極是兩相衝突而不和諧。這是說心志憂危而樂聲太清，兩不調和，故耳不能欣賞而勉強支持。㊃下是不感興趣，摶（ㄊㄨㄢˊ）是結聚，怒是動氣。㊄衷（ㄓㄨㄥˇ）是折衷、適當之意。鈞是古代重量單位，三十斤為一鈞；石（ㄉㄢˋ）即擔，是容量單位元，十斗為石。㊅黃鐘是十二律的基音，林鐘以下十一律，皆由黃鐘增損而生，故曰黃鐘之宮，音之本也。詳見下音律篇。

【今譯】音樂的聲音亦有適與不適。聲音太大則使人心志動盪，以動盪的心志聽取太大的樂聲，那耳朵是不能容納的，不能容納而勉強塞入，勉強塞入則振動人心。聲音太小則使人感覺不滿，以不滿的心志聽取微小的樂聲，則耳朵不能充實，不能充實則感不足，不足則感到空虛。聲音太清則使人感到憂危，以憂危的心志聽取太清的樂聲，則耳中感到不和諧，不和諧則不欣賞，不欣賞則竭力支持。聲音太濁則不感興趣，以不感興趣的心志聽取太濁的樂聲，則耳中不能吸收，不能吸收則不能結聚，不結聚則使人發怒動氣。所乙太大、太小、太清、太濁的聲音，都是不適合的。什麼叫做適合呢？折衷就是適合的聲音。什麼叫做折衷呢？大不出鈞，重不過石，這是小大輕重的折衷。黃鐘的宮音是樂聲的基本，也就是清濁的折衷。所謂折衷就是適合的意思，用適合的心情聽取適合的樂聲，那就和諧了。音樂是無所謂太平，祇是和諧而已。所以治世的音樂，安和而快樂，是由於政治和平；亂世的音樂，怨恨而忿怒，是由於政治乖戾；亡國的音樂，悲傷而哀愁，是由於政治危險。大概音樂之理通於政治，而有助於移風易俗，風俗安定而音樂亦隨而變化了。故太平之世，觀察其音樂就可以知道其風俗的良窳了，觀察其政治就可以知道其君主的賢不肖了。

故先王必託於音樂以論其教。清廟之瑟，朱弦而疏越，一唱而三歎，有進乎音者矣㊀。大饗之禮㊁，上玄尊而俎生魚，大羹不和，有進乎味者也。故先王之制禮樂也，非特以歡耳目極口腹之欲也，將以教民平好惡、行理義也。

【今註】㊀清廟是周文王之廟。瑟是古樂器，雅瑟二十三弦或十九弦。疏越是稀疏的瑟底孔，使弦聲清靜。一唱三歎是一人唱歌，三人相和而歎美之。有進乎音者，畢校謂「禮記樂記作有遺音者矣，下亦作有遺味者，鄭注：遺，餘也。今此俱作進，文不同。」許釋引李賡芸炳燭編「似比遺音、遺味之誼為長，莊子養生主篇，進乎技矣，句法正同。」高注「文王之廟，肅然清靜，貴其樂和，故曰有進乎音。」㊁大饗是祭祀上帝於明堂。玄尊是祭祀用的酒水。俎是祭祀用的木盤以盛魚肉。大羹是肉汁而未之和。古時以此為合禮，故曰有進乎味。

【今譯】所以古代帝王的為政，必寄託於音樂以明教化。周文王清廟樂章所用伴奏的瑟，只有朱紅色的弦和稀疏的瑟底孔，一人唱歌而三人相和，肅然清靜，其意義實不在於音而在乎音之外。又如祭祀上帝的大饗禮，僅奉獻酒水而木盤盛著生魚，羹湯亦沒有調味，其意義亦不在於味而在乎味之外。所以先王的制禮作樂，並不是要歡娛耳目而滿足口腹之欲，實在要教導百姓使知分辨好惡而力行理義。

五曰古樂

【今註】本篇敘述中國古代音樂的源流，分別說明三皇五帝及三代的古樂，以證明樂的由來甚遠，必不可廢。大概古代帝王都是功成作樂，樂與政通，故曰非獨為一世之所造也。由此可知中國聲學思想發展甚早，具有特徵，如聲與色味及氣的概念之關係，以及鐘磬等敲擊樂器的著重音色，均別有一套極饒趣味的理論，非一般人所能瞭解。本篇所述，多屬傳疑時代，無史籍可稽，就中如伶倫作樂律，記載頗詳，似可謂信而有徵，但崔述考信錄有「駁黃帝制十二律之說」，謂「黃鐘、大呂之名，皆起於春秋戰國以後，尚未知其與舜之六律果相應否？」並謂「呂氏春秋所採，乃鄒衍陰陽家之言耳。」

樂所由來者尚也，必不可廢。有節有侈，有正有淫矣，賢者以昌，不肖者以亡㊀。

【今註】㊀節是適音，侈是侈樂，正是雅樂，淫是亂聲。

【今譯】音樂的由來是很久遠的，必不可廢。古代的音樂有適音，有侈樂，有雅樂，有淫聲，賢者用適音雅樂而昌盛，不肖者用侈樂淫聲而亡國。

昔古朱襄氏之治天下也，多風而陽氣畜積，萬物散解，果實不成，故士達作為五弦瑟，以來陰氣，以定羣生㈠。昔葛天氏之樂，三人操牛尾，投足以歌八闋：一曰載民，二曰玄鳥，三曰遂草木，四曰奮五穀，五曰敬天常，六曰建帝功，七曰依地德，八曰總禽獸之極㈡。昔陶唐氏之始，陰多滯伏而湛積，水道壅塞，不行其原，民氣鬱閼而滯著，筋骨瑟縮不達，故作為舞以宣導之㈢。

【今註】㈠此段是敘述三皇時代的古樂。崔述考信錄「世傳上古之天子，有燧人氏、女媧氏、大庭氏、柏皇氏、中央氏、卷須氏、栗陸氏、驪連氏、赫胥氏、尊盧氏、渾沌氏、昊英氏、有巢氏、朱襄氏、葛天氏、陰康氏、無懷氏。」此言朱襄氏作五弦瑟，惟補本紀則稱庖犧氏作二十五紘之瑟，神農氏作五紘之瑟，崔述謂「風會之開，必有其漸……禮樂之興當在唐虞之世，庖犧神農未暇此也，安有茹草飲血而吹笙鼓瑟者哉？苟能制繭成絲，則何不先為衣冠而乃以為紘；苟能斲木成器，則何不先為棟宇棺槨而乃以為瑟也。此皆後人猜度附會之言，故並不取。」㈡葛天氏已見上，八闋（ㄑㄩㄝˋ）是樂歌八篇，投足是小步舞蹈。㈢陶唐氏，高注為「堯之號」，非是。畢校謂為陰康氏之誤，正與上註相符。

【今譯】 上古帝王朱襄氏治理天下時，多風而陽氣積聚，萬物零落，果實不成，故士達作五弦瑟，以引來陰氣，以安定羣生。其後葛天氏作樂，三人執著牛尾，小步舞蹈以歌唱八曲：一是載民，二是玄鳥，三是遂草木，四是奮五穀，五是敬天常，六是建帝功，七是依地德，八是總禽獸之極。到了陰康氏的初時，陰氣多滯伏而深積，水道壅塞，不能通行於平原，人民的精氣因而鬱止停滯，筋骨瑟縮不得舒展，所以作為舞蹈以宣導民氣。

昔黃帝令伶倫作為律㊀。伶倫自大夏之西，乃之阮隃之陰，取竹於嶰谿之谷，以生空竅厚鈞者斷兩節閒，其長三寸九分，而吹之，以為黃鐘之宮㊁。吹曰舍少，次制十二筒，以之阮隃之下，聽鳳皇之鳴，以別十二律，其雄鳴為六，雌鳴亦六，以比黃鐘之宮適合。黃鐘之宮皆可以生之，故曰黃鐘之宮、律呂之本㊂。黃帝又命伶倫與榮將鑄十二鐘，以和五音，以施英韶，以仲春之月、乙卯之日、日在奎、始奏之，命之曰咸池㊃。帝顓頊生自若水，實處空桑，乃登為帝，惟天之合，正風乃行㊄，其音若熙熙淒淒鏘鏘。帝顓頊好其音，乃令飛龍作效八風之音㊅，命之曰承雲，以祭上帝。乃令鱓先為樂倡，鱓乃偃寢，以其尾鼓其腹，其音英英㊆。帝嚳命咸黑作為聲歌九招、六列、六英㊇，有倕作為鼙鼓、鐘磬、吹苓管、壎篪、鞀椎鍾㊈。帝嚳乃令人抃，或鼓鼙，擊鐘磬，吹苓展管篪，因令鳳鳥天翟舞之，帝嚳大喜，乃以康帝德。帝堯立，乃命質為樂。質乃效山林谿谷之音以歌，乃以麋鞈置缶而鼓之，乃拊石擊石、以象上帝玉磬之音，以致舞百獸㊉。瞽叟乃拌五弦之瑟，作以為十五弦之瑟，命之曰大章，以祭上帝。舜立，命延乃拌瞽叟之所為瑟，益之八弦，以為二十三弦之瑟。帝舜乃令質修九招、六列、六英，以明帝德㊁。

【今註】㊀此段是敘述五帝時代的古樂。先述伶倫作律的故事。㊁大夏、阮隃，高注為山名，畢校謂阮隃他書皆作昆侖。嶰谿之谷，許釋甚詳而未能決定，似可不必深究。黃鐘管長，後世為九寸，此為三寸九分，畢校引李安溪說，許釋引陳澧說，意皆未明。㊂吹曰舍少，高注畢校均未明，按舍古多訓止，意謂吹者說，暫停勿用，繼續作十二管。十二律各有管，故曰十二筒。㊃英韶，未詳。㊄若水即汝水，在今河南臨汝縣。空桑或謂即中嶽嵩山，亦即昆侖。惟天之合，高注「德與天合，風，化也。」畢校謂風為八方之風，許釋謂風為聲，各有是處。㊅「八風」，高注「八卦之風」，按八風之名見始覽篇。㈦鱓（ㄊㄨㄛˇ）、許釋引馬敘倫讀呂氏春秋記「說文：鱓，鱓魚也，皮可為鼓，此鱓字即鼉（ㄊㄨㄛˇ）之借字。古作樂，始於奏鼓，故曰乃令鱓先為樂倡也。」按馬說是，鱓即鼉龍，爬蟲類，皮可張鼓，夏小正「剝鱓以為鼓也」，亦借鱓為鼉。鱓乃偃寢兩句，是說明何以用鱓先為樂倡，是因為鼉龍在休息時，常用尾巴在肚皮上敲打，其聲彭彭然，較皮革鼓聲為和平而響亮。尹校謂「上古傳說，人神獸三者每每相混，中外皆然。」則是誤以鱓為人名。英英，高注「和盛之貌」，馬說「英英當讀為彭彭。」㈧九招、六列、六英是樂名，是聲歌的同位詞，畢校謂此六字衍，許釋已正其誤。㈨倕是巧工，重己篇「倕，至巧也。」作各種樂器。苓，許釋引王引之釋詞謂當作笭，即笙字。吹、許釋引俞樾說為衍文。㈩麋輅是鹿皮。㈡拊石是用手拍石。拌（ㄆㄢˋ）高注為分，是將五弦分為十五弦，後又分為二十三弦。

【今譯】從前黃帝命其臣伶倫作為樂律。伶倫從大夏山往西，到了阮隃山之北，在嶰谿之谷中採取一種竹，用那生成空竅厚薄均勻的，在兩節間截取一段，其長三寸九分作為律管而吹之，以其聲為黃鐘的宮音。吹者請暫停吹奏，逐次製作十二管，再到阮隃山下，聽鳳凰的鳴聲，以辨別十二律，雄的鳴聲為六，雌的鳴聲亦六，以配合黃鐘的宮音都很適合，而且黃鐘的宮音都可以生出其他音律，所以說：黃鐘的宮音是十二律呂的基本。黃帝又命伶倫和榮將鑄造十二鐘以和五音，以施英韶，在那年二月乙卯日、太陽的位置正在奎宿時，開始演奏，這個樂取名為咸池。至於帝顓頊生於若水，實際上是居處空桑，他登上帝位時，德與天合，八風和順各以時行，其聲音好似熙熙、淒淒、鏘鏘，帝顓頊喜愛這些風聲，乃命其臣飛龍作樂，仿效八風的聲音，樂名叫做承雲，要用以祭祀昊天上帝。乃命用鱓皮張鼓先為承雲樂的開始演奏，因為鱓魚在偃息時，常用其尾巴在腹部敲擊，其音英英的和平而響亮。帝嚳命咸黑作為聲歌，就是九招、六列、六英；又命倕作為鼙鼓鐘磬吹笙管壎篪鞀椎鍾等樂器。帝嚳乃命用手打拍子，或鼓鼙，或擊鐘磬，或吹笙，或奏管篪，因令人執鳳鳥雉羽而舞，帝嚳大喜，以表示帝德的安康。到了帝堯即位，就命質作樂。質於是仿效山林谿谷間的聲音作歌曲，復用鹿皮置土缶上作鼓，並且用手拍石擊石，以象祭上帝時所用玉磬的聲音，百獸聞聲而來舞。其時瞽叟分五弦之瑟作為十五弦之瑟，取名為大章，以為祭祀上帝之用。到了帝舜即位，命延再分瞽叟所做的瑟，增加八弦，以為二十三弦之瑟。舜又命質修正帝嚳時的九招六列六英歌曲，以昭明帝德。

禹立，勤勞天下，日夜不懈，通大川，決壅塞，鑿龍門，降通漻水以導河，疏三江五湖注之東海，以利黔首。於是命皋陶作為夏籥九成，以昭其功㊀。殷湯即位，夏為無道，暴虐萬民，侵削諸侯，不用軌度，天下患之；湯於是率六州以討桀罪，功名大成，黔首安寧。湯乃命伊尹作為大護，歌晨露，修九招六列，以見其善㊁。周文王處岐，諸侯去殷三淫而翼文王，散宜生曰：「殷可伐也」。文王弗許㊂。周公旦乃作詩曰：「文王在上，於昭于天，周雖舊邦，其命維新。」以繩文王之德㊃。武王即位，以六師伐殷，六師未至，以銳兵克之於牧野，歸乃薦俘馘于京太室，乃命周公為作大武㊄。成王立，殷民反，王命周公踐伐之。商人服象，為虐于東夷，周公遂以師逐之，至于江南，乃為三象以嘉其德㊅。故樂之所由來者尚矣，非獨為一世之所造也。

【今註】㊀此段是敘述三代的古樂。漻水即流水。籥（ㄩㄝˋ）是古時管樂器名，似笛而短小，有三孔，叫做吹籥；另一種似笛而較長，有六孔，叫做舞籥。夏籥九變未明何似。㊁殷湯即位是即諸侯之位。大護、晨露、九招、六列都是樂名。大護左傳作韶護。㊂岐在今陝西岐山縣，文王的祖父古公亶父避獯鬻之難，由邠遷於岐，文王後又遷豐（今陝西鄠縣）。三淫是指殷紂的暴虐無道，高注列舉三事，許釋引俞樾平議謂三淫是王受之誤。散宜生是文王的四臣之一，論語謂文王「三分天下有其二，以服事殷，一故弗許。㊃周公作詩，是詩經大雅文王篇。繩，畢校「譽也」。㊄牧野在今河南淇縣南。馘（ㄍㄨㄛ）是割取敵人的左耳。京太室在今河南滎陽東南；史記周本紀作天室；大豐敦謂舉行大豐軍禮，祀天祀文王於天室，在今河南偃師縣西，未知孰是。大武是周樂名，左傳襄公二十五年，吳公子札來聘，見舞大武者，曰，「美哉，周之盛也，其若此乎！」㊅「踐伐」，高注「踐往」，畢校引「尚書大傳云，周公攝政三年。踐奄。踐之者籍之也，籍之謂殺其身，執其家，豬其宮。」按踐伐或作宕伐，宕即蕩，宕伐是掃蕩，與踐伐意同。殷民反是管蔡利用武庚等殷遺民反對周公。其時南人尚未歸周，故曰商人，商人與殷民有別。三象是周公所作樂名，許釋引宋翔鳳過庭錄「漢書司馬相如傳上林賦，韶濩武象之樂，注張揖曰，象、周公樂也，南人服象，為虐於夷，成王命周公以兵追之，至於海南，迺為三象樂也。」

【今譯】　大禹立為天子，為治水勤勞天下事，日夜不敢懈怠，疏通大川，放決壅塞，鑿開龍門，使流水通行以導黃河；又疏通三江五湖，使其水東流入東海，以利百姓。於是命皋陶作為夏籥，樂音九變，以昭明其治水之功。到了商湯即位的時候，夏桀無道，暴虐萬民，侵削諸侯，為政不合法度，天下患其禍害。湯於是率領六州的諸侯，討伐夏桀的罪惡，功成名就，百姓安寧。湯乃命其相伊尹作為大護之樂，歌晨露之曲，復修正九招六列的歌詞，以表示商湯的美德。商之末世，周文王在岐為西伯，諸侯離開殷王受辛而輔佐文王，散宜生說：「殷可以討伐了。」文王弗許。周公旦乃作詩說：「文王在上，高明如天，周雖是諸侯舊國，其國運卻充滿著新氣象。」這是讚美文王的至德。武王即位，以六師軍隊伐殷，六師尚未齊集，而精銳的先鋒部隊已在牧野打了勝仗。還師的時候，進獻俘馘於京太室，祭祀文王，於是命周公為作大武之樂。及至成王繼位，殷民反叛，成王命周公東征平亂。商人又利用象羣，擾亂東夷，周公遂用兵驅逐他們，直到大江以南，於是作三象之樂，以嘉美其盛德。總上所述，可知音樂的由來是很久遠了，並不是一個時代所制造的。

卷六　季夏紀

第六，凡五篇

一曰季夏

【今註】季夏是夏曆的六月，本篇記述時令、天子服色及重要政令，大致和孟夏仲夏相同。最後附述中央土的時令服色，以完成五行與四時的配合，這是其他紀首所沒有的。春秋繁露五行對篇謂「土為季夏，季夏主養」，又謂「土者五行最貴者也，其義不可以加矣，五聲莫貴於宮，五味莫美於甘，五色莫盛於黃。」皆與本篇所述相同。

季夏之月，日在柳，昏心中，旦奎中㊀。其日丙丁，其帝炎帝，其神祝融。其蟲羽，其音徵，律中林鐘㊁，其數七。其味苦，其臭焦，其祀竈，祭先肺。涼風始至，蟋蟀居宇，鷹乃學習，腐草化為蚈㊂。天子居明堂右个，乘朱輅，駕赤騮，載赤旂，衣朱衣，服赤玉。食菽與雞，其器高以觕。

【今註】㊀柳是南方宿，今屬長蛇座。心是東方宿，今屬天蠍座，月令作火。奎是西方宿，今屬仙女座。㈡「其日丙丁」一節見孟夏紀註。林鐘是十二律中的陰聲，見下音律篇。㈢六月即將立秋，故涼風始至。蟋蟀又名促織，進入屋內，其聲如促人織布，以備秋涼。小鷹學習飛搏。蚈（ㄧㄢˋ）是螢火蟲。

【今譯】季夏六月，太陽在南方柳宿，向晚時可以望見東方心宿上升在南方中天，向曉時則見西方奎宿出現在南方中天。六月的日干是丙丁，上應的天神是火德的炎帝和火官之神祝融。應時的動物是羽類，應時的音律是徵音和林鐘，其數為七。其味為苦，其臭為焦，其祀為竈，而祭以肺為先。其時涼風始至，蟋蟀入屋內，小鷹乃學習飛搏，腐草化為螢。天子順應天時，移居明堂西南偏室，出則乘朱輅，駕赤騮，載赤旂，穿朱衣，佩朱玉。食則以菽豆與雞為主，用器要高而粗。

是月也，令漁師伐蛟取鼉、升龜取黿㈠。乃命虞人入材葦㈡。是月也，令四監大夫合百縣之秩芻，以養犧牲㈢，令民無不咸出其力，以供皇天上帝名山大川四方之神，以祀宗廟社稷之靈，為民祈福。

【今註】㈠漁師是管理魚類的官吏。蛟、鼉（ㄊㄨㄛˊ）、龜、黿（ㄩㄢˊ）都是爬蟲類。蛟與龍相類而無角，能發水害人，故伐之。鼉與鱷相像，俗稱豬婆龍，皮可製鼓，叫做鼉鼓，故取之。龜甲可占卜吉凶、藥物、錢幣及宗廟之用，故升之。黿是大鼈，肉可為羹，故取之。㈡虞人是管理山澤的官吏，月令作澤人。材是可用之意，葦是蒲葦之類，可作蠶箔及編織草器之用。㊂「四監大夫」是畿內各縣郡的主管官。秩芻是規定要繳交的芻草。

【今譯】　這個月裏，令漁師殺蛟捕鼉，捉龜取黿；乃命虞人收繳可用的蒲葦。同時，又使畿內的四監大夫集合百縣應繳的芻草，用以飼養祭祀的犧牲，使人民各能出力採取；這些犧牲是用以供應皇天上帝以及名山大川四方之神，並以祭祀宗廟社稷之靈，都是為民求福。

是月也，命婦官染采㊀，黼黻文章，必以法故，無或差忒，黑黃蒼赤，莫不質良㊁，勿敢偽詐；以給郊廟祭祀之服，以為旗章，以別貴賤等級之度㊂。

【今註】　㊀婦官是管理婦女工作的。染是染色，為染人事，采是彩繪，為繢人事。㊁黼（ㄈㄨˇ）黻（ㄈㄨˊ）文章是古代禮服旗幟上的繡飾，黼形如斧，黻像兩弓相背，表示威武，高注「白配黑為黼，黑配青為黻，青配赤為文，赤配白為章。」㊂禮記中玉藻、王制、曲禮、少儀各篇，對於貴賤等級的服色，有所記載。

【今譯】　這個月，命婦官染采，黼黻文章必須依照法定的習慣，不可稍有差錯，黑黃青赤，都要用良好的質料，不敢偽造欺詐，這樣的染采才可以供給郊廟祭祀的禮服，可以作為旗幟的標誌，可以分別貴賤等級的制度。

是月也，樹木方盛，乃命虞人入山行木，無或斬伐。不可以興土功，不可以合諸侯，不可以起兵動眾，無舉大事，以搖蕩於氣。無發令而干時，以妨神農之事㊀，水潦盛昌，命神農將巡功，舉大事則有天殃。

【今註】㊀神農種植五穀，因以神農名官，神農之事即是農官之事，非農官所發的政令，故干犯農時。

【今譯】這個月，樹木茂盛，使虞人到山裏去巡視森林，不可有所斬伐。不可以大興土木工程，不可以會合諸侯，不可以勞師動眾，不要舉辦大事，以免搖蕩陰陽協調之氣。不可發布政令而干犯農時，以免妨礙農官之事。其時水潦昌盛，應該命農官巡視各地農事的功績，如果舉辦大事而搖蕩時氣，則將有天殃。

是月也，土潤溽暑，大雨時行，燒薙行水，利以殺草，如以熱湯，可以糞田疇，可以美土疆㊀。行之是令，是月甘雨三至，三旬二日㊁。季夏行春令，則穀實解落，國多風欬，人乃遷徙㊂。行秋令，則邱隰水潦，禾稼不熟，乃多女災㊃。行冬令，則寒氣

不時，鷹隼早鷙㈤，四鄙入保。

【今註】㈠土潤溽暑是說土壤潤澤而天氣濕熱。燒薙（ㄊㄧˋ）是焚燒剷除田野裏的雜草。㈡高注「行之是令，行是之令也。十日為旬，二日者陰晦朔日也，月十日一雨，又二十日一雨，一月中得二日耳，故曰三旬二日。」許釋引陶鴻慶札記「高注陰為除字之誤。又二十日一雨者二次，非謂隔二十日始一雨也。玩注意，蓋謂三旬中除去晦朔二日，則一月祇得二旬有八日，至第三旬之雨，當在下月，是一月之中，祇得雨二日也。然是月三旬必除去晦朔不計，未詳何義，高氏此說以求通歟？竊疑三至之三為衍文，……三旬二日而已足也。」按兩說均未明，孟夏篇謂「行之是令，而甘雨至三旬。」高注謂「十日一雨，三旬三雨」，亦未明。㈢風欬是時氣病，六月應熱而反暖，故肺感於寒而成咳。㈣「女災」，高注謂生子不育。㈤季夏「鷹始學習」，孟秋「鷹乃祭鳥」，漢書五行志亦謂「立秋而鷹隼擊」，故季夏如行冬令，則鷹隼早鷙。

【今譯】這個月裏，土壤潤澤而天氣濕熱，時時有大雨，應該將田野裏的雜草焚燒剷除，以便雨水流通，這猶如以熱湯殺草，甚為順利，既可以使田疇肥沃，又可以美化田間界畔。推行政令各能順應時令，則這個月的甘雨三至，三旬二日。如果時令失調，季夏而行春令，則陽發多雨，將使穀實散落，人民多患風欬病，生活不安，乃有遷徙他鄉者。如果行秋令，則高邱下隰都積水為災，禾稼因而不熟，而婦人所生子女亦多不育。如果行冬令，則寒氣早來，鷹隼亦感時氣而早發殺性，禾稼歉收，社會不安，於是四鄙人民深恐寇盜刼掠，紛紛入城以保安全。

中央土㈠。其日戊己㈡，其帝黃帝，其神后土。其蟲倮㈢，其音宮，律中黃鐘之宮，其數五。其味甘，其臭香，其祀中霤，祭先心。天子居太廟太室，乘大輅，駕黃騂，載黃旂，衣黃衣，服黃玉。食稷與牛，其器圜以揜。

【今註】㈠春秋繁露五行之義篇「土居中央，其德茂美，不可名以一時之事，故五行而四時者土兼之也。不因土，方不立，若酸鹹辛苦之不因肥甘不能成味也。甘者味之本也，土者五行之主也。」㈡「其日戊己」至「祭先心」，已詳孟春篇註。㈢倮與裸臝同，太玄注「裸為無鱗甲毛羽，人為之長」。晉書五行志「裸蟲人類。」惟恃君覽觀表篇高注「倮蟲麒麟為之長」。

【今譯】中央為土。其日干為戊己，上應的天神是土德王天下的黃帝和平九土有功的后土。動物是萬物之靈的人類，其音為宮，律應黃鐘，其數為五。其味甘，其臭香，祀則中霤，祭品以心為先。其時天氣炎熱，天子居於明堂正中的太室，出則乘大輅，駕黃騮，載黃旂，穿黃衣，佩黃玉。其食以稷與牛為主，所用器具要圓而可掩蓋的。

二曰音律

【今註】　本篇是十二律體系的最早記述（西元前二三九年），至史記樂志（西元前九〇年）始定黃鐘管長為八十一分。依上卷古樂篇所述，十二律是黃帝時伶倫所創造的，而十二音域的完成，卻經過長時間的演變。據專家研究，十二音律與鐘的歷史有密切關係，所以國語周語中所舉十二鐘的名稱，就成為十二音律的名稱。而且由於音樂與節候的關係，十二律又與十二月配合，而成為十二月的名稱。十二音律由於音階的高低、強弱、清濁以測陰陽二氣消長伸縮的度數，而規定各月的政令措施，這些都是中國音樂的特徵，有非現代科學所能理解。

黃鐘生林鐘，林鐘生太蔟，太蔟生南呂，南呂生姑洗，姑洗生應鐘，應鐘生蕤賓，蕤賓生大呂，大呂生夷則，夷則生夾鐘，夾鐘生無射，無射生仲呂㈠。三分所生，益之一分以上生；三分所生，去其一分以下生。黃鐘、大呂、太蔟、夾鐘、姑洗、仲呂、蕤賓為上，林鐘、夷則、南呂、無射、應鐘為下㈡。

【今註】　㈠生是如母生子之意，所生是母。十二律的音數變化，是依三分增損法制定，以黃鐘為基音，凡增益三分之一為上生，損去三分之一為下生。黃鐘之管九寸，每寸九分，全長八十一分，為正音，三分損一生林鐘。林鐘五十四分為正音，三分增一生太蔟。太蔟七十二分為正音，三分損一生南呂。南呂四十八分為正音，三分增一生姑洗。姑洗六十四分為正音，三分損一生應鐘。應鐘四十二分有畸零，非正音，三分增一生蕤賓。蕤賓五十七分，有畸零，非正音，三分增一生大呂。大呂七十六分，有畸零，非正音，三分損一生夷則。夷則五十一分，有畸零，非正音，三分增一生夾鐘。夾鐘六十八分，有畸零，非正音，三分損一生無射。無射四十分，有畸零，非正音，三分增一生仲呂。仲呂六十分，可作正音，亦可作非正音，是中聲。近人謂黃鐘、大呂、太蔟、夾鐘、姑洗、仲呂、蕤賓、林鐘、夷則、南呂、無射、應鐘十二律，相當於現代西樂之 C C# D D# E F F# G G# A A# B 十二半音，亦即相當鋼琴上每一組的七白鍵、五黑鍵。㈡高注「律呂相生，上者上生，下者下生。」畢校謂此注當作上者下生，下者上生，又正文蕤賓不當為上。按依上註所述，畢校是。又高注所謂律呂，律為陽聲，是黃鐘、大蔟、姑洗、蕤賓、夷則、無射；呂為陰聲，是大呂、夾鐘、仲呂、林鐘、南呂、應鐘。

【今譯】　黃鐘生林鐘，林鐘生太蔟，太蔟生南呂，南呂生姑洗，姑洗生應鐘，應鐘生蕤賓，蕤賓生大呂，大呂生夷則，夷則生夾鐘，夾鐘生無射，無射生仲呂。三分所生的長度而增益三分之一為上生，三分所生的長度而減去三之一為下生。黃鐘、大呂、太蔟、夾鐘、姑洗、仲呂、蕤賓為上，林鐘、夷則、南呂、無射、應鐘為下。

大聖至理之世，天地之氣，合而生風，日至則月鐘其風，以生十二律㊀。仲冬日短至，則生黃鐘，季冬生大呂，孟春生太蔟，仲春生夾鐘，季春生姑洗，孟夏生仲呂。仲夏日長至，則生蕤賓，季夏生林鐘，孟秋生夷則，仲秋生南呂，季秋生無射，孟冬生應鐘。天地之風氣正，則十二律定矣。

【今註】㊀此節是說律呂與節氣的關係。古人認為天氣是陽，地氣是陰，陰陽之氣相盪而生風。日至則月鐘其風句意不明，畢校謂御覽月鐘作日行，意亦不明。按鐘與鍾通用，鍾有聚集之意，律是候氣之管，意者或謂日至所生之風，每月聚集，其對節候的影響變化，因而產生十二律，故曰天地之風氣正，則十二律定矣。近人有謂節氣乃自然之轉運，用音律測地氣，頗合地球物理。因為地心磁力與空氣壓力互相交感，而生陰陽二氣的消息盈虛，風雲雨雪霜露雷電冰雹潮汐浪濤，皆由此二氣變化而來，人之聽覺能力有限，對於音波的感受未能細辨，近世物理機械技術日精，對於音波有無線電收發機、遙控器、轉播器、變音器、感應儀等電子器具，當可憑以研究此中奧祕。漢代京房更用六十律相生之法，一律生五音，十二律生六十音，以配合時令節氣而占風雨霜雪水旱寒暑的自然氣象，是更為精密，可惜今人已不能瞭解。

【今譯】太平至治之世，天地之氣合而生風，日至而風變，逐月聚集其風，以產生十二律。仲冬冬至日最短，則生黃鐘，季冬生大呂，孟春生太蔟，仲春生夾鐘，季春生姑洗，孟夏生仲呂；仲夏夏至日最長，則生蕤賓，季夏生林鐘，孟秋生夷則，仲秋生南呂，季秋生無射，孟冬生應鐘。所以天地間的風氣正常，那十二律就確定了。

黃鐘之月，土事無作，慎無發蓋，以固天閉地、陽氣且泄㈠。大呂之月㈡，數將幾終，歲且更起，而農民無有所使。太蔟之月㈢，陽氣始生，草木繁動，令農發土，無或失時。夾鐘之月㈣，寬裕和平，行德去刑，無或作事，以害羣生。姑洗之月㈤，達道通路，溝瀆修利，申之此令，嘉氣趣至。仲呂之月㈥，無聚大眾，巡勸農事，草木方長，無攜民心。蕤賓之月㈦，陽氣在上，安壯養俠，本朝不靜，草木早槁。林鐘之月㈧，草木盛滿，陰將始刑，無發大事，以將陽氣。夷則之月㈨，修法飭刑，選士厲兵，詰誅不義，以懷遠方。南呂之月㈩，蟄蟲入穴，趣農收聚，無敢懈怠，以多為務。無射之月㈡，疾斷有罪，當法勿赦，無留獄訟，以亟以故。應鐘之月㈢，陰陽不通，閉而為冬，修別喪紀，審民所終。

【今註】㈠黃鐘之月是夏曆十一月，冬至一陽始生，地氣上行，與仲冬紀所謂「土事無作，無發蓋藏，無起大眾，以固而閉；發蓋藏，起大眾，地氣且泄。」相類，亦係陰陽家之言。㈡大呂之月是夏曆十二月，陰氣旅於地面而大寒，陽稚而陰老，故曰大呂。季冬紀謂「數將幾終，歲將更始，專於農民，無有所使。」㈢太蔟之月是夏曆正月，時已立春，陽氣至地面，萬物蔟聚，故孟春紀謂「天氣下降，地氣上騰，天地和同，草木繁動，王布農事。」㈣夾鐘之月是夏曆二月，時已春分，草木始生莢，故仲春紀謂「日夜分，雷乃發聲，蟄蟲咸動，無作大事以妨農功。」㈤姑洗之月是夏曆三月，陽氣發揚，去故就新，故季春紀謂「生氣方盛，陽氣發泄，生者畢出，萌者盡達，命司空修利隄防，導達溝瀆，開通道路，無有障塞。」㈥仲呂之月是夏曆四月，時已立夏，陽氣極盛，故孟夏紀謂「繼長增高，無有壞隳，無起土功，無發大眾，無伐大樹。命野虞出行田原勞農，勸民無或失時。」㈦蕤賓之月是夏曆五月，已是夏至，陰氣始生，故仲夏紀謂「日長至，陰陽爭，死生分。君子齋戒，欲靜無躁，止聲色，退嗜欲，百官靜，事無刑。」㈧林鐘之月是夏曆六月，天氣酷暑，陰氣漸多，故季夏紀謂「不可以興土功，不可以合諸侯，不可以起兵動眾，無舉大事，以搖蕩於氣。」㈨夷則之月是夏曆七月，涼風至，白露降，萬物肅然，故孟秋紀謂「乃命將帥選士厲兵，簡練桀儁；命有司修法制，慎罪邪，決獄訟，必正平，戮有罪，嚴斷刑。」㈩南呂之月是夏曆八月，時已秋分，殺氣浸盛，陽氣日衰，故仲秋紀謂「申嚴百刑，斬殺必當，無或枉橈；趣民收斂，勸種麥，無或失時。」㈡無射之月是夏曆九月，霜始降，寒氣總至，故季秋紀謂「申嚴號令，命百官貴賤，無不務入，以會天地之藏，乃趣獄刑，無留有罪。」 ㊂應鐘之月是夏曆十月，時已立冬，為純陰之月，將應黃鐘，陰凝於陽，故孟冬紀謂「天氣上騰，地氣下降，天地不通，閉而成冬。命司徒坿城郭，戒門閭，備邊境，完要塞。天子乃祈來年於大宗，勞農夫以休息之。」

【今譯】　黃鐘之月，田事沒有了，要小心謹慎不可發動蓋藏，以固閉天地之氣，如不固閉，陽氣將要泄去。大呂之月，時序將近終了，歲月即將更新，農民亦不可有所役使。太蔟之月，春回大地，陽氣始生，草木繁動，命令農民準備耕種，不可失時。夾鐘之月，氣候寬舒和平，應該行仁德，去刑戮，不要興動兵事，以免傷害羣生。姑洗之月，要通達道路，修理溝瀆，申明此令，以迎接淑氣的來臨。仲呂之月，不要為軍旅徭役聚集大眾，命有司出巡，勸勉農事，其時草木方長，人民當專心耕種，長養穀物。蕤賓之月，陽氣正盛，要注意健康，安養青少年，為政不寧，則草木亦將早枯。林鐘之月，草木茂盛，陰氣即將殺害，不可發動大事，以保養陽氣。夷則之月，要整飭刑法，選練士卒，詰誅不義之徒，以懷柔遠方。南呂之月，節候漸寒，蟄蟲入穴，督促農民收聚稻穀，不可懈怠，以增多收成為要。無射之月，應迅速判結刑案，依法懲處不可輕赦，不要使獄訟留滯，以早予了結為事。應鐘之月，陰伏在下，陽升在上，不復相通，天地閉塞而為冬，要修別喪服親疏，審慎飾終儀典。

三曰音初

【今註】音初是說明音樂的創始，實即強調「樂所由來者尚也，必不可廢」的意義。篇中分述東音、南音、西音、北音的始作故事，以證明樂音是生於人心，音成於外，而化生於內，所以聞其樂而知其風，察其風而知其志，觀其志而知其德，賢不肖君子小人皆形於樂，不可隱匿。故世亂則禮煩而樂淫，君子反求諸己，因而修德，正德以出樂，和樂以成順，樂和而民向善了。所以周敦頤通書說：「樂者本乎政也，政善民安，則天下之心和。故聖人作樂以宣暢其和心，達於天地，天地之氣，感而大和焉；天地和則萬物順。」

夏后氏孔甲田于東陽萯山㈠，天大風，晦盲，孔甲迷惑，入于民室，主人方乳㈡，或曰：「后來、是良日也，之子是必大吉。」或曰：「不勝也，之子是必有殃。」后乃取其子以歸，曰：「以為余子，誰敢殃之。」子長成人，幕動坼橑，斧斫斬其足㈢，遂為守門者，孔甲曰：「嗚呼！有疾，命矣夫！」乃作為破斧之歌。實始為東音。

【今註】㈠孔甲是夏禹後的第十三世，許釋引竹書紀年載孔甲三年（西元前一八七七年）獵於萯（ㄈㄨˋ）

山。㈡晦盲即晦暝，乳是生產孩子。㈢坼（ㄔㄜˋ）是裂開。橑（ㄌㄠˇ）是幕的支柱。

【今譯】 夏后氏孔甲獵於東陽萯山，天大風，天色晦暝，孔甲迷路，走入百姓家裏去。這家的主人正在生產孩子，有人說：「天子來，是大好日子，這孩子必定大吉。」又有人說：「當不起呀！這孩子必有災殃。」孔甲於是把那孩子帶回去，他說：「做了我的兒子，誰敢傷害他？」孩子長大成人，有一天，帳幕搖動，支柱開裂倒下，有如利斧砍斬了他的足，因此殘廢，遂作了守門之官。孔甲說：「可憐啊，有了殘疾，這是命呀！」於是作為破斧之歌。這破斧之歌實在是東方之音的創始。

禹行功㈠，見塗山之女㈡，禹未之遇，而巡省南土。塗山氏之女乃令其妾候禹于塗山之陽，女乃作歌，歌曰：候人兮猗，實始作為南音。周公及召公取風焉，以為周南召南。

【今註】 ㈠行功是巡視治水的功效。㈡塗山在今江西九江，近當塗。依尚書臯陶謨，禹娶於塗山，四月即離家在外平治水土，塗山氏女是夏后啟之母。

【今譯】 夏禹巡視治水的功效，遇見塗山的女子，禹不曾以禮相待，就再巡視南方去了。塗山的女子乃命她的侍女到塗山之南等候禹回來。她乃作歌表示情意，歌名叫做「候人兮猗」，實在是南方之音的創始。周公和召公採取這歌以為周南召南的國風。

周昭王親將征荊㈠，辛餘靡長且多力為王右，還反涉漢，梁敗，王及蔡公抎於漢中，辛餘靡振王北濟，又反振蔡公，周公乃侯之于西翟㈡，實為長公。殷整甲㈢徙宅西河，猶思故處，實始作為西音。長公繼是音，以處西山。秦繆公取風焉，實始作為秦音。

【今註】㈠周昭王是康王之子，許釋引竹書紀年，昭王十六年伐楚，涉漢，十九年喪師於漢。史記周本紀云、昭王南巡狩不返，卒於江上。正義引帝王世紀云、昭王德衰，南征，濟於漢，船人惡之，以膠船進王，王御船，至中流膠液船解，王及蔡公俱沒於水中而崩。其右辛遊靡長臂且多力，游振得王。按與此言梁敗不同。抎（ㄩㄣ）同隕，是從高而下的掉入水中。㈡西翟、高注「西方也」，封辛餘靡為侯，而實為公爵，故曰實為長公。㈢「殷整甲」：許釋即河亶甲、自囂遷於相、相即西河。按相即今河南相州內黃縣，囂即今河南滎陽縣敖山，河亶甲後又遷邢、遷庇、遷殷（河南安陽小屯村），故稱殷整甲。文心雕龍「夏甲歎於東陽，東音以發；殷整思於西河，西音以興。」即本於此。

【今譯】周昭王親征楚國，辛餘靡身長而多力，為王車右。回師時渡過漢水，橋梁壞了，王和蔡公都墜入漢水中，辛餘靡救王北渡，又去救蔡公。周公賞辛餘靡之功，封他於西翟為侯，其實稱為長公。從前殷王河亶甲自囂地遷都西河，猶念念不忘故都，實始作為西方之音；長公繼承此音以居西山；秦繆公又取其風，以為秦音，實始作為秦音。

有娀氏有二佚女，為之九成之臺㊀，飲食必以鼓。帝令燕往視之，鳴若謚隘㊁，二女愛而爭搏之，覆以玉筐，少選，發而視之，燕遺二卵北飛，遂不反。二女作歌，一終曰燕燕往飛，實始作為北音。

【今註】㊀「佚女」：楚騷有「見有娀之佚女」，注：佚，美也。九成之臺是高臺。㊁帝是天帝，相傳帝令燕降卵於有娀氏，女吞之，生契，詩商頌「天命玄鳥，降而生商」契是商湯的始祖。謚（丶一）隘（丶一）是燕子鳴聲。

【今譯】有娀氏有兩個美女，為她們作九重的高臺，使居其上，飲食時必先以鼓樂通知。天帝使燕子飛往察看，鳴聲謚隘，兩女愛而爭捕之，用玉筐蓋住，過了一會，揭開玉筐來，看見燕子留下來兩個蛋，向北飛去；就不回來了。兩女思念燕子，作了一首歌，有一曲叫做「燕燕往飛」，實在是北方之音的創始。

凡音者產乎人心者也，感於心則蕩乎音，音成於外，而化乎內㊀。是故聞其聲而知其風，察其風而知其志，觀其志而知其德，盛衰、賢不肖、君子小人，皆形於樂，不可隱匿。故曰、樂之為觀也深矣㈡。土弊則草木不長，水煩則魚鼈不大㈢，世濁則禮煩而樂淫。鄭衛之聲，桑閒之音，此亂國之所好，衰德之所說。流辟誂越慆濫之音出，則滔蕩之氣、邪慢之心感矣㈣，感則百姦眾辟、從此產矣。故君子反道以修德，正德以出樂，和樂以成順，樂和而民鄉方矣。

【今註】㈠禮記樂記「凡音之起，由人心生也；人心之動，物使之然也。感於物而動，故形於聲；聲相應，故生變；變成方，謂之音。」又「樂者音之所生也，其本在人心之感於物也。」崔述唐虞考信錄論「樂以志為本」，謂「志者本也，聲者末也。其志必中正和平也，而後其詩其歌其聲從容舒暢，而俯仰遲速無不適其宜者。志不美，求之於詩，無益也；詩不美，求之於歌，無益也；歌不美，求之於聲，無益也。故曰，作樂崇德，見其樂而知其德也。」㈡觀是觀察，是以樂觀風、觀志、觀人，故曰樂之為觀也深矣。㈢「水煩」，畢校謂據高注「擾渾」，則正文本作水擾，後人以樂記之文改之。尹校據改。㈣流辟是過分怪誕，誂越是輕佻越禮，慆濫是浪漫無度，滔蕩是散漫遊蕩，邪慢是邪惡怠慢。

【今譯】大凡聲音是由人心產生的，人心感於外物則激蕩而成音，音成於外而化生於內。因此，聽到聲音而可知道他的習慣，察看習慣而可知道他的志向，觀察志向而可知道他的德行。一個人的盛衰、賢不肖、是君子或小人，都表現在樂聲上，不可隱匿。所以說：用音樂來觀人觀世的意義，可謂深遠了。土壤貧瘠則草木不會生長，泉水渾濁則魚鼈不會長大，世局濁亂則禮節紛煩而音樂淫佚。鄭衞之聲，桑間之音，這祇是亂國所好，衰德所悅的。怪誕、輕佻、浪漫的聲音一發，則散漫遊蕩之氣、邪惡怠慢之心便受感誘了，受感誘則百姦眾惡從此產生了。所以治世的君子反其道以修德，正德以成樂，和樂以成順，樂聲諧和而百姓都能向善了。

四曰制樂

【今註】本篇原意是要說明音樂之道與治理相通，惟內容並不相合。孫鏘鳴高注補正謂此篇歷引成湯文王宋景公之事，與制樂初不相涉，疑必明理篇文而錯簡在此。欲觀至樂五句，蓋即下篇之首；觀至樂必於至治，與下篇亂世之主烏聞至樂，首尾又正相應，其為一篇無疑。此二篇除前篇欲觀至樂五句外，文當互易，而篇名則仍當制樂在前，明理在後也。孫說甚是。

欲觀至樂，必於至治㊀。其治厚者其樂治厚，其治薄者其樂治薄，亂世則慢以樂矣。今窒閉，戶牖動，天地一室也㊁。

【今註】㊀高注「至樂，至和之樂，至治、至德之治。」㊁窒即窒隍，是寢門闕，即今甬道。許釋引孫鏘鳴說謂此句疑有脫誤。按此句文義難曉，與上文不連接，缺而不譯。

【今譯】要觀察至和的音樂，必須在有至德之治的國家，其政治淳厚的、其音樂亦淳厚；其政治澆薄的，其音樂亦澆薄；至於亂世則其音樂邪惡了。……

故成湯㊀之時，有穀生於庭，昬而生，比旦而大拱。其史請卜其故，湯退卜者曰：「吾聞祥者福之先者也，見祥而為不善，則福不至；妖者禍之先者也，見妖而為善，則禍不至。」於是早朝晏退，問疾弔喪，務鎮撫百姓，三日而穀亡。故禍兮福之所倚，福兮禍之所伏，聖人所獨見，眾人焉知其極㊁。

【今註】㊀成湯即商湯。穀生於庭、高注以此為太戊時事，史記殷本紀同。崔述考信錄謂尚書多稱湯為成湯，春秋戰國後率但稱湯，此篇稱成湯，大概是抄襲舊說；惟此事不應在成湯時，以史記為近是。㊁老子「禍兮福所倚，福兮禍所伏，孰知其極，其無正耶。」這是說成敗禍福是無常的，全在自己努力，世界上的事情，有時可以因禍得福，但有時亦可以因福而得禍，可知禍與福是因果的法則，所以古人說「天道福善禍淫。」是教人要不斷的努力修德。

【今譯】所以成湯的時候，有穀生於朝廷之上，晚上萌生的，到了天亮已是兩手合把。太史官請卜問吉凶，湯叫卜者退下，說：「我聽說：祥瑞是幸福的先兆，看到祥瑞而不為善，則幸福不來；妖異是災禍的先兆，看見妖異而行善事，那災禍不來了。」於是每天早朝遲退，勤勞政事，問候百姓的疾苦而弔唁其喪葬，專心安撫百姓，這樣的過了三天而穀枯亡。所以災禍是幸福所依賴的主體，而幸福是災禍所埋伏的根源，這些因果的法則是有智慧的聖人所獨見，茫茫眾生那裏知道其究竟的道理。

周文王立國八年㊀，歲六月，文王寢疾，五日而地動，東西南北不出國郊㊁。百吏皆請曰：「臣聞地之動為人主也，今王寢疾五日而地動，四面不出周郊，羣臣皆恐曰，請移之。」文王曰：「若何其移之也？」對曰：「興事動眾以增國城，其可以移之乎？」文王曰：「不可，夫天之見妖也，以罰有罪也，我必有罪，故天以此罰我也。今故興事動眾，以增國城，是重吾罪也，不可。」文王曰：「昌也請改行重善以移之，其可以免乎？」於是謹其禮秩皮革以交諸侯，飭其辭令幣帛以禮豪士，頒其爵列等級田疇以賞羣臣。無幾何，疾乃止。文王即位八年而地動，已動之後四十三年，凡文王立國五十一年而終，此文王之所以止殃翦妖也㊂。

【今註】 ㈠周文王做西伯的八年是西元前一一七八年。㈡地動是地震。㈢昌是文王名。韓詩外傳亦述此事而稍略。崔述考信錄謂文王生而即有聖德，遇災變而能為善，其詞意淺弱必不至此，乃後人所妄撰。

【今譯】 周文王做西伯的第八年，那年六月，文王臥病，過了五天而地震，東西南北都在動，不能到國郊去避免。百官都來請示說：「我們聽說地震是為的人主，現在王臥病五天而地震，四面都不能到郊外去，臣下們都恐懼說，請轉移這禍患。」文王說：「怎麼樣轉移呢？」百官說：「興事動眾，以增築都城，或者可以轉移吧！」文王說：「不可以，上天顯示妖異是要懲罰有罪的人，我必定有罪，所以上天以此來懲罰我；現在故意興事動眾，以增築都城，這是加重我的罪過，不可以。」接著又說：「昌請改行善事以為轉移，或者可以免罪吧！」於是謹其禮節皮革以交好諸侯，正其辭令幣帛以禮遇賢士，頒其爵位等級田疇以賞賜羣臣。沒有多少時候，病就痊癒了。文王即位八年而地震，已震之後四十三年，計文王做西伯五十一年而逝世，這是文王所以止殃除妖的作法。

宋景公之時，熒惑在心㈠，公懼，召子韋㈡而問焉。曰：「熒惑在心何也？」子韋曰：「熒惑者天罰也，心者宋之分野也，禍當於君。雖然、可移於宰相。」公曰：「宰相所與治國家也，而移死焉，不祥。」子韋曰：「可移於民。」公曰；「民死，寡人將誰為君乎？寧獨死。」子韋曰：「可移於歲。」公曰：「歲害則民飢，民飢必死，為人君而殺其民以自活也，其誰以我為君乎？是寡人之命固盡已，子無復言矣。」子韋還走，北面載拜曰：「臣敢賀君，天之處高而聽卑，君有至德之言三，天必三賞君。今昔㊂熒惑其徙三舍，君延年二十一歲。」公曰：「子何以知之。」對曰：「有三善言，必有三賞，熒惑必三徙舍，舍行七星，星一徙當七年，三七二十一，臣故曰，君延年二十一歲矣。臣請伏於陛下以伺候之，熒惑不徙，臣請死。」公曰：「可。」是夕熒惑果徙三舍。

【今註】㊀熒惑即火星（Mass 戰神），心宿是宋之分野。㊁司星子韋是宋國太史，能占星術，講災異。㊂今昔即今夕。舍是星宿運行時居留之處。

【今譯】宋景公的時候，熒惑的位置在心宿，景公恐懼，叫太史子韋來問他說：「熒惑在心是什麼預兆？」子韋說：「熒惑的出現是天意表示有所懲罰，而心宿是宋國的分野，這災禍當應驗在國君；雖然，可轉移於宰相身上去。」景公說：「宰相是和我共同治理國家的，如轉移而使他死去，是不吉祥的事。」子韋說：「那麼，可轉移於百姓。」景公說：「百姓死了，我還能做誰的國君呢？寧可我獨自死。」子韋說：「那麼，可轉移到歲收上去。」景公說：「歲收受害則百姓飢餓，百姓飢餓必死，為人君而殺害其人民以求自活，還有誰要用我做國君呢？這是我的命數應該完了，你不要再說吧！」子韋退後北向而拜說：「臣敢賀君，天雖高處在上而能聽到卑下的話，君有表示大德的話三句，天必定賞君三事。今天夜裏熒惑星將遷移三舍，君要延年二十一歲。」景公說：「你怎麼知道呢？」子韋說：「有三句好話必定有三個賞，熒惑星必定三次遷移，每舍經過七星，一次遷移需要七年，三七二十一，臣所以說：君要延年二十一歲了。臣請伏在階陛之下伺候，熒惑如不遷移，那就把我殺了。」景公說：「可以。」那天晚上，熒惑星果然遷移了三舍。

五曰明理

【今註】 本篇是承接上古樂篇，以說明亂世的音樂是不能使人快樂的，因為離亂之世，禮崩樂壞，發生種種的災異，君臣上下都不明理義，而且天變多怪，民多疾病。所以說：「故眾正之所積，其福無不及也；眾邪之所積，其禍無不逮也。」凡此皆以說明音樂的重要，而勸人修德以成樂，和樂以成順，樂聲諧和則國治民安。

五帝三王之於樂，盡之矣，亂國之主未嘗知樂者，是常主也。

夫有天賞得為主，而未嘗得主之實，此之謂大悲，是正坐於夕室也，其所謂正，乃不正矣㊀。凡生非一氣之化也，長非一物之任也，成非一形之功也。故眾正之所積，其福無不及也；眾邪之所積，其禍無不逮也。

【今註】㊀高注「悲人所為，如坐夕室，自以為正，乃不正之謂也。」此以喻亂國之主自以為正，而實不正。春秋繁露王道篇「王正則元氣和順，風雨時，景星見，黃龍下；王不正則上變天，賊氣幷見。」本篇下文都是說明亂國之主的不正結果，即所謂「眾邪之所積，其禍無不逮也。」

【今譯】五帝三王的制樂，已極明制樂之理了。亂國之主未嘗知道樂理，這是平常的君主，他們得天獨厚，成為君主，而其實未嘗得知所以為君之道，這是大可悲哀的人，猶如正坐於夜晚暗室之中，自以為正，其實乃不正了。大凡生不是一氣的化育，長不是一物的責任，成也不是一形的功績。所以眾正的所積累，其幸福沒有不來到的；眾邪的所積累，其災禍亦沒有不降臨的。

其風雨則不適，其甘雨則不降，其霜雪則不時，寒暑則不當，陰陽失次，四時易節，人民淫爍不固，禽獸胎消不殖，草木庳小不滋，五穀萎敗不成，其以為樂也，若之何哉？故至亂之化，君臣相賊，長少相殺，父子相忍，弟兄相誣，知交相倒，夫妻相冒，日以相危，失人之紀，心若禽獸，長邪苟利，不知義理㊀。

【今註】㊀此段是說明眾邪所積的禍患影響於時令及人心者，管子四時篇「是故春凋秋榮，冬雷夏有霜雪，此皆氣之賊也。刑德易節失次，則賊氣速至，賊氣速至則國多災殃，是故聖王務時而寄政焉。」

【今譯】衰亂之世，風雨不調，甘霖不降，霜雪不時，寒暑不當，陰陽失次，四時易節；人民淫邪不能生育，禽獸胎消不能長殖，草木卑小不能蕃滋，五穀萎敗不能成熟，在這種情形下制樂，怎麼可能呢？所以亂政的感化，君臣相害，長幼相殺，父子相忍，弟兄相誣，知交相逆，夫妻相忌，他們都日日互相猜疑，完全失去了人倫的綱紀，心術之壞有如禽獸，邪惡盛長，苟且貪利，不知義理為何物。

其雲狀有若犬，若馬，若白鵠，若眾車；有其狀若人，蒼衣赤首不動，其名曰天衡；有其狀若懸旍而赤，其名曰雲旍；有其狀若眾馬以鬭，其名曰滑馬；有其狀若眾植華以長，黃上白下，其名蚩尤之旗㊀。其日有鬬蝕，有倍僪，有暈珥，有不光，有不及景，有眾日並出，有晝盲，有霄見㊁。其月有薄蝕，有暉珥，有偏盲，有四月並出，有二月並見，有小月承大月，有大月承小月，有月蝕㊂。星有出而無光，其星有熒惑，有彗星，有天棓，有天欃，有天竹，有天英，有天干，有賊星，有鬭星，有賓星㊃。其氣有上不屬天，下不屬地，有豐上殺下，有若水之波，有若山之楫，春則黃，夏則黑，秋則蒼，冬則赤㊄。其妖孽有生如帶，有鬼投其陴，有菟生雉，雉亦生鴳，有螟集其國，其音匈匈，國有游蛇西東，馬牛乃言，犬彘乃連，有狼入於國，有人自天降，市有舞鴟，國有行飛，馬有生角，雄雞五足，有豕生而彌，雞卵多毈，有社遷處，有豕生狗㊅。國有此物，其主不知，驚惶亟革，上帝降禍，凶災必亟，其殘亡死喪、殄絕無類、流散循饑無日矣。此皆亂國之所生也，不能勝數，盡荊越之竹，猶不能書㊆。

【今註】㊀此段是說明衰亂之世的天變與妖怪。先說雲的奇形怪狀，史記天官書、漢書、晉書、隋書天文志各有述及。天衡，尹校據晉書天文志改為天衝。雲旍，尹校改為雲旌。植華尹校改為植藿，即爾雅釋草之滇灌，菌也。㊁日暈是自然界的奇異現象，在天空高雲層中含有六角形三角錐體冰晶、柱狀的冰塊，當高層空氣徐緩下降時，太陽周圍即呈現日暈現象，其兩側產生四個光亮的幻日，即此處所謂眾日並出。晉書天文志對於日暈的各部份有專門名詞，如暈璚珥等均有說明。㊂月暈月蝕現象與日相似。㊃星有熒惑即火星，已見上制樂篇。天棓即孛星，賓星即客星。㊄氣的奇怪現象，天文學氣象學中少述及，上引春秋繁露王道篇「王不正則上變天，賊氣幷見。」管子四時篇「春凋秋榮，冬雷夏有霜雪，此皆氣之賊也。」㊅妖怪多見於歷代史書天文志及稗官野史，不能盡考。陴是女牆，高注為腳，疑即髀字。㊆春秋繁露王道篇「周衰，天子微弱，諸侯力政，……強奄弱，眾暴寡，富使貧，幷兼無已，臣下上僭，不能禁止。日為之食，星霣如雨，雨螽，沙鹿崩，夏大雨水，冬大雨雪，霣石於宋五，六鷁退飛，……梁山崩，彗星見於東方，孛於大辰，鸜鵒來巢，春秋異之，以此見悖亂之徵。」與此所述多相似，可供參考。

【今譯】其時天象亦多變異：其雲狀有像犬、像馬、像白鵠、像眾車；有的其狀像人，青衣赤首，不能行動，名叫天衝；有的其狀像赤旗懸掛天空，名叫雲旌；有的其狀像羣馬相鬥，名叫滑馬；有的其狀像眾多野菌而較長，上黃下白，名叫蚩尤旗。太陽方面有星日相遇而相食；有日暈向兩旁反射或向上反射，有日暈兩旁向內如耳環；有的失去亮光，有的不見影，有數日並出，有白晝晦暝，有宵夜見明。月亮有薄蝕，有月暈兩旁內向如珥，有偏旁晦暝，有四個月亮並出，有兩個月亮並現，有小月承接大月，亦有大月承接小月，有月蝕。星辰有出現而無光，有熒惑，有彗星，有孛星，有天欃，有天竹，有天英，有天棓，有賊星，有兩星相鬥，有客星。氣氛有上不連天，下不到地，有上寬大而下細小，有的像水中波浪，有的像山上枯木；春天黃色，夏天黑色，秋天青色，冬天紅色。至於各種妖孽有生物如長帶，有鬼魅自斷其腿，有菟草生雉，雉亦生鴳，有螟蟲羣集，其聲匈匈，有游蛇自西而東，有馬牛說話，有犬彘相連，有狼羣奔入國都，有人從天上下降，有鴟鳥在街市舞蹈，亦有在國都飛行，有馬生角，有雄雞生五隻足，有豕出生而四蹄無甲，有雞蛋不能孵小雞，有神社自能遷移，有母豬生小狗。一個國家如果有上文所述的種種怪異。惑亂的國君不知驚惶，疾自改革，那麼上天降禍，凶災必很快的來臨，殘亡死喪、流離饑饉，不復有逃避的時間了。這些災害，都由於亂政所生，不能勝數，用盡楚越兩地的竹簡，也不能記述。

故子華子㈠曰：「夫亂世之民長短頡啎百疾㈡，民多疾癘，道多褓襁，盲禿傴尪，萬怪皆生㈢。」故亂世之主、烏聞至樂，不聞至樂，其樂不樂。

【今註】㈠子華子已見貴生篇注。㈡「長短頡（ㄑㄧㄝˊ）啎（ㄨˋ）百疾」，高注「長短，無節度也。頡，猶大。啎，逆也。百疾，變詐也。」畢校引莊子徐無鬼篇頡滑有實、向秀注、頡滑錯亂也。許釋引孫蜀丞呂氏春秋舉正謂此句文義費解，注亦不順，疑有脫誤。按高注大意可通，長短是指戰國時合縱連衡之說，略稱為長短。頡啎之啎，字書無此字，係啎字之誤，字彙補「啎、音未詳、迎也。」頡啎當即頡滑，莊子胠篋篇「頡滑堅白」注為不正之語。此句意謂亂世之人，說話無節度而詭辯，變詐百出。㈢褓襁是背負小兒的背帶，此言小兒多棄置道旁。盲禿傴尪已見盡數篇注。

【今譯】 所以子華子說：「亂世之民，語言無節度而詭辯，變詐百出，一般人多患疫癘，道多遺棄的嬰兒，盲的禿的傴僂的短小的許多怪異的病症都發生。」所以亂世的君主，那裏聽到過合理的音樂，沒有聽過合理的音樂，其所用的音樂自不足以取樂。

卷七　孟秋紀

第七，凡五篇

一曰孟秋

【今註】　孟秋是夏曆的七月。其時涼風至，白露降，秋的盛德在金，金主殺戮，所以孟秋之月，國家須選士厲兵，簡練精幹，以詰誅暴慢。整飭法紀，殺戮有罪，以禁止奸邪。整修隄防，疏通水道，以防備水患。施政亦須收斂，以安定民生。故周敦頤通書謂「天以春生萬物，止之以秋。物之生也，既成矣，不止則過焉，故得秋以成。聖人之法天，以政養萬民，肅之以刑，民之盛也，欲動情勝，利害相攻，不止則賊滅無倫焉，故得刑以治。」

孟秋之月，日在翼，昏斗中，旦畢中㊀。其日庚辛，其帝少皞，其神蓐收。其蟲毛，其音商，律中夷則，其數九。其味辛，其臭腥，其祀門，祭先肝㊁。涼風至，白露降，寒蟬鳴，鷹乃祭鳥，始用行戮㊂。天子居總章左个，乘戎路，駕白駱㊃，載白旂，衣白衣，服白玉。食麻與犬，其器廉以深㊄。

【今註】㈠翼是南方宿，今屬巨爵座。斗是北方宿，今屬人馬座，月令作建星。畢是西方宿，今屬金牛座。㈡「其日庚申」至「祭先肝」，已詳孟春篇註。夷則見音律篇。㈢仲夏蟬始鳴，孟秋則稱寒蟬。鷹於季夏始學習飛擊，孟秋即開始殺鳥於大澤之中，四面陳列，世謂之祭鳥。㈣總章左个是明堂西方的左偏室。戎路（輅）是兵車，白駱是白色黑鬣尾的大馬。㈤麻是五穀之一，審時篇與禾黍稻菽並舉，其子可食、可榨油，皮之纖維可製繩織布。犬的種類甚多，李時珍本草綱目謂田犬長喙善獵，吠犬短喙善守，食犬體肥供饌，此處當指食犬而言。廉、高注「利也，象金斷割」，似未妥，按廉即稜，四方木，謂器物邊之直角之方，與春疏、夏高、冬宏意正合。

【今譯】孟秋七月，太陽在南方翼宿，向晚時可以望見北方斗宿上升在南方中天，向曉時則見西方畢宿出現在南方中天。七月的日干是庚辛，上應的天神是金德的少皞和金官之神蓐收。應時的動物是毛類，應時的音律是商音和夷則，其數為九。其味為辛，其臭為腥，其祀為門，而祭以肝為先。其時涼風到了，白露下降；寒蟬鼓翼而鳴；老鷹乃舉行祭鳥，開始殺戮。天子順應天時，移居明堂西方總章的左偏室，出則乘兵車，駕白駱，載白旂，穿白衣，佩白玉。食則以麻與犬為主，用器要平直正方而容量深邃的。

是月也，以立秋㈠。先立秋三日，大史謁之天子，曰：「某日立秋，盛德在金。」天子乃齋。立秋之日，天子親率三公九卿諸侯大夫以迎秋於西郊，還乃賞軍率武人於朝㈡。天子乃命將帥選士厲兵，簡練桀儁㈢，專任有功，以征不義，詰誅暴慢，以明好惡，巡彼遠方。

【今註】 ㈠立秋是二十四節氣之一，在夏至後四十六日，太陽運行在一三五度。立秋多在夏曆七月，陽曆則在八月七日或九日，其時天氣新涼，萬物成熟，而陰氣出地，乃有刑殺，故天子於迎秋後即選士厲兵，整飭法制。㈡軍率是軍隊的將領，治兵討暴非將帥武人不可，故獎賞於朝廷。㈢選士是選練士卒，仲秋紀的簡選篇即說明此事。厲兵是激發士氣。

【今譯】 這個月是立秋。立秋前三天，典禮的太史晉謁天子說：「某日立秋，盛德在金。」天子於是齋戒。到了立秋那天，天子親自率領三公九卿諸侯大夫等文武百官，前往西郊去舉行迎秋之禮。禮畢還朝，乃賞賜將領武人，以資獎勵。於是命令將領選練士卒，激發士氣，提拔才識過人的幹部，專任曾有戰功的人，使征討不義，譴責或誅戮那些暴虐悖慢的人，辨明好惡，使遠方之人聞風歸服。

是月也，命有司修法制，繕囹圄，具桎梏，禁止姦。慎罪邪，務搏執㈠，命理瞻傷、察創、視折、審斷㈡，決獄訟必正平，戮有罪，嚴斷刑。天地始肅，不可以贏㈢。

【今註】㊀囹圄是牢獄。桎梏是刑具，即腳鐐手梏。搏執是逮捕歸案。㊁理是監獄官，瞻傷察創是體恤罪犯，察看其身上的創傷，重者予以醫療。視折審斷是按視罪情的曲折，審慎的予以判決，高注折為折毀，與上文傷創重複。㊂肅是肅殺之氣，贏通盈，不可以驕盈犯罪。

【今譯】這個月，命司法官吏修正法律，繕治牢獄，整備刑具，以禁止人民的姦邪。謹慎的查明犯罪的人，務必逮捕歸案，使監獄官察看他們的創傷，予以醫療，再要詳視罪情的曲折，予以審慎的判決。判決獄訟必須公正平穩，殺戮真正有罪的犯人，要嚴謹的依據法律斷定罪刑的輕重。其時天地始有肅殺之氣，人民不可有驕盈的行為以致犯罪。

是月也，農乃升穀，天子嘗新㊀，先薦寢廟。命百官始收斂，完隄防，謹壅塞，以備水潦。修宮室，坿㊁牆垣，補城郭。是月也，無以封侯，立大官，無割土地，行重幣㊂，出大使。

【今註】㊀嘗新是嘗食新米，嘗新的風俗，民國初年，江南農村常有舉行。㊁七月是多風雨的季節，故須注意隄防壅塞，以免水患，猶如臺灣的防颱工作。坿亦是修補增築之意。㊂重幣是金帛之幣。

【今譯】這個月裏，農官進獻新穀，天子嘗食新米飯，先薦祭於祖廟。命令百官順應秋天收斂之意，施政要開始緊縮，注意隄防的完整，謹防壅塞，以備水患。修繕宮室，增補牆垣城郭，以免傾壞。同時，不可以分封諸侯，不可以設立大官，不可以分割土地，不可以增加金帛的支付，不可以派出使臣聘問他國。

行之是令，而涼風至三旬。孟秋行冬令、則陰氣大勝，介蟲敗穀，戎兵乃來。行春令、則其國乃旱，陽氣復還，五穀不實。行夏令、則多火災，塞熱不節，民多瘧疾㊀。

【今註】㊀春秋繁露五行五事篇「秋行春政則華，行夏政則枯，行冬政則落。秋失政則春大風不解，雷不發聲。」與本篇稍有不同。瘧疾是先寒後熱的時氣病，由傷暑傷風所致。

【今譯】孟秋時令如行之得宜，則一月之內涼風拂拂。如天時失調，孟秋而行冬令，則陰氣大勝，有甲殼的介蟲損害五穀，夷狄乃來寇掠。如行春令，則國家將有旱災，陽氣去而復還，五穀不能結實。如行夏令，則將多火災，天氣寒熱失調，人民多患瘧疾。

二曰蕩兵

【今註】蕩兵猶言用義兵以掃蕩暴政，故篇名一作用兵，是辨駁墨家非攻偃兵之說，全篇皆說明兵不可偃的理由。「古聖王有義兵而無有偃兵」句，一篇中重複四次，加重語意，以見義兵是必需的，偃兵是不當的。墨子學說的非攻，源於兼愛，攻必殺人，殺人即非兼愛之道，故墨子專論以非之，且研究守禦的器械與戰術。其實儒家亦反霸道，反侵略，惟其救世之道與墨家異，主張用義兵誅暴君而救苦民，故本篇說古聖王有義兵而無有偃兵。

古聖王有義兵而無有偃兵㊀。兵之所自來者上矣，與始有民俱㊁。凡兵也者威也，威也者力也，民之有威力、性也，性者所受於天也，非人之所能為也，武者不能革，而工者不能移。兵所自來者久矣，黃炎故用水火矣，共工氏固次作難矣，五帝固相與爭矣，遞興廢，勝者用事。人曰、蚩尤作兵，蚩尤非作兵也，利其械矣㊂，未有蚩尤之時，民固剝林木以戰矣。勝者為長，長則猶不足治之，故立君，君又不足以治之，故立天子。天子之立也出於君，君之立也出於長，長之立也出於爭，爭鬬之所自來者久矣，不可禁，不可止㊃，故古之賢王有義兵而無有偃兵。家無怒笞，則豎子嬰兒之有過也立見，國無刑罰，則百姓之悟相侵也立見㊄，天下無誅伐，則諸侯之相暴也立見。故怒笞不可偃於家，刑罰不可偃於國，誅伐不可偃於天下，有巧有拙而已矣㊅，故古之聖王有義兵而無有偃兵。

【今註】 ㈠偃兵是偃武修文、偃旗息鼓之意。㈡人與獸鬬時期，為爭生存，即用兵以自衞，故曰與始有民俱。㈢唐李筌太白陰經「上古庖犧氏剡木為兵，神農以石為兵，黃帝之時以玉為兵，蚩尤之時鑠金為兵。」鑠金為兵是利其械，至春秋戰國始進入鐵器時代，兵器始更為銳利。㈣高注「天生五材，民並用之，廢一不可，誰能去兵。兵之來久矣，聖人以治，亂人以亡，廢興存亡昏明之術也。故曰、不可禁，不可止。」㈤悟，畢校謂悟與忤通，是忤逆之意。㈥高注「巧者以治，拙者以亂。」

【今譯】 古代聖王有義兵而無有偃兵。兵是自從上古來的，與始有人類時一同來的。兵是表示威嚴，威嚴表示力量。人民的威力是天性，天性是受之於天，不是人所能為力，即使武力也不能改革，工巧也不能移易。兵所自來是久遠了，黃帝神農已經利用水火作兵器了，共工氏曾為爭帝位而用兵了，五帝實在相與爭天下了，或興或廢，爭勝的主宰天下。有人說，蚩尤作兵，蚩尤並不是開始作兵的，只是使兵器較為銳利而已。在蚩尤之前，人民曾經剝削樹木從事戰鬬了，戰勝的作首領；首領還不能管理眾人，所以推立君主；君主又不能治理羣眾，所以推立天子。天子的推立是由於君主，君主的推立是由於首領，而首領的推立則是由於爭鬬。爭鬬的所自來是很久遠的事了，不可禁，不可止，所以古代聖王有義兵而無有偃兵。一個家庭沒有父母怒笞的威嚇，那小孩的過失立刻可見；一個國家沒有嚴厲的刑罰，則百姓的忤逆相侵立刻可見；天下沒有義兵的誅伐，則諸侯的強淩弱，大兼小也立刻可見。所以怒笞不可偃於家，刑罰不可偃於國，誅伐不可偃於天下，祇看運用的方法有巧有拙而已，所以古代的聖王有義兵而無有偃兵。

夫有以饐死者，欲禁天下之食，悖㈠；有以乘舟死者，欲禁天下之船，悖；有以用兵喪其國者，欲偃天下之兵，悖。夫兵不可偃也，譬之若水火然，善用之則為福，不能用之則為禍；若用藥者然，得良藥則活人，得惡藥則殺人；義兵之為天下良藥也亦大矣㈡。且兵之所自來者遠矣，未嘗少選不用，貴賤長少賢者不肖相與同，有巨有微而已矣㈢。察兵之微，在心而未發，兵也；疾視，兵也；作色，兵也；傲言，兵也；援推，兵也；連反，兵也；侈鬥、兵也；三軍攻戰、兵也㈣。此八者皆兵也，微巨之爭也。今世之以偃兵疾說者，終身用兵而不自知，悖；故說雖彊、談雖辯、文學雖博，猶不見聽。

【今註】㈠饐即噎，是食物阻塞咽喉。㈡義兵誅伐天下的暴君，解救百姓的痛苦，比之良藥活人的效用更大。㈢少選是很短的時間。巨是大，微是小。㈣「在心而未發」是心中對人有怒意。「疾視」如瞪眼睛是有怒意。「作色」如勃然變色，是忿怒。「傲言」是輕侮他人。「援推」是拉之使來，推之使去。「連反」，畢校謂「當出易蹇爻辭，連與人也，反自守也，有同有異，而兵興矣。」「侈鬪」、許釋引孫鏘鳴補注「侈鬪即羣鬪鬪，侈猶恣。」

【今譯】有人由於食物阻塞咽喉而饐死，因而要禁用天下的食物，這是悖惑的；有人由於乘舟而墜水溺死，因而要禁用天下的船隻，這是悖惑的；有人由於用兵失敗而亡國，因而要偃止天下的兵事，這也是悖惑的。兵是不可偃止的，譬如水火一樣，用之得當就是福，用之不當就是禍；好像用藥一樣，用良藥則活人，用惡藥則殺人；那麼，義兵的濟時救世，其為天下良藥的效用也更大了。而且兵的所由來已很久遠了，未嘗短時間停止不用，不論貴賤、老少、賢不肖都是相同的，所不同的祇是有大有小而已。試觀察兵的微妙：在人心中未發的怒意、是兵；對人瞪眼、是兵；怒而作色、是兵；出言傲慢、是兵；拉來推去、是兵；連甲反乙、是兵；好勝狠鬭、是兵；三軍攻戰、是兵。這八種都是兵，所爭的有小有大罷了。現在世上有以偃兵宣傳者，而其本身一生都在用兵而迄未自知，這是悖惑的。所以他們的說辭雖強，口談雖辯，文學雖博，猶不能使人見聽。

故古之聖王有義兵而無有偃兵。兵誠義，以誅暴君而振苦民，民之說也，若孝子之見慈親也，若饑者之見美食也；民之號呼而走之，若彊弩之射於深谿也，若積大水而失其壅隄也。中主猶若不能有其民，而況於暴君乎㈠？

【今註】㈠孟子說「如有不嗜殺人者，則天下之民皆引領而望之矣。誠如是也，民歸之，由水之就下，沛然誰能禦之？」這是說義兵必得民心。

【今譯】　所以古代的聖王有義兵而無有偃兵。用兵如果真正合於道義，誅伐暴君而拯救疾苦的人民，那麼，人民的心悅誠服，猶如孝子看到慈親，猶如飢者看見美食一樣的高興；人民奔走呼號，羣相歸附的趨勢，有如強弩的射向深谿，有如江湖積水的失其隄防，無法抵禦，到了那個時候，普通的君主尚且不能保有其人民，何況於暴君呢？

三曰振亂

【今註】　振亂是拯救亂世之意，拯救亂世在於用義兵伐暴君而救苦民，故本篇所謂攻伐就是義兵。畢校「案此篇之論，其謂天下攻伐者之皆義兵乎？苟非義兵，則能救守者正春秋之所深嘉而樂予也，而此非也，是與聖賢之意相違矣。下篇雖稍持平，然亦偏主攻伐意多。」畢意是，惟此數篇實是本書的要義所在，因其時周室已亡，而六國未滅，故本篇開宗明義的說：「當今之世濁甚矣，黔首之苦不可以加矣，……世有賢主秀士，則其兵為義矣。」此即明言秦國應出兵攻伐六國，統一天下。

當今之世濁甚矣，黔首之苦不可以加矣㈠，天子既絕㈡，賢者廢伏，世主恣行與民相離，黔首無所告愬㈢，世有賢主秀士，宜察此論也，則其兵為義矣。天下之民且死者也而生，且辱者也而榮，且苦者也而逸。世主恣行，則中人將逃其君、去其親，又況於不肖者乎？故義兵至，則世主不能有其民矣，人親不能禁其子矣。

【今註】㊀當今之世是指戰國末期而言。黔首即人民，禮祭義正義「凡人以黑巾覆頭，故謂之黔首。」史記秦本記「分天下為三十六郡，更名民曰黔首。」㊁周赧王五十九年（西元前二五六年），赧王入秦，盡獻其地，周室乃亡。次年，秦取西周，後六年，秦滅東周，以呂不韋為相。後三年，秦始皇元年（西元前二四六年），國政悉決於呂不韋，秦始皇十年，呂不韋免相。本篇當作於呂不韋為相時，故曰天子既絕。㊂其時六國未滅，此處世主是指六國之王。

【今譯】當今之世混亂已甚了，百姓之苦不可以復加了，周室的政統既已斷絕，賢者廢伏而不見用，各國君主恣行暴虐，不與人民親近，人民的怨恨無從申訴。世上如有賢主志士，應該細察所論，舉兵除暴，則其兵是義舉了。使天下的人民將死的得以復生，將受辱的重見光榮，將痛苦的得以安逸。各國的君主恣行暴政，那中等以上的人將要逃離其君親而去，又何況下愚不肖的人呢？所以義兵一到，那些君主就沒有他們的人民了，父母亦不能禁止他們的子女不離散而去了。

凡為天下之民長也，慮莫如長有道而息無道，賞有義而罰不義。今之世學者多非乎攻伐，非攻伐而取救守㈠，取救守則鄉之所謂長有道而息無道、賞有義而罰不義之術不行矣。天下之長民，其利害在，察此論也㈡，攻伐之與救守，一實也，而取舍人異㈢，以辨說去之，終無所定論。固不知、悖也，知而欺心、誣也，誣悖之士，雖辨無用矣。是非其所取而取其所非也，是利之而反害之也，安之而反危之也。為天下之長患，致黔首之大害者，若說為深。夫以利天下之民為心者，不可以不熟察此論也。

【今註】㈠此段完全是反駁墨家的非攻，墨家主張非攻，一方面反戰爭，反侵略，一方面從事被攻國的救守工作，故曰非攻伐而取救守。㈡長民是為民之長，即上文的民長。「其利害在察此論也」，即要察此論的利害所在。㈢攻伐要用兵，救守亦要用兵，其實相同，故曰一實也。許釋引孫鏘鳴高注補正「或取攻伐而非救守，或取救守而非攻伐，人各異說，故下文云無所定論。」意較明白。

【今譯】大凡為天下人民之長的，都謀慮應該助長有道而抑制無道，賞賜有義而懲罰不義；可是今世的學者多反對攻伐，為反對攻伐而採取救守，採取救守則前此所謂助長有道而抑制無道、賞賜有義而懲罰不義的原則，便行不通了。所以天下為民之長的人，應該明察這論辯的利害所在，攻伐之與救守都要用兵，實質是一樣的；而或取攻伐而非救守，或取救守而非攻伐，人各異說，要以辯說決定取捨，始終沒有得到定論。學者如果不知道這樣做是不會有定論的，這就是悖惑；如果明知其無結果而自欺欺人，這就是誣妄。誣妄悖惑的學者，雖然所說甚辯，其實是無用了，這是反對他所主張的，而主張他所反對的，是本欲利之而反害之，本欲安之而反危之，造成天下的長久禍患，導致人民的更大災害，沒有比這辯論更厲害了。凡是要救國家民族的仁人志士，不可不熟察這辯論的實情。

夫攻伐之事，未有不攻無道而罰不義也，攻無道而伐不義，則福莫大焉，黔首利莫厚焉。禁之者是息有道而伐有義也，是窮湯武之事而遂桀紂之過也。凡人之所以惡為無道不義者，為其罰也，所以蘄有道行有義者，為其賞也。今無道不義存，存者賞之也，而有道行義窮，窮者罰之也，賞不善而罰善，欲民之治也，不亦難乎？故亂天下、害黔首者，若論為大㊀。

【今註】㊀此段是申明攻伐是義兵，禁止攻伐就無異於助長無道與不義，故曰：亂天下，害黔首者，若論為大。

【今譯】所謂攻伐的目的，是沒有不攻無道而罰不義，攻無道而罰不義，對於國家社會是最大的幸福，對於人民是最大的利益。假使因主張非攻而禁止攻伐，這就等於抑制有道而懲罰有義，也就是阻止湯武征誅之事而助長桀紂的過失。大概一般人所以不願意做無道不義的事，是恐怕要受法律正義的懲罰；所以希望有道、力行有義的事，是為的有賞。現在由於禁止攻伐，使無道不義得以存在，存在就是賞之；而有道行義反而阻止，阻止就是罰之。賞不善而罰善，道德法律都失了效用，如此而希望人民向善，不是很難的嗎？所以亂天下、害百姓的，沒有比這些非攻論更大了。

四曰禁塞

【今註】 禁塞是禁止阻塞當時墨者的救守之說，篇中一再說明救守之事是守無道而救不義，反而加重天下人民的禍害，此與孟子對宋牼說秦楚罷兵有義利的不同一章相似。文中世有興主仁士是暗指秦國而言，可知其時呂不韋急欲用兵滅六國而統一天下，而對於墨者救守之說尚有所顧忌。上篇以除暴救兵反對非攻，此篇則以明辨義利禁塞救守，兩篇的用意是一樣的。

夫救守之心，未有不守無道而救不義也㈠，守無道而救不義，則禍莫大焉，為天下之民害莫深焉。凡救守者，太上以說，其次以兵。以說則承從多羣㈡，日夜思之，事心任精，起則誦之，臥則夢之。自今單脣乾肺，費神傷魂㈢，上稱三皇五帝之業以愉其意，下稱五伯名士之謀以信其事，早朝晏罷，以告制兵者，行說語眾以明其道，道畢說單而不行，則必反之兵矣。反之於兵，則必鬭爭之情，必且殺人，是殺無罪之民，以興無道與不義者也，無道與不義者存，是長天下之害，而止天下之利，雖欲幸而勝，禍且始長。

【今註】㈠許釋引陶鴻慶札記謂救守之心當為救守之事，按此句或有脫簡，其原意似為救守之心，未有守無道而救不義，而其事未有不守無道而救不義。㈡許釋謂承從多羣當作聚徒成羣，墨者鉅子都是隨從眾多的。㈢單即殫，單脣乾肺是舌敝脣焦之意。

【今譯】主張救守的本意，未有守無道而救不義，而事實上未有不守無道而救不義；守無道而救不義，則禍亂沒有大於此者，為害天下的人民亦沒有深於此者。大凡救守之道，最高明的是要用言辭說服，其次則用兵力。用言辭游說就要隨從眾多，日夜研思揣摩，勞心竭精，朝起熟誦說辭，夜睡還要夢到。自此舌敝脣焦，勞神傷魂，上引三皇五帝的事業以誘發其興趣，下述五霸名士的智謀以證明其事實，早上朝見時開始說，直到晚上退朝時為止，以告訴主兵者，說辭繁多，務求能說明救守之道，這樣的把應說的都說完了，終不見聽從，那麼必定回頭用兵力來威脅了。回到用兵，就必定發生鬬爭情事，鬬爭必將殺人，這就是殺了無罪的人民，而使無道與不義得以復興。無道與不義的存在，這就是助長天下的災害，而阻止天下的福利，雖然僥倖得勝，可是禍亂將從此滋長。

先王之法曰：「為善者賞，為不善者罰」，古之道也，不可易。今不別其義與不義㈠，而疾取救守，不義莫大焉，害天下之民者莫甚焉。故取攻伐者不可，非攻伐不可；取救守不可，非救守不可；取、惟義兵為可㈡。兵苟義，攻伐亦可，救守亦可；兵不義，攻伐不可，救守不可㈢。

【今註】㈠此段說明攻伐與救守，都要辨別其義與不義，中庸「義者宜也」，孟子「惟義所在」，萬事的處理都應以義為標準，非獨攻守已也。㈡許釋引陳昌齊正誤：「據文義當以四不可截句，二非字連下讀，非救守不可下衍取字，與下文三可二不可一氣貫注，高注誤讀，因而誤注也。」又引陶鴻慶札記亦同。按陳說是，惟非救守不可下「取」字亦非衍，應連下句讀。這數句是說：如於義不可攻不可伐，則取攻伐者固然不可；但如於義可攻可伐，則非攻伐者亦不可。又如於義不當救不當守，則取救守者固然不可；但如於義當救當守，則非救守者亦不可。因此，如有所取，惟義兵為可。㈢「兵苟義，攻伐亦可」，高注「以有道攻伐無道，故司馬法曰，以戰去戰，雖戰可也。」「救守亦可」，高注「謂諸侯思啟封疆，以無道攻有道，雖救之可也，拯困設守亦可也。」「兵不義，攻伐不可」，高注「若以桀紂之兵攻伐湯武，曷當可乎？」「救守不可」，高注「桀紂堅守，而往救之，亦不可也。」

【今譯】先王的法律說：「為善者賞，為不善者罰。」這是自古以來所公認的道理，不可變易。現在如果不辨別其事的義與不義，而很快的採取救守的行動，這是非常不義的，為害天下的人民沒有甚於此者。所以取攻伐者固有不可，非攻伐亦有不可；取救守固有不可，非救守亦有不可；如有所取，惟義兵為可。用兵如合於義，攻伐亦可，救守亦可；如不合於義，攻伐不可，救守亦不可。

使夏桀殷紂無道至於此者，幸也；使吳夫差智伯瑤侵奪至於此者，幸也㈠；使晉厲陳靈宋康不善至於此者，幸也㈡。若令桀紂知必國亡身死，殄無後類，吾未知其厲為無道之至於此也。吳王夫差智伯瑤知必國為丘墟，身為刑戮，吾未知其為不善無道侵奪之至於此也。晉厲知必死於匠麗氏，陳靈知必死於夏徵舒，宋康知必死於溫，吾未知其為不善之至於此也。此七君者大為無道不義，所殘殺無罪之民者，不可為萬數，壯佼老幼胎贕之死者㈢，大實平原，廣堙深谿大谷，赴巨水積灰，填溝洫險阻，犯流矢，蹈白刃，加之以凍餓饑寒之患，以至於今之世，為之愈甚，故暴骸骨無量數，為京丘若山陵。世有興主仁士，深意念此，亦可以痛心矣，亦可以悲哀矣。察此其所自生，生於有道者之廢，而無道者之恣行。夫無道者之恣行，幸矣。故世之患，不在救守，而在於不肖者之幸也，救守之說出，則不肖者益幸也，賢者益疑矣。故大亂天下者，在於不論其義而疾取救守。

【今註】㊀幸是儌幸，意外的幸運，所舉七君，大為無道不義，因為他們不知道無道不義的後果必定要國亡身死，所以儌幸一時，愈益無道不義。㊁夏桀的無道見簡選、離俗、慎大、具備、過理各篇；殷紂的無道見簡選、行論、順民、貴因、過理各篇。吳夫差的侵奪見長攻、察傳、知化、自知各篇；智伯瑤的侵奪見不侵、義賞、權勳、自知、察傳各篇。晉厲公的不善見驕恣篇；陳靈公的不善見似順篇；宋康王的不善見過理、偽報、自知各篇。㊂壯佼老幼胎𧖙之死者至為京丘若山陵一節，是「所殘殺無罪之民者不可為萬數」一句的說明。壯使是多力之人，見仲夏篇註。胎是未生的胎兒，𧖙是已生的嬰孩（如初生牛為犢）。赴積灰是指人放火自焚，積骨成灰。京丘是古時戰爭殺人，合土築之以為京觀，京觀高大，故曰京丘。

【今譯】使夏桀殷紂的暴虐無道到了這個地步，是意外的幸運；使吳王夫差、晉智伯瑤的侵奪無厭到了這個地步，是意外的幸運；使晉厲公、陳靈公、宋康王的侈淫不義到了這個地步，也是意外的幸運。假使桀紂知道暴虐無道必定會國亡身死，宗祀斷絕，吾不相信他們會怙惡不悛到了這個地步；假使吳王夫差、晉智伯瑤知道侵奪無厭必定會國為丘墟、身為刑戮，吾不相信他們會肆行無忌到了這個地步；假使晉厲公知道淫侈無知必定會死於匠麗氏，陳靈公知道淫亂無行必定會死於夏徵舒，宋康王知道侵伐無已必定會死於溫邑，吾不相信他們的不義不善會到了這個地步。這七位君主的無道不義，真是罪大惡極，他們所殘殺的無罪百姓不可勝數：壯健老幼胎兒嬰孩被害死的，其人數之多，可以填滿平原，可以塞盡深谿大谷；還有自沈大水冲散無蹤，亦有放火自焚燒積成灰，填塞了溝洫險阻；有的參加戰鬪，犯流矢、蹈白刃而死；再加以凍餓饑寒的禍患；這些慘痛的情形一直到了當今之世，更是厲害，所以到處暴露骸骨，無可計數，堆積成的京丘如同山陵一樣的高大。世有興主仁人，痌瘝為懷，言念及此，亦可以痛心了，亦可以悲哀了。我們察知此種慘事所以發生，是由於有道者廢伏不用，而無道者得以恣行不義。無道者的恣行不義，實在是意外的幸運了。所以世局的禍患，不在於救守，而在於不肖者有意外的幸運。救守之說一出，不肖不義的人益多意外的幸運了，賢人君子愈益懷疑而徬徨失措了。所以使天下大亂的原因，在於不辨其義而迅即採取救守。

五曰懷寵

【今註】　懷寵是治國九經中的柔遠人、懷諸侯之意，全文是以義兵相號召，所以在用兵攻伐時，要先發聲出號曰：「兵之來也，以救民之死……將以誅不當為君者也，以除民之讎而順天之道也。民有逆天之道、衞人之讎者，身死家戮不赦；有能以家聽者，祿之以家，以里聽者祿之以里，以鄉聽者祿之以鄉，以邑聽者祿之以邑，以國聽者祿之以國。」完全是懷柔招徠的作用。

凡君子之說也，非苟辨也，士之議也，非苟語也，必中理然後說，必當義然後議。故說義而王公大人益好理矣，士民黔首益行義矣㊀，義理之道彰，則暴虐姦詐侵奪之術息也。暴虐姦詐之與義理反也，其埶不俱勝，不兩立，故兵入於敵之境，則民知所庇矣，黔首知不死矣，至於國邑之郊，不虐五穀，不掘墳墓，不伐樹木，不燒積聚，不焚室屋，不取六畜，得民虜奉而題歸之㊁，以彰好惡，信與民期，以奪敵資，若此而猶有憂恨冒疾、遂過不聽者，雖行武焉亦可矣㊂。

【今註】㊀理，高注「義也」，士民是人民中的俊秀者，黔首是普通人民。此節正如孟子告宋牼說：「先生以仁義說秦楚之王，秦楚之王悅於仁義而罷三軍之師，是三軍之士樂罷而悅於仁義也，……是君臣父子兄弟去利、懷仁義以相接也。」㊁「題歸」：許釋引陳昌齊正誤謂題字衍，並引亢倉子作得人虜屋而歸之，尹校據刪。㊂「憂恨冒疾、遂過不聽者」，許釋引王念孫校本謂憂恨當作愎很，逸周書謚法篇愎很遂過曰剌。荀子成相篇恨復遂過不肯悔，恨復與很愎同。許謂王說是，亢倉子正作愎狠。按原文亦可通，惟改愎很義較佳。

【今譯】大凡君子的說辭不是苟且強辯的，賢士的議論不可隨便發言的，必須合理然後說，必須當義然後言。說辭合於義理，於是王公大人愈益好義了，而士民黔首愈益向善了。義理彰明則暴虐奸詐侵奪的行為因而息滅。暴虐奸詐是與義理相反的，勢不俱勝、不兩立，所以當義兵進入敵國邊境時，則敵國的人民知道有所庇護了，百姓知道不會被殺死了。到了國邑的郊外時，不損害五穀，不發掘墳墓，不斫伐樹木，不燒毀積聚，不焚燒房屋，不掠取六畜，獲得俘虜就奉送歸還，以表明其君雖惡，其民無罪，要以信義與人民相期，以爭取敵國的民心。這樣的做，如果仍然有人愎很干犯，不肯服從，那就用武力打擊，亦沒有不可以了。

先發聲出號曰：兵之來也，以救民之死㈠。子之在上無道，据傲㈡，荒怠，貪戾虐眾；恣睢自用也，辟遠聖制，謷醜先王㈢，排訾舊典；上不順天，下不惠民，徵斂無期，求索無厭，罪殺不辜，慶賞不當。若此者，天之所誅也，人之所讎也㈣，不當為君。今兵之來也，將以誅不當為君者也，以除民之讎而順天之道也，民有逆天之道，衞人之讎者，身死家戮不赦。有能以家聽者，祿之以家，以里聽者、祿之以里，以鄉聽者、祿之以鄉，以邑聽者、祿之以邑，以國聽者、祿之以國。故克其國不及其民，獨誅所誅而已矣。舉其秀士，而封侯之，選其賢良而尊顯之，求其孤寡而振恤之，見其長老而敬禮之，皆益其祿、加其級。論其罪人而救出之，分府庫之金，散倉廩之粟，以鎮撫其眾，不私其財。問其叢社大祠㊄，民之所不欲廢者而復興之，曲加其祀禮㈥。是以賢者榮其名、而長老說其禮、民懷其德。

【今註】㈠「發聲出號」是對敵國人民發出號召的呼籲，猶如現代用公告、傳單、或廣播，告訴他們是來救他們的，「子之上無道」至「不當為君」是指責所伐國之君，以下是告誡所伐國的民眾。㈡子是指所伐國之民。据傲即踞傲，是傲慢不講理，荒怠是荒淫不理國事，恣睢是任意放縱。㈢謷（ㄠ）是妄語，訾（ㄗ）是詆毀。辟遠、謷醜、排訾都是反對舊的。㈣傐人之讎是保傐無道之君。㊄叢社就是土地廟，古時常選擇在大樹下立社而祀之，叫做叢社。墨子明鬼下「必擇木之修茂者立以為叢社。」㈥許釋引陶鴻慶禮記「皆益其祿、加其級，當在而尊顯之下。益祿加級，禮賢之事也；下云分金散粟，惠民之事也。」按陶說是。

【今譯】先發布號令說：義兵的來攻，是要救人民的生命。你們的國君無道，傲慢荒怠，貪暴虐眾，而且恣意放縱，剛愎自用，遠棄聖制，詆毀先王，排除舊典；上不能順天，下不能愛民，徵斂無度，求索無厭，殺戮良民，慶賞不當。這樣的行為是天意所當誅，是人民所仇恨，不應該做國君。現在義兵的來到，是要誅戮不應該做國君的人，以除去人民的仇敵而順應上天的旨意。你們人民如果有違背上天的旨意，要保衞人民的仇敵，那就要身死家戮，不予寬赦。有人能以一家聽命者，給以一家之祿，以一里聽命者，給以一里之祿，以一鄉聽命者，給以一鄉之祿，以一邑聽命者，給以一邑之祿，以一國聽命者，給以一國之祿。所以克勝其國，不罪其民，祇是誅殺所應殺的而已了。於是推舉俊秀予以封侯，選拔賢良授以高位，都增加他們的俸祿，加升他們的官等；而且振卹其孤寡，敬禮其長老，減輕囚犯的罪刑，分發府庫中的財貨，發給倉廩中的糧食，以救濟羣眾使各安心，義兵決不私取財物。又要查明那些里社大祠是當地所不要廢除的，重新予以修建，特別加以祭禮。因此，所伐國的賢者以尊顯為榮，長老以敬禮而心悅，而一般人民更懷念其德澤。

今有人於此，能生死一人，則天下必爭事之矣。義兵之生一人亦多矣，人孰不說？故義兵至，則鄰國之民歸之若流水，誅國之民望之若父母，行地滋遠，得民滋眾，兵不接刃而民服若化㊀。

【今註】㊀義兵的攻伐是為的救民，所以所伐國以及其他鄰近國家的人民，都歸之若流水，望之若父母，正如孟子所說百姓簞食壺漿以迎王師的情形。

【今譯】現在有人能救活一個人，那麼大家都要奉承他了，而義兵救活的人也太多了，還有什麼人不心悅呢？所以義兵所到之處，鄰近國家的人民都要歸向有如流水一樣的不可抵禦，所伐國的人民更企望義兵早來，有如兒女企望其父母一樣，義兵所到的地方愈遠，得民愈多，都是不要交戰而天下人民若被其教化而心悅誠服。

卷八　仲秋紀

第八，凡五篇

一曰仲秋

【今註】　仲秋是夏曆的八月，八月十五日為秋之半，後世稱為中秋節，其時亦為秋分，白露時降，天氣涼爽。重要政令為整理衣服，以準備秋涼，修理倉儲，以貯藏穀物，開放關市，以暢通財貨，申嚴刑罰，以禁止奸邪。一切政令措施及人民生活，都不可違背天道，必須順應自然，因時制宜。如果天時失宜，氣候不調，則災異並出，人民將大感惶恐。

仲秋之月，日在角㈠，昏牽牛中，旦觜巂中。其日庚辛㈡，其帝少皞，其神蓐收。其蟲毛，其音商，律中南呂，其數九。其味辛，其臭腥，其祀門，祭先肝。涼風生，候鴈來㈢，玄鳥歸，羣鳥養羞。天子居總章太廟㈣，乘戎路，駕白駱，載白旂，衣白衣，服白玉。食麻與犬，其器廉以深。

【今註】　㈠角是東方宿，今屬室女座，角宿兩星相對如龍角，兩星之間，是太陽黃道通過的軌道。

牽牛即牛宿，是北方宿，今屬摩羯座。觜（ㄗㄨㄟˇ）巂（ㄒㄧ）即觜宿，是西方宿，今屬獵戶座。㈡「其日庚辛」一節與孟秋紀同。南呂見音律篇。㈢候雁來已見孟春紀註。玄鳥是燕子，春分北來，秋分南飛。羞，月令鄭注「謂所食也」，寒氣將至，羣鳥進食養其毛羽，以抵禦涼風，即所謂秋毫。㈣總章太廟是明堂西方總章的中央一室。

【今譯】仲秋八月，太陽在南方角宿，向晚時可以望見北方的牽牛星上升在南方中天，向曉時則見西方的觜巂出現在南方中天。八月的日干是庚辛，上應的天神是金德的少皞和金官之神蓐收。應時的動物是毛類，應時的音律是商音和南呂，其數為九。其味為辛，其臭為腥，其祀為門，而祭以肝為先。其時涼風已起，候鴈南來，玄鳥南歸，羣鳥進食養其毛羽，以禦寒氣。天子順應天時，移居總章的太廟，出則乘兵車，駕白駱，載白旂，穿白衣，佩白玉。食則以麻與犬為主，用器要平直正方而容量深邃的。

是月也，養衰老，授几杖，行麋粥飲食㈠。乃命司服具飭衣裳，文繡有常，制有小大，度有短長，衣服有量，必循其故，冠帶有常㈡。命有司申嚴百刑，斬殺必當㈢，無或枉橈，枉橈不當，反受其殃。

【今註】㈠八月天氣漸寒，老年人身體衰弱，故供養之。周禮大羅氏掌獻鳩杖以養國老，此即「杖朝」「杖國」的由來。櫜與糜同，爾推「粥之稠者曰糜」，其時正農家秋成之候，故施行糜粥飲食之禮。漢代八月比戶賜高年鳩杖粉粢，今以九月九日為敬老節，亦是此意。敬老養老是人類幸福的美德，中華文化尤為重視，所以大學說「上老老而民興孝。」㈡高注「司服、主衣服之官，將飭正衣服，故命之也。上曰衣，下曰裳。青與赤謂之文，五色備謂之繡。周禮，司服掌王之吉服，祀昊天上帝則大裘而冕，祀五帝亦如之，享先王則袞冕，享先公饗射則鷩冕，祀四望山川則毳冕，祭社稷五祀則絺冕，羣小祀玄冕，凡兵事韋弁服，視朝則皮弁服，皮者鹿皮冠，服者素積也，故曰小大、短長、冠帶有常也。」這就是古代的繁文縟禮，惟今日的重要集會對於參加人員的服制，亦有所規定，可見禮制是重要的。㈢有司是指司法官吏。百刑是極言刑罰種類的繁多。斬是軍刑，殺是獄刑。

【今譯】　這個月裏，要養護年高衰弱的老人，授以几杖，扶助其行坐，施贈糜粥飲食。於是命管理衣服的官吏，整理所有的禮服，上衣下裳的文繡都依照規定標準，衣服的小大短長，都有一定的制度，日常所用衣服的數量，必須依循從前的習慣，就連冠帶式樣亦要有一定標準。再命司法人員申明百刑，嚴厲執行，斬殺的重刑必須求其確當，不可有枉法徇情，如果有枉法不當，司法人員要受誣反之罪。

是月也，乃命宰祝巡行犧牲㈠，視全具，案芻豢，瞻肥瘠，察物色，必比類，量小大㈡，視長短，皆中度，五者備當，上帝其

享。天子乃儺㊂，禦佐疾以通秋氣。以犬嘗麻，先祭寢廟。

【今註】㊀宰祝是太宰、太祝，都是主管祭祀的官吏，太宰管理祭祀用的犧牲，太祝主管祭祀的儀式、祝辭。全具是飼養牲畜的全部用具及祭祀用的俎豆。芻豢是飼養牲畜的芻草穀物。都要察看調查，如有損壞缺少，就要修繕補充。㊁本節所用的視、案、瞻、察、量都是仔細觀察的意思，視瞻、察量常連用，案有泛視審定之意，量有審察推測之意，瞻有遠視意，察有自上向下審視意。物色是指外表的毛色。類是指犧牲的種類比照祭祀所用分別估計。五者是指肥瘠、毛色、類別、小大、長短。㊂儺是驅逐疫癘、祓除不祥的祭名，已詳季春紀註。禦佐是抵禦治療之意，疾是疫癘。

【今譯】這個月，命主管祭祀的太宰太祝巡視祭祀用的犧牲，先視察飼養牲畜的全部用具及俎豆是否齊備，調查飼料芻草是否充足。再察看牲畜的肥瘦和毛色，必須確實計算各種祭祀所要用的犧牲類別，量度牲畜的小大、長短是否合於標準。這五項都準備得當，才可以應付祭祀上帝所用。於是天子舉行儺祭，以抵禦疫疾，以通達秋天肅殺之氣。同時要嘗食犬與麻，先薦於祖廟。

是月也，可以築城郭，建都邑，穿竇窌，修囷倉㊀。乃命有司趣民收斂，務蓄菜㊁，多積聚。乃勸種麥，無或失時，行罪無疑。

【今註】㊀是月農事已畢，故可以聚大眾，築城郭，建都邑。高注「穿水通竇，不欲地泥溼也。穿窌（ㄆㄠˋ，地窖）所以盛穀也。修治囷倉，仲秋大內穀當入也，圓曰囷（ㄐㄩㄣ），方曰倉。」㈡蓄菜高注「乾苴之屬也，詩云：亦有旨蓄，以御冬也。」按即鹽菜或乾菜，多蓄積可長久食用。

【今譯】 這個月，秋收已成，農事稍暇，可以修築城郭，可以建設都邑，可以穿鑿水竇地窖，可以修理倉屯。於是命主管官吏督促百姓收集所種植的農作物，務必貯蓄乾菜，多多積聚，以備冬季食用。接著勸告農民種麥，不可失時，其有失時，將依法處罰，決不寬恕。

是月也，日夜分㈠。雷乃始收聲，蟄蟲俯戶㈡。殺氣浸盛，陽氣日衰，水始涸。日夜分則一度量，平權衡，正鈞石，齊斗甬㈢。

【今註】 ㈠「日夜分」是秋分，太陽自北向南，正一百八十度，直射赤道上，南北兩半球晝夜均分。秋分之後，晝短夜長，至冬至為止。秋分在陽曆是九月廿三日或廿四日。㈡春分雷乃發聲，秋分雷始收聲。俯戶、月令作坏戶，坏同坿，謂將蟄之蟲以泥土修補其所蟄居之戶。此處作俯戶，高注「將蟄之蟲俯近其所蟄之戶」，亦可通，與季秋「蟄蟲咸俯其穴，皆墐其戶，」相應。惟下文謂仲秋行夏令，則蟄蟲不藏，俯戶當是入藏了。㈢本節統一度量衡的標準，已見仲春紀，斗是斗，甬是桶，即斛。

【今譯】 這個月裏是秋分，雷始收聲，蟄蟲準備入藏而俯伏於穴口。秋天的肅殺之氣漸盛，陽氣日衰，水將涸竭。其時晝夜均分，如同春分一樣，要統一度量，平均權衡，校正鈞石，齊一斗斛。

是月也，易關市，來商旅，入貨賄，以便民事㈠。四方來襍，遠鄉皆至㈡，則財物不匱，上無乏用，百事乃遂。凡舉事無逆天數，必順其時，乃因其類。

【今註】㈠高注「易關市，不征稅也。貨賄，財賂也。以所有易所無，民得其求，故曰以便民事。」按周禮天官「金玉曰貨，布帛曰賄。」㈡襍即集合，關市不征，故遠鄉皆至。

【今譯】這個月裏，關市不要征稅，招徠商旅，輸入金玉布帛各類財貨，以便利人民，使各得所求。如此則四方商旅齊集，僻遠鄉邑的百姓都來，那麼各種貨物不怕缺少，政府財政亦復充裕，百事乃得順利進行。大凡政令措施及人民生活不要違背天道，必定順應天時，因時制宜。

行之是令，白露降三旬㈠。仲秋行春令，則秋雨不降，草木生榮，國乃有大恐㈡。行夏令、則其國旱，蟄蟲不藏，五穀復生㈢。行冬令，則風災數起，收雷先行，草木早死㈣。

【今註】㈠白露降、秋分前為白露（孟秋紀「白露降」），後為霜降，就是說白露後十五日為秋分，秋分後十五日為霜降，天時正常，則白露降三十日以成萬物。㈡高注「天陽亢燥而行溫仁之令，故雨不降；尚生育故草木榮華，李梅之屬冬實也，金木相干，有兵象，故曰民有大惶恐也。」㈢高注

「夏氣盛陽，故炎旱；使蟄伏之蟲不潛藏，五穀復萌生也。」㊃高注「冬寒嚴猛，故風災數發，收藏之雷先動，行未當行，故曰先也。」按上文謂日夜分，雷乃始收聲，此謂收雷先行，是不待秋分而先收聲。

【今譯】 仲秋時令如行之得宜，則白露降三十日以成萬物。仲秋如行春令，則秋雨不降，草木得春氣而復榮茂，國家將有兵亂的惶恐。如行夏令，則其國將有旱災，蟄蟲因暑熱而不入藏，五穀亦復萌生。如行冬令，則風災數起，雷聲先收，草木因寒氣而早枯。

二曰論威

【今註】 論威是論用兵以威武而勝，而威武之立由於義。春秋繁露仁義法篇「以仁安人，以義正我。」上卷懷寵篇「兵之來也，以救民之死」，是以仁安人。本篇「過勝之，勿求於他，必反於己，」是以義正我。所以下文說：「三軍一心，則令可使無敵矣，」是說義兵的紀律；「急疾捷先，此所以決義兵之勝也。」是說義兵的神速；「威所以懾之也，敵懾民生，此義兵之所以隆也。」是說義兵的威武。因此，義兵要克敵致勝，必反求於己，整飭紀律，以義立威。

義也者萬事之紀也，君臣上下親疏之所由起也，治亂安危過

勝之所在也㈠。過勝之，勿求於他，必反於己。人情欲生而惡死，欲榮而惡辱，死生榮辱之道一，則三軍之士可使一心矣。凡軍欲其眾也，心欲其一也，三軍一心，則令可使無敵矣，令能無敵者，其兵之於天下也亦無敵矣，古之至兵㈡。民之重令也，重乎天下，貴乎天子，其藏於民心，捷於肌膚也，深痛執固㈢，不可搖蕩，物莫之能動，若此則敵胡足勝矣㈣。故曰其令彊者其敵弱，其令信者其敵詘㈤，先勝之於此，則必勝之於彼矣。

【今註】㈠「過勝」：高注「過猶取也」，尹校引孫鏘鳴正誤「過猶負也，敗也」，許釋引陶鴻慶札記「取乃敗字之誤，過勝猶言敗勝。下文過勝之下，亦當有所在二字。」按陶說可取。㈡「古之至兵」：許釋引俞樾平議「古乃謂之誤，涉下文故古之至兵句而誤也。謂之至兵四字為句，乃結上之詞，當連上文讀之。……高氏本於此下出注曰，至兵至德君之兵也，令無不化，故謂之至兵也；今誤移注文於民之重令也下，乃改注文至兵為至重，而文義俱乖矣。」按俞說是。㈢「民之重令也」的民就是兵，重乎天下、貴乎天子，猶今言愛國家，愛領袖。捷、許釋引洪頤煊「捷古字通作接，謂相接續也」。「深痛執固」是深入人心、牢不可破之意。㈣「敵胡足勝」是說戰勝敵人極其輕易。㈤令彊是不可犯，令信是賞罰嚴明。令彊令信是反求於己，能使敵弱而屈服，故下文謂先勝於此，則必勝之於彼矣。

【今譯】義是萬事的綱紀，君臣上下親疏的辨別是由此起，治亂安危敗勝的關鍵是在於義。敗勝的所在，勿求於他人，必須反求諸己。因為人情大都貪生而怕死，貪榮而惡辱，死生榮辱祇有一條路可走，則三軍的士兵可使萬眾一心了。大凡用兵之道，軍隊是希望多多益善，而眾多士兵的心則希望能夠合一，三軍一心，則軍令貫徹可使所向無敵了，令能無敵的義兵，亦可無敵於天下了，這叫做至德至強之兵。人民的重視法令，就是重視天下，尊奉天子，這一觀念藏於民心，接於肌膚，根深蒂固，不可搖動，沒有外物能使之移易，這樣情形，攻伐敵人是可以輕易取勝了。所以說，一個國家的法令堅強，則敵人勢弱；法令嚴明，則敵人屈服。先在民心士氣上求勝，則必能戰勝於疆場之上了。

凡兵，天下之凶器也，勇，天下之凶德也㊀。舉凶器、行凶德，猶不得已也，舉凶器必殺，殺所以生之也㊁，行凶德必威，威所以懾之也㊂，敵懾民生，此義兵之所以隆也。故古之至兵才民未合㊃，而威已諭矣，敵已服矣，豈必用枹鼓干戈哉？故善諭威者，於其未發也，於其未通也，窅窅乎冥冥，莫知其情㊄，此之謂至威之誠。

【今註】㊀兵器可用以殺人，故為凶器。勇是智仁勇三達德之一，勇者威猛，故為凶德。㊁高注

「殺無道即所以生有道」，故曰殺所以生之也。㊂高注「威，畏也；懾，懼也。以威畏敵人，使之畏懼己也。」故曰威所以懾之也。㊃「才民」：畢校謂應作士民。按才民即下簡選篇的「精士練材」，孟秋紀「命將帥選士厲兵，簡練桀儁」，高注「材過萬人曰桀，千人曰儁。」可知才民是軍隊中有材能而特別受過訓練的精士練材，並非一般士民。㊄窅即窈（一ㄠˇ），窅窅乎冥冥是深邃奧妙之意，淮南兵略篇「窈窈冥冥，孰知其情。」

【今譯】兵器是天下的凶器，勇敢是天下的凶德，舉凶器，行凶德，是不得已的事。可是舉凶器必定殺人，殺無道實所以使人民得生；行凶德必施威力，施威力實所以畏懾敵人。敵生畏，民得生，這就是義兵所以興盛的理由。所以古代的至德至強之兵，精士練材尚未交戰，而威力已曉諭了，敵人已降服了，何必再用枹鼓干戈呢？所以善於用威的人，是在於威力未發未達的時候，深邃奧妙，無法知道威力的真相，這才叫做至威的實情。

凡兵欲急疾捷先㊀，欲急疾捷先之道，在於知緩徐遲後，而急疾捷先之分也㊁。急疾捷先、此所以決義兵之勝也，而不可久處；知其不可久處，則知所兔起鳧舉死殙之地矣㊂，雖有江河之險則淩之，雖有大山之塞則陷之，幷氣專精㊃，心無有慮，目無有視，耳無有聞，一諸武而已矣。冉叔誓必死於田侯，而齊國皆懼㊄，豫讓必死於襄子，而趙氏皆恐㊅，成荊致死於韓主，而周人皆畏㊆，又況乎萬乘之國而有所誠必乎？則何敵之有矣，刃未接而欲已得矣。敵人之悼懼憚恐，單蕩精神盡矣，咸若狂魄㊇，形性相離，行不知所之，走不知所往，雖有險阻要塞、銛兵利械，心無敢據，意無敢處，此夏桀之所以死於南巢也。今以木擊木則拌㊈，以水投水則散，以冰投冰則沈，以塗投塗則陷，此疾徐先後之勢也。

【今註】㊀此段是說既戰之後，必須速戰速決，速求勝利，正如孫子兵法所說「兵貴勝，不貴久。」「故兵聞拙速，未睹巧之久也，夫兵久而國利者，未之有也。」所謂急疾捷先，亦正如孫子所說「其疾如風」「動如雷霆」的閃電戰術。捷先是捷足先登。㊁畢校謂「而」字御覽作緩徐遲後四字。許釋謂「而猶與也，言欲急疾捷先之道，在於知緩徐遲後與急疾捷先之分也，御覽不可從。」按許釋是。㊂「兔起鳧舉」是喻急疾。死殙（ㄇㄣˋ）之地是不可久處之地。尹校謂「此句疑有缺誤」，實以文義難明。按此句意謂既知其不可久處，那就知所以急疾離開這不可久處之地了。如何急疾離開呢？要猶如兔走鳧飛那樣快速，雖有江河之險，大山之塞，亦勇往直前，無所顧慮，故下文曰一諸武而已矣。㊃「幷氣」，許釋「幷為屏之初文，論語鄉黨篇云：屏氣似不息者。說文：屏，蔽也。」

此說臨事敬慎，呼吸平均吐納，如無呼吸。㊄冉叔事，畢校謂無考，高注亦不明。㊅豫讓為智伯報仇，欲殺趙襄子，事見本書序意、不侵、恃君各篇。㊆成荊是勇士，事見戰國策韓策及淮南齊俗訓。㊇高注「魄飛蕩若狂人」。㊈拌（ㄆㄢˋ）高注「裂也」。

【今譯】大凡用兵要急疾捷先，要做到急疾捷先，在於瞭解緩徐遲後與急疾捷先的分別。這急疾捷先是決定義兵所以得勝的重要因素，也就是說義兵不可久處不動；知道了不可久處不動，那就知道要如同兔走鳧飛那樣快速的離開這不可久處之地了，雖有江河的險阻要淩越而過，雖有大山的阻塞也要衝陷而踰，屏氣專精，心中沒有思慮，目中沒有看見，耳中沒有聽到，三軍一心，竭力發揮威武的力量而已。從前，冉叔誓必致死於田侯，而齊國都因而恐懼；豫讓誓必致死於趙襄子，而趙家都因而恐懼；成荊要致死於韓主，而周人都因而畏懼，個人有拼命的決心，尚且如此可怕，何況乎萬乘的大國而有用威取勝的誠心呢？那還有誰敢與為敵了。恐怕兵刃尚未交接而目的已經達到了。敵人的憂懼畏恐，已經使其精神動蕩竭盡了，都要像失魂落魄的狂人，形性相離，行不知所之，走不知所往，雖有險阻要塞而不敢據守，雖有堅甲利兵而無意運用，這就是夏桀所以死於南巢的情景。譬如以木擊木則分裂，以水投水則分散，以冰投冰則下沈，以泥投泥則陷落，這就是疾徐先後的威勢。

夫兵有大要，知謀物之不謀、之不禁也㊀，則得之矣，專諸是也㊁，獨手舉劍，至而已矣，吳王壹成。又況乎義兵多者數萬，少者數千，密其蹊路，開敵之塗，則士豈特與專諸議哉㊂？

【今註】㊀畢校「句疑」，許釋「謀下之字當釋為與，此猶言兵之大要，全在知謀敵之所不謀與所不禁禦。孫子始計篇云，攻其無備，出其不意是也。」按許釋是，惟之不當釋為與，此當謂兵有大要，知謀物之不謀、物之不禁也，則得之矣。㊁專諸是吳國勇士，為闔閭謀刺王僚，用自斷一臂的苦肉計，王僚信之，不予防備，專諸遂得以獨手舉劍刺殺王僚，而成闔閭為王。㊂「密其蹊路，開敵之塗」如陳倉暗渡。

【今譯】大凡用兵的要訣，要懂得計慮敵人的所不謀及其所不禁，那就得其要領了，專諸之刺王僚便是如此，他用獨手舉劍，劍到就成功了，吳王闔閭賴此一舉而成霸業。又況乎義兵多者數萬，少者數千，祕密的開闢小路，通往敵人國境，那麼眾多士兵的威力，豈是專諸一人所可比擬嗎？

三曰簡選

【今註】簡選是論用兵之道，必須「簡選精良，兵械銛利，令能將將之。」簡選的目的在求速勝，「兵貴勝，不貴久」任何戰爭曠日持久，終是不利的，所以在戰術上固然要以眾擊寡，而在戰略上要以寡擊眾。所以簡選也就是要以寡擊眾，篇中所舉湯武齊桓晉文吳闔閭五事例，都有此意，這是用兵取勝的一個策略。

世有言曰：驅市人而戰之，可以勝人之厚祿教卒；老弱罷民，可以勝人之精士練材；離散係系，可以勝人之行陳整齊；鋤櫌白梃，可以勝人之長銚利兵㊀，此不通乎兵者之論。今有利劍於此，以刺則不中，以擊則不及，與惡劍無擇，為是、鬬因用惡劍則不可。簡選精良，兵械銛利，發之則不時，縱之則不當，與惡卒無擇，為是、戰因用惡卒則不可。王子慶忌、陳年，猶欲劍之利也㊁，簡選精良，兵械銛利，令能將將之，古者有以王者，有以霸者矣，湯、武、齊桓、晉文、吳闔廬是矣。

【今註】㊀市人、老弱疲民、離散係累都是烏合之眾。鋤櫌白梃不是兵器，櫌（ㄧㄡ）即櫌是鋤柄，長銚（ㄧㄠˊ）是長矛。係系，畢校系為絫（累）之誤。按系累都是縛結之意，亦即縲絏，指縛結犯人而言，離散係累則犯人四散，如何能勝行陣整齊的隊伍。㊁王子慶忌是吳王僚之子，有力捷疾，吳王闔閭使要離殺慶忌，事見下忠廉篇。陳年，畢校謂即吳越春秋之陳音，善射者，楚人。許釋謂越絕書亦作音。按此謂兩人雖勇捷有力，仍需用利劍，以見簡選精良的重要性。

【今譯】有人說：驅市人去作戰，可以戰勝有厚祿而訓練的士卒；老弱疲民，可以戰勝精銳而勇敢的士兵；分散繫縛的罪犯，可以戰勝行陣整齊的隊伍；鋤柄木杖，可以戰勝長矛利兵，這些是不通用兵之道的言論。現在有利劍在此，如果用它去刺人則不中，用它去擊人則不及，這就同惡劍無異，可是因此就用惡劍去戰鬬則不可。簡選精良，兵械銳利，如果用之不得其時，使用又不得當，這就同惡卒無異，可是因此就用惡卒去作戰則不可。王子慶忌、陳年兩人固然勇捷有力，還希望所用之劍是銳利的。所以簡選精良，兵械銳利，而令良將來率領，古時有的因此而王天下，有的因此而稱霸於諸侯，湯、武、齊桓、晉文、吳闔閭就是了。

殷湯㈠良車七十乘，必死六千人㈡，以戊子戰於郕，遂禽推移、大犧㈢，登自鳴條，乃入巢門，遂有夏。桀既奔走㈣，於是行大仁慈，以恤黔首，反桀之事，遂其賢良順民所喜，遠近歸之，故王天下㈤。

【今註】㈠商湯原為今河南商邱一帶的東方諸侯，至盤庚始遷殷（今河南安陽縣小屯村），崔述商考信錄「何以不言殷考信錄也？殷其所居地名，非國名也。」尚書皆稱成湯，此稱殷湯，不甚妥。㈡馬四匹為一乘，良車七十乘，必死六千人，是簡選精良。㈢史記殷本紀，桀敗於有娀之虛，奔於鳴條，此言戰於郕，當即有娀之虛。推移、大犧是助桀為虐的勇士，墨子明鬼篇作推哆、大戲。㈣古史多說商湯放桀於鳴條（今山西安邑有鳴條岡）作湯誓（西元前一七六六年），此言桀乃奔走，史記夏本紀、桀走鳴條，遂放而死。㈤尚書大傳謂湯放桀而歸於亳，三千諸侯大會，湯從諸侯之位，三讓，三千諸侯莫敢即位，然後湯即天子位。

【今譯】商湯簡選良車七十乘，必死之士六千人，於戊子那天與夏桀戰於郕地，遂擒桀的勇士推移、大犧兩人，再向鳴條前進，到了巢門，取得夏邑。桀既出奔，於是湯乃大行仁政，撫恤百姓，一反夏桀的暴政，用其賢良，順從民意，遠近諸侯都來歸服，故湯因此而王天下。

武王虎賁三千人，簡車三百乘，以要甲子之事於牧野，而紂為禽㊀。顯賢者之位，進殷之遺老，而問民之所欲，行賞及禽獸，行罰不辟天子，親殷如周，視人如己，天下美其德，萬民說其義，故立為天子㊁。

【今註】㊀虎賁是精壯的勇士，簡車是選擇出來的兵車，貴因篇作「選車三百」，孟子作「革車三百兩，虎賁三千人。」要是約定，殷使膠鬲候周師，武王告膠鬲將以甲子至殷郊，詳見貴因篇。牧野在今河南淇縣南。㊁史記周本紀「命召公釋箕子之囚，命畢公釋百姓之囚，表商容之閭，命南宮括散鹿臺之財，發鉅橋之粟，以振貧弱萌隸。」

【今譯】武王簡選勇士三千人，兵車三百乘，以約諸侯於甲子之日會師牧野，遂擒獲商紂。於是尊顯商之賢者，進用商之遺老，而慰問人民的疾苦，行賞及於禽獸，行罰不避天子，親近商民族有如周民族，視他人如同自己，天下都頌美周德，萬民喜歡周的行義，故武王因此立為天子。

齊桓公良車三百乘，教卒萬人，以為兵首㈠，橫行海內，天下莫之能禁。南至石梁，西至酆郭，北至令支㈡。中山亡邢，狄人滅衛，桓公更立邢於夷儀，更立衛於楚丘㈢。

【今註】㈠此言齊桓公簡選良車三百乘、教卒萬人，遂得成霸業。教卒是有訓練的士兵，兵首是先鋒隊。㈡石梁在今江蘇銅山，酆即豐，酆郭在長安西南，令支在遼東西部。㈢中山是鮮虞白狄，戰國時始稱中山，在今河北正定西北。周惠王十六年（西元前六六一年）狄伐邢，桓公從管仲言出兵救邢。十七年，狄人伐衛，殺衛懿公於熒澤。十八年，齊桓公遷邢於夷儀，封衛於楚丘而城之。邢遷如歸，衛國忘亡，此所謂興滅國。

【今譯】齊桓公簡選良車三百乘，精兵萬人，以為前鋒，橫行海內，天下沒有人能抵禦，所以南至石梁，西至酆郭，北至令支。其時狄人亡邢滅衛，桓公救之，更立邢於夷儀，更立衛於楚丘。

晉文公造五兩之士五乘㈠，銳卒千人，先以接敵，諸侯莫之能難。反鄭之埤㈡，東衛之畝㈢，尊天子於衡雍㈣。

【今註】㈠高注「兩技也，五技之人，兵車五乘、七十五人也。」畢校謂以技訓兩，未知何出。許釋謂兩即倆，伎倆也。按五兩之士五乘，各注均未明，左傳謂晉作五軍，與此所述，相去太遠。㈡周襄王二十二年（魯僖公三十年、西元前六三〇年），晉侯秦伯圍鄭，鄭使燭之武退秦師，晉亦去。埤為城上的矮牆，反是歸還。㊂周襄王二十年，晉侵曹伐衛，分曹衛之田以畀宋人。東衛之畝是把衛國的田畝分給東方的宋人。㊃周襄王十七年，晉文公勤王，殺王子帶，襄王復入於王城。二十年，晉敗楚師於城濮，還至衡雍，作王宮於踐土，獻楚之俘於王，王策命晉為侯伯。晉侯會諸侯於溫，以尊周室。事見不廣篇。

【今譯】晉文公造五兩之士五乘，銳卒千人，以為前鋒，先以接敵，諸侯沒有能與之為難，因此稱霸，歸還鄭國之埤，劃分衛國之田予宋人，尊天子於衡雍。

吳闔廬選多力者五百人，利趾者三千人，以為前陳㊀，與荊戰五戰五勝，遂有郢。東征至於庳廬㊁，西伐至於巴蜀，北迫齊晉，令行中國㊂。

【今註】㊀「利趾者」是腳力堅強的人，前陳亦是前鋒之意。㊁庳廬高注為國名，許釋引洪亮吉說是春秋時的向國。㊂吳王闔閭用孫武（即作兵法十三篇的孫子）為將，編擬各種軍事計畫，在闔閭十年（西元前五〇五年）向西擊破強大的楚國，攻進郢都（今湖北江陵）。又向北威脅齊晉，顯名於諸侯。史記謂「吳用孫武，申明軍約，賞罰必信，卒霸諸侯，兼列邦土，雖不及三代之誥誓，然身寵君尊，當世顯揚，可不謂榮焉。」這就是簡選精良，令良將將之的說明。

【今譯】吳王闔閭簡選多力的三千力，腳健的五百人，做為前鋒，與楚國戰，五戰五勝，遂佔領郢都。東征到達庳盧，西伐到了巴蜀，北向威脅了齊晉兩國，命令通行於當時的中國。

故凡兵勢險阻，欲其便也，兵甲器械，欲其利也，選練角材，欲其精也，統率士民，欲其教也，此四者義兵之助也，時變之應也，不可為而不足專恃，此勝之一策也㊀。

【今註】㊀「不可為」，許釋引陶鴻慶札記謂當作不可不為，故下文云，此勝之一策也。用民篇亦云威不可無有而不足專恃，語意同。按陶說是。

【今譯】大凡兵勢險阻，是要其便捷，兵甲器械，是要其銳利，選練角技，是要其精良，統率士民，是要其熟習，這四項都有助於義兵的威力，足以適應不時的變化，不可不注意而不足專心恃賴，這是爭取勝利的一個策略。

四曰決勝

【今註】本篇論決勝之道在於能「益民氣」，「有氣則實，實則益；無氣則虛，虛則怯。」這是和曹劌論戰所謂「夫戰，勇氣也」的理論相同。荀子議兵篇論攻戰之本，在益民附民，此所謂仁義之兵也。後半還論到用兵之道，如貴因、貴不可勝，及勝敵之失各點，都合於孫子兵法的原則。

夫兵有本幹，必義、必智、必勇㈠。義則敵孤獨，敵孤獨則上下虛，民解落㈡，孤獨則父兄怨，賢者誹，亂內作。智則知時化，知時化則知虛實盛衰之變，知先後遠近縱舍之數㈢。勇則能決斷，能決斷則能若雷電飄風暴雨，能若崩山破潰、別辨霣墜，若鷙鳥之擊也，搏攫則殪，中木則碎，此以智得也㈣。

【今註】㈠國父孫中山先生於民國十一年一月在桂林對滇粵贛軍講軍人精神教育，謂軍人精神為智仁勇三達德，與此處的義智勇相同。先總統蔣公有軍人精神教育釋義，說明更為詳盡，可供參考。孫子兵法則於三達德外，加信與嚴，後世稱五者為武德。㈡「上下虛」謂上下脫節，民解落謂民心散失，不能團結。㈢「時化」是因時制宜而通權達變，不能墨守成規，因為「兵者詭道也」，詭道則權謀奇計，無所不用，其變化不可預測，太公六韜所謂「道在不可見，事在不可聞，勝在不可知。」他謀伐人國的行動，先注重以謀略伐人，使其內部崩潰，不著重於軍事的進攻。軍事祇用於敵人已形崩潰之後，作最後一擊而已。所以戰爭是戰略智慧高下的比賽，惟有智慧高的將領，才知道因時制宜，因事制宜，因地制宜，而時間的爭取，尤須注意。縱舍即動止。㈣許釋謂此文有脫誤，當云，「勇則能決斷，能決斷則若雷電飄風暴雨，則若崩山破潰，別辨霣墜，則若鷙鳥之擊也，搏攫則殪，中木則碎。」按許釋可取。霣同隕是墜下，摶攫是鷙鳥用爪抓住禽鳥，殪高注為死。孔子謂有勇而無義為亂，又謂好勇不好學，其蔽也亂，是即有勇而無智亦為亂，如卞莊子刺虎，必謀而後動，步驟不亂，才可得利，故曰此以智得也。許釋引陶鴻慶札記謂智當為勇，非是，尹校據改，亦未明辨也。

【今譯】　用兵之道有基本的原則：必義、必智、必勇。能行義則敵國孤立無助，敵國孤立無助則上下脫節，民心渙散；孤立無助則父兄相怨，賢者誹謗，內亂隨之而起。能用智則知道時間的變化，知道時間的變化，則知道敵我虛實、軍力盛衰的變化，也就知道行軍先後、地理遠近以及進退動止的決策。能有勇則能臨機決斷，能臨機決斷則奮勇前進，有如雷電飄風暴雨的急疾，有如山崩隄潰、水石隕墜的迅速，又如鷙鳥突襲的凶猛，抓住的就死，擊中樹木亦使之碎裂。這臨機決斷是由於智慧得來的。

夫民無常勇，亦無常怯，有氣則實，實則勇，無氣則虛，虛則怯，怯勇虛實，其由甚微，不可不知。勇則戰，怯則北，戰而勝者，戰其勇者也，戰而北者，戰其怯者也，怯勇無常，儵忽往來，而莫知其方㊀。惟聖人獨見其所由然，故商周以興，桀紂以亡。巧拙之所以相過，以益民氣與奪民氣，以能鬬眾與不能鬬眾。軍雖大、卒雖多、無益於勝，軍大卒多而不能鬬眾，不若其寡也。夫眾之為福也大，其為禍也亦大，譬之若漁深淵，

其得魚也大，其為害也亦大㈡。

【今註】㈠此段承上文專言勇的作用，所言有氣則實，實則勇，正如曹劌論戰「夫戰勇氣也，一鼓作氣，再而衰，三而竭。」這是說有氣則精神振奮，便能勇於作戰。但是氣從何來，則莫知其方，所以孫子兵法提出一個道字，始計篇說：「道者令民與上同意，可與之死，可與之生，而民不畏危也。」道就是今世的主義，也就是立國之道，一個國家必須使其人民士兵都瞭解主義，認識主義，使人民與國家成為一體，然後才能為主義作戰，為國家生存作戰。這就是所謂士氣、民氣。現代戰爭雖然重視兵器及裝備，但總離不開士氣、民氣。儵即倏（ㄕㄨˋ），儵忽是很快之意。㈡此言益民氣而能鬥眾的是巧，奪民氣而不能鬥眾的是拙，軍大卒多而不能用，則反為害，所謂民猶水也，可以載舟，亦可以覆舟，故曰，夫眾之為福也大，其為禍也亦大。鬥眾是用眾戰鬥、三軍一心之意。

【今譯】大概人民不是經常勇敢，亦不是經常怯懦。有氣則精神充實，精神充實則勇敢；無氣則精神空虛，精神空虛則怯懦。怯勇虛實的由來，甚為微妙，是不可不知道的。勇敢則能戰，怯懦則敗北，戰而得勝是由於勇氣作戰；戰而敗北是由於怯懦作戰。怯懦和勇敢是不正常的，很快的忽來忽去，不知道其從那裏來，從那裏去。祇有聖人能夠察見其所以然，故湯武因此而興，桀紂因此而亡。巧拙的效用之所以相去懸殊，祇是增益民氣與剝奪民氣，能用眾戰鬥與不能用眾戰鬥的區別而已。所以軍隊雖大、士卒雖多，而剝奪民氣，是無益於勝利的；軍大卒多而不能用眾戰鬥，那就多不如少了。士兵眾多的為福固然很大，可是有時為禍也很大，譬如在深淵裏撈魚，固然可以得到大魚，可是深淵撈魚是危險的，其為害亦大。

善用兵者，諸邊之內，莫不與鬭，雖廝輿白徒、方數百里，皆來會戰，勢使之然也㈠。幸也者審於戰期，而有以羈誘之也㈡，凡兵貴其因也，因也者因敵之險以為己固，因敵之謀以為己事，能審因、而加，勝則不可窮矣，勝不可窮之謂神，神則能不可勝也㈢。夫兵貴不可勝㈣，不可勝在己，可勝在彼，聖人必在己者，不必在彼者，故執不可勝之術，以遇不勝之敵㈤，若此則兵無失矣。凡兵之勝，敵之失也，勝失之兵，必隱必微，必積必摶。隱則勝闡矣，微則勝顯矣，積則勝散矣，摶則勝離矣。諸搏攫柢噬之獸，其用齒角爪牙也，必託於卑微隱蔽，此所以成勝㈥。

【今註】㈠此數句是承上文說明善用兵者能用眾戰鬥，亦就是能增益民氣，故雖廝輿白徒皆來會戰。

㈡「幸也者」是指不善用兵者，既不知益民氣，又不能用眾戰鬥，只是僥倖一時，但審於戰期，設法羈誘民眾，使參加作戰，這就是所謂「拉夫」。尹校據日人松皐圓畢校呂氏春秋補正「改幸為勢」，許釋引陶鴻慶札記謂「幸勝者但審於戰期，而不能因敵於戰前，善用兵者能因敵而加之以審，則勝不可窮矣。」均未妥。㊂「因」是因勢利導之意，善用兵者「料敵制勝」，「因利而制權」，故「能因敵變化而取勝者謂之神。」這是戰術上爭取主動的原則，設法使敵人的有利化為不利，將自己的不利轉為有利，故曰因敵之險以為己固，因敵之謀以為己事。㊃孫子兵法軍形篇「昔之善戰者，先為不可勝，以待敵之可勝。不可勝在己，可勝在敵。故善戰者能為不可勝，不能使敵必可勝。故曰，勝可知，而不可為。不可勝者守也，可勝者攻也，守則不足，攻則有餘，善守者藏於九地之下，善攻者動於九天之上，故能自保而全勝也。」由此，可知不可勝是先取守勢，使自己處於不敗之地，使敵無可勝之隙可乘。欲使自己立於不敗之地，其道在自己，乘敵之虛隙而敗之，其機在於敵。所以不可得也可以說是先守後攻的攻勢防禦。畢校謂此句原文當作「夫兵不貴勝而貴不可勝。」尹校據補。㊄許釋引王念孫校本「不勝當作可勝。」㊅太公六韜武韜篇「鷙鳥將擊，卑飛斂翼；猛獸將搏，弭耳俯伏；聖有將動，必有愚色。」這是說兵機以祕密為主，故曰勝失之兵，必隱必微，必積必搏。柢同抵、擊也。

【今譯】　善用兵者能益民氣而鬬眾，故諸邊塞以內的人民，沒有不參加戰鬬，就是厮役輿隸以及白衣之徒，在方數百里內的都來會戰，這是大勢所趨，使他們不得不如此。至於不善用兵者，則僥倖一時，但能於作戰期間，設法羈牽而誘導人民而已。大凡用兵貴能因勢利導，所謂因勢利導就是利用敵人的險阻作為自己的防線，利用敵人的謀略作為自己的計畫，能夠詳審因勢利導的效用而加倍運用，勝利就無可窮盡了。勝不可窮可稱為神，神而化之則能為不可勝。大凡用兵要以不可勝為貴，不可勝在己，可勝在人，聖人認為自己能兢兢業業，刻不鬆懈是必可做到的，而敵人是否有隙可乘，卻是不可必的，所以能把握不可勝之術，以應付可勝的敵人，能這樣做，那用兵不會失敗了。大概用兵的得勝是由於敵人的失敗，其所以能勝過失敗的兵士，必須隱蔽，必須卑微，必須積聚，必須專一。能隱蔽便可勝過闡明了，能卑微便可勝過顯露了，能積聚便可勝過疎散了，能專一便可勝過分離了。所有搏攫抵噬的獸類，當用著齒角爪牙時，必先託身於卑微隱蔽的地方，這所以能達成勝利的目的。

五曰愛士

【今註】 本篇是說做將領的人，必須平時能愛護士兵，戰時乃能得到士兵的死力作戰，歷代成功的名將大都能與士卒同甘苦。孫臏兵法說「能得眾心者勝。」「不得眾心者不勝。」孫武兵法說「卒未親附而罰之，則不服，不服則難用。卒已親附而罰不行，則不可用。」此言將領先有愛結於士，而後可以嚴刑，若愛未加而獨用峻法，則不能用其士卒。篇中引述秦穆公、趙簡子兩事例以說明愛士的效果，所以說：「行德愛人，則民親其上，民親其上，則皆樂為其君死矣。」

衣人以其寒也，食人以其饑也，饑寒人之大害也，救之義也。

人之困窮甚如饑寒，故賢主必憐人之困也，必哀人之窮也，如此則名號顯矣，國士得矣。

【今譯】　饑寒是人的大害，用衣服給予受凍的人，用飲食給予饑餓的人，這救人的行為是大仁大義的。人的困窮還有甚於饑寒，所以賢主必憐憫他人的困難，必哀傷他人的窮苦，能這樣做，那就聲名顯著了，賢士歸心了。

昔者秦繆公乘馬而車為敗，右服失而埜人取之㊀。繆公自往求之，見埜人方將食之於岐山之陽，繆公歎曰：「食駿馬之肉而不還飲酒，餘恐其傷女也。」於是徧飲而去㊁。處一年，為韓原之戰㊂，晉人已環繆公之車矣。晉梁由靡已扣繆公之左驂矣，晉惠公之右路石奮投而擊繆公之甲，中之者已六札矣㊃。埜人之嘗食馬肉於岐山之陽者三百有餘人，畢力為繆公疾鬭於車下，遂大克晉，反獲惠公以歸。此詩之所謂曰君君子則正，以行其德，君賤人則寬，以盡其力者也㊄，人主其胡可以無務行德愛人乎？行德愛人，則民親其上，民親其上，則皆樂為其君死矣㊅。

【今註】㈠秦繆公即秦穆公，是春秋時五霸之一。車一乘四馬，中央兩馬左右夾輈為服，兩馬在旁為驂，詩鄭風「兩服齊首，兩驂如手」，註，兩服齊首在前，兩驂在旁稍後，如人兩手。失同佚。埜同野，野人是鄉村的人民。㈡馬肉有毒，本草綱目謂馬肉辛苦，冷有毒，食馬肉毒發心悶者，飲清酒則解，濁酒則加甚。陶弘景謂馬肝及鞍下肉有大毒殺人。㈢韓原之戰，秦獲晉惠公，左傳魯僖公十五年（周襄王七年，西元前六四五）載此戰役。㈣戎右路石奮是用力投去手中的殳，殳是古代兵器名，以竹為之，長一丈二寸，有稜而無刃。「札」是甲葉之稱，釋名，札，櫛也，編之如櫛齒相比。左傳成公十六年「蹲甲而射之，徹七札焉。」七札已穿甲及膚，此處六札以言陷入已深。㈤詩是逸詩，高註「為君子作君正法，以行德，無德不報；為賤人作君寬饒之，以盡其力，故繆公戰以勝晉。」㈥許釋引陶鴻慶札記「此文自此詩之所謂曰至此，乃發明愛士之旨，當為本篇之總論，不當專指秦繆公言之。今本以此節羼入於秦繆公趙簡子二事之間，於文例為不協，蓋錯簡也。疑原文本在下文人主其胡可以不好士句下，為秦繆公趙簡子二事之總論。君君子云云，指趙簡子之事言也；君賤人云云，指秦繆公之事言也；而民親其上則皆樂為君死，與下文凡敵人之來也，以求利也，今來而得死云云，一氣相屬，熟玩本文，足明其誤。」

【今譯】從前秦穆公坐車子出行而車子壞了，右服的馬跑走了，為野人所得。穆公躬自前往尋找，看見許多野人正在岐山之南吃馬肉，穆公太息說：「吃駿馬之肉而不接著飲酒，我恐怕會傷害你們。」於是使他們統統飲了酒才離去。過了一年，秦晉為韓原之戰，晉軍已圍住了穆公的車，晉梁由靡已扣住了穆公的左驂，晉惠公的戎右名叫路石奮力投殳，擊中了穆公的鎧甲，打穿了六札。在那緊急關頭，過去曾經吃過馬肉的野人三百多人，都在穆公車下盡力急鬥，終於勝了晉軍，反而把晉惠公擄回秦國去。這就是詩所說的：作為君子的君，要公正待人，將可得以德相報；作為賤人的君要寬厚待人，將可得其死力相報。所以人主怎可以不行德愛人呢？行德愛人，則人民親愛其上，人民親愛其上，則都會樂意為其君盡死力了。

趙簡子有兩白騾而甚愛之。陽城胥渠處㈠廣門之官，夜款門而謁曰：「主君之臣胥渠有疾㈡，醫教之曰：得白騾之肝，病則止，不得則死。」謁者入通㈢，董安于御於側，慍曰：「譆，胥渠也，期吾君騾，請即刑焉。」簡子曰：「夫殺人以活畜，不亦不仁乎？殺畜以活人，不亦仁乎？」於是召庖人殺白騾，取肝以與陽城胥渠。處無幾何，趙興兵而攻翟，廣門之官左七百人，右七百人，皆先登而獲甲首㈣。人主其胡可以不好士？

【今註】 ㈠高注「陽城姓，胥渠名，處猶病也。」畢校謂以處訓病，未見所出，按本書處字多作居字解，此應連下文廣門之官為一句，廣門，高注為邑名。㈡款門是扣門，胥渠是趙屬邑官，故稱簡子為主君。㈢謁者是守門官吏。「入通」是傳達進去。董安于是簡子家臣。㈣翟即狄，此指中山而言。「甲首」，高注為獲衣甲者之首，意未明，按應作獲得首功之意。

【今譯】 趙簡子有兩隻白騾是很愛惜的。陽城胥渠是廣門的官，有一天夜裏扣門求見說：「主君的小臣胥渠有病，醫生告訴我說：得到白騾的肝作藥，病可治癒，不得則死。」守門的傳達進去，家臣董安于正在旁，就發怒說：「嘻！胥渠呀！希望得到主君的騾肝，請立即殺了他吧！」簡子說：「殺人以活畜，不是不仁嗎？殺畜以活人，不是仁嗎？」於是叫庖人來殺掉白騾，取肝給陽城胥渠。過了不多久，趙起兵攻狄，廣門之官率兵左七百人，右七百人，都先登城殺敵而獲得首功。這可知人主怎麼可以不愛士呢？

凡敵人之來也，以求利也，今來而得死，且以走為利；敵皆以走為利，則刃無與接。故敵得生於我，則我得死於敵，敵得死於我，則我得生於敵。夫得生於敵與敵得生於我，豈可不察哉㈠？此兵之精者也，存亡死生，決於知此而已矣㈡。

【今註】 ㈠兩軍作戰，勝則得生，負則得死，死生存亡，決於勝負，故曰「豈可不察哉？」㈡尹校疑此段係決勝篇文，按尹校是，應依上文第二段註㈥許釋所引陶鴻慶說，以此文自此詩之所謂一節移作本篇之總結論。

【今譯】 大凡敵人的來攻，是為的求利，現在來而得死，則將以逃命為利，敵人都以逃命為利，則兵刃無與交接而得到勝利了。所以敵勝則得生，我敗則得死，敵敗則得死，我勝則得生，這勝則得生與敗則得死，難道可以不察嗎？這是用兵的精要，存亡死生，就決定於知道此理罷了。

卷九　季秋紀

第九，凡五篇

一曰季秋

【今註】季秋是夏曆的九月，霜降天寒，草木黃落，這個月的重要政令，是「乃趣獄刑，無留有罪」，秦自商鞅變法以來，嚴刑峻法，呂氏欲矯正秦國的政治方向，尚德輕刑，故季秋各篇，皆略刑罰而不言，而且在精通篇中說明精誠感通之道，使君臣上下有如骨肉之親，終於刑措而不用。這些都是儒家德治主義的影響。至於人民生活，以天寒而百工休息，百事收斂，則非今人所能瞭解。

季秋之月，日在房，㈠昏虛中，旦柳中。其日庚辛㈡，其帝少皞，其神蓐收。其蟲毛，其音商，律中無射，其數九。其味辛，其臭腥，其祀門，祭先肝。候鴈來賓，爵入大水為蛤㈢，菊有黃華，豺則祭獸戮禽。天子居總章右个，乘戎路，駕白駱，載白旂，衣白衣，服白玉。食麻與犬，其器廉以深。

【今註】㈠房是東方宿，又名天駟，今屬天蠍座。虛是北方宿，今屬寶瓶座。柳是南方宿，已見季夏紀。㊁「其日庚辛」一節見孟秋紀。無射是十二律中的陽聲，見音律篇。㊂候鴈來賓，爵入大水為蛤，高注以「候鴈來」為句，而釋「賓爵」（雀）為老爵，棲宿於人堂宇之間有似賓客。月令鄭注以「候鴈來賓」為句，謂鴈於八月已來，九月尚如賓客止而未去。大水是指海水，夏小正謂「雀入於海為蛤」。

【今譯】季秋九月，太陽在東方房宿，向晚時可以望見北方的虛宿上升在南方中天，向曉時則見南方的柳宿出現在南方中天。九月的日干是庚辛，上應的天神是金德的少皞和金官之神蓐收。應時的動物是毛類，應時的音律是商音和無射，其數為九。其味為辛，其臭為腥，其祀為門，而祭以肝為先。其時候鴈來賓，雀飛入大海而化為蛤，菊有黃花，豺狼則以獸祭天而殺禽鳥。天子順應天時，移居總章的右偏室，出則乘兵車，駕白駱，載白旂，穿白衣，佩白玉。食則以麻與犬為主，用器要平直正方而容量深邃的。

是月也，申嚴號令，命百官貴賤無不務入㊀，以會天地之藏，無有宣出。命冢宰農事備收，舉五種之要，藏帝籍之收於神倉，祇敬必飭㊁。

【今註】㊀「務入」月令作「務內」，是從事收斂之意。㊁冢宰，高注「於周禮為天官，主治萬事。」五種是五穀，即登記五穀收入的總數。帝籍即天子籍田千畝，神倉是收藏祀神用的穀物。祇敬必飭是要恭敬而謹慎的收藏。

【今譯】　這個月，嚴正的申明號令，使大小百官沒有不從事收斂的工作，以配合天地的收藏，不可向外宣洩。又命冢宰準備結束農事，登記五穀收入的總數，把帝籍所收的穀物貯藏於神倉中，務必恭敬從事。

是月也，霜始降，則百工休㊀。乃命有司曰：「寒氣總至，民力不堪，其皆入室㊁。」上丁，入學習吹㊂。

【今註】　㊀霜降在秋分後三十日，天氣始寒，露結為霜，霜降天寒，百工都要休息。㊁有司、高註「於周禮為司徒」，主民政。民力不堪，其皆入室，故秋季祀門。㊂高注「是月上旬丁日，入學吹笙習禮樂。周禮籥師掌教國子舞羽吹籥。」畢校「月令作命樂正入學吹笙，此脫三字。」

【今譯】　這個月，霜降天寒，百工休息。乃命司徒說：「寒氣大至，民力已不堪辛苦，應該都回到家裏。」在這個月的上旬丁日，命樂師入學教國子吹笙習禮樂。

是月也，大饗帝，嘗犧牲，告備於天子㊀。合諸侯，制百縣㊁；為來歲受朔日㊂；與諸侯所稅於民，輕重之法，貢職之數，以遠近土地所宜為度㊃，以給郊廟之事，無有所私。

【今註】㈠高注「大饗上帝，嘗犧牲，一日先殺毛以告全，故告備於天子也。」畢校「此註似有訛脫，案周禮大宰職，論祭天禮云，及納亨贊王牲事，鄭注，納牲將告殺，謂鄉祭之晨，則非先一日殺也。詩信南山篇云，執其鸞刀，以啟其毛，取其血膋（ㄌㄧㄠ，腸間脂）。箋云，毛以告純，血以告殺，此註告全，即告純也。」按嘗犧牲句意未明。仲秋紀命宰祝巡行犧牲，要肥瘠、物色、比類、小大、長短五者備當，上帝甚享，至季秋始大饗，饗即享，是大祭祀，于大饗之前，先試犧牲，以五者皆備當告訴天子。㈡「合諸侯」是會合諸侯，要商討三件事，一是制百縣，二是為來歲受朔日，三是釐定稅法。「百縣」是畿內之縣，古時規定五家為鄰，五鄰為里，四里為酇，五酇為鄙，五鄙為縣。就是每縣為二千五百家，可是人口經常有變動，與貢稅多寡有關，所以要每年季秋核查一次。所謂百縣亦祇是概數。㈢頒正朔是天子的重要政令，在諸侯是奉正朔，故曰「受朔日」。高注謂秦以十月為正月，故於是月受明年曆，月令鄭注亦同，是皆以次月為來歲，此說非是。按秦以十月建亥為歲首，乃秦始皇二十六年統一六國之後事，十二紀作於始皇八年以前，其時以建寅正月為歲首，於孟春紀註中已有說明。此處所謂「為來歲受朔日」，祇是商討明年曆書的準備工作而已。許釋引盧文弨、梁玉繩說均不足取。蓋一般人多將呂氏當政時間與始皇親政時期不注意分別，對於書中言論，每多誤會，讀者必須注意。㈣諸侯所稅於民的輕重、貢職的多少，以遠者貢輕，近者貢重，貢輕者稅輕，貢重者稅重，各有所宜。

【今譯】這個月，要舉行祭祀上帝的大饗，先嘗試所用犧牲，準備齊全時報告天子。天子乃會合諸侯，商討檢查百縣的制度；準備來歲的受朔日；以及諸侯對人民稅收的輕重，對天子貢職的多寡，都要依照其距離王畿的遠近和土地產物的所宜，分別規定稅貢的標準。這些稅貢是供給郊廟祭祀之用的，都應依照規定標準行事，無有所私。

是月也，天子乃教於田獵，以習五戎，獀馬㊀。命僕及七騶咸駕，載旍旐㊁，輿受車以級，整設於屏外㊂，司徒搢扑北嚮以誓之㊃。天子乃厲服厲飭執弓操矢以射㊄。命主祠祭禽於四方。

【今註】㊀「五戎」是刀、劍、矛、戟、矢五種兵器，或作弓矢、殳、矛、戈、戟。獀（ㄙㄡ）馬是選擇田獵可乘的馬匹，月令作班馬政。㊁「僕」於周禮為田僕，是管理田獵所用的車。七騶（ㄗㄡ）於周禮為趣馬，是管理牧馬及駕車的官吏。左傳成公十八年「程鄭為乘馬御，六騶屬焉，使訓羣騶知禮。」乘馬御亦是騶，故為七騶。許釋所引，皆不足取。旍旐是一種旗幟，田獵有所獲，則插旍於車上。㊂「輿受車以級」是乘車去田獵的人，各依官職等級，接受田車。屏是屏障，論語八佾「邦君樹塞門，管氏亦樹塞門。」塞門就是屏，亦稱蕭牆。天子諸侯於大門前設立屏障以別內外，後人家中亦有以屏風隔內外。㊃搢（ㄐㄧㄣˋ）是舉起，扑是施刑之杖或箠。舉起扑杖告誡從獵的人，要遵守規定的禮節。天子南面，從獵者在後，故司徒北向以誓之。㊄「厲服厲飭」是衣服佩飾都要猛厲，以表示尚武勇敢的精神，周禮司服章「凡田、冠弁，服戎服垂衣。」

【今譯】　這個月，天子乃寓軍訓於田獵之中，以練習五種兵器的技術，選擇良馬。命管理車馬的田僕和七騶，駕好獵車，載著旍旐，所有從獵乘車的人都依官階等級接受所安排的車，整齊的排列在屏障之外。於是司徒舉起扑杖北向告誡從獵的人都要遵守禮節。天子乃弁冠戎服、執弓操矢以射，並命主管祭祀的官吏以田獵所得的禽獸，致祭於四方的神祇。

是月也，草木黃落，乃伐薪為炭。蟄蟲咸俯在穴，皆墐其戶㈠。乃趣獄刑，無留有罪。收祿秩之不當者、共養之不宜者㈡。是月也，天子乃以犬嘗稻，先薦寢廟。

【今註】　㈠穴，月令作內，蟄蟲俯伏穴內。墐（ㄐㄧㄣˇ）其戶是從內閉塞其入口。㈡「祿秩之不當者」是無功受祿之人，共養之不宜者是不宜供養之人，如仲秋「養衰老」，如果尚未衰老，就不宜供養，都要收回成命，停止其祿秩與供養。

【今譯】　這個月，草木枯黃而葉落，可以伐薪為炭。其時蟄蟲都俯伏在穴內，封閉其入口。於是催促清理獄刑案件，有罪的即加以判決，不可稽留。凡是祿秩不當的和供養不宜的都要收回。在這個月裏，天子嘗食新稻而配以犬肉，先薦於祖廟。

季秋行夏令，則其國大水，冬藏殃敗，民多鼽窒㈠。行冬令，則國多盜賊，邊境不寧，土地分裂。行春令，則暖風來至，民氣解墮，師旅必興㊁。

【今註】㊀鼽（ㄑㄧㄡˊ）塞是受寒傷風，致流鼻水而窒塞不通，季春紀盡數篇「鬱氣……處鼻則為鼽為窒。」㊁「解墮」月令作解惰，即懈惰。

【今譯】季秋如行夏令，則國內大水為災，冬蟄的昆蟲遭受災殃，百姓多患鼻塞病。如行冬令，則國內多盜賊，邊境不安，土地多被侵佔而分裂。如行春令，則暖風重來，民氣懈惰而不振作，而戰事必起。

二曰順民

【今註】本篇是說為政之道，不可以刑戮強迫人民，而以順民心為本。故說：「先王先順民心，故功名成。」孟子說：「得天下有道，得其民，斯得天下矣。得其民有道，得其心，斯得民矣。得其心有道，所欲與之聚之，所惡勿施爾也。民之歸仁也，猶水之就下，獸之走壙也。」正是本篇的主旨。可見呂不韋急欲統一六國，而以此號召天下。

先王先順民心，故功名成。夫以德得民心以立大功名者，上世多有之矣㊀，失民心而立功名者，未之曾有也㊁。得民必有道，萬乘之國，百戶之邑，民無有不說，取民之所說，而民取矣㊂，民之所說豈眾哉？此取民之要也。

【今註】㊀高注「神農黃帝堯舜禹湯文武皆是也。」㊁高注「蚩尤、夷昕、桀、紂、下至周厲、幽王、晉厲、宋康、衞懿、楚靈之屬，皆有滅亡，故曰未之曾有也。」畢校「注夷昕蓋夷羿也。」㊂高注「說其仁與義也。」許釋引陶鴻慶札記「民無有不說當作民無不有所說，言地無大小，民無不有所說也。下文取民之所說而民取矣，民之所說豈眾哉？正承此言。」按陶說是，大學所謂「民之所好好之，民之所惡惡之。」與此同。

【今譯】先王先順民心，故功成名就。為政以德，因而得民心以大立功名的帝王，古代已有很多的了；反之，失卻民心而能立功名的，則未曾有過。得民必有一定的道理，不論萬乘的大國，或者百戶的小邑，其人民無不有所悅，取得人民的所悅，就可取得人民了。人民的所悅難道很多嗎？這是取其最重要的罷了。

昔者湯克夏而正天下，天大旱，五年不收。湯乃以身禱於桑林，曰：「余一人有罪，無及萬夫；萬夫有罪，在余一人，無以一人之不敏，使上帝鬼神傷民之命㈠。」於是翦其髮，鄽其手㈡，以身為犧牲，用祈福於上帝。民乃甚說，雨乃大至。則湯達乎鬼神之化，人事之傳也㈢。

【今註】㈠崔述考信錄認為湯禱雨事不可信，引宋張南軒、明李九我言，辨以身犧牲之說。按論語堯曰篇有湯告天之辭「朕躬有罪，無以萬方；萬方有罪，罪在朕躬。」墨子兼愛篇下亦有「萬方有罪，即當朕躬；朕身有罪，無及萬方。」均與此禱辭相似。尚書湯誓「我后不恤我眾，舍我稼事而割正夏，予惟聞汝眾言，夏氏有罪，予畏上帝，不敢不正。」則以舍我稼事而言，斥夏桀漠視民生，致天久不雨，夏紀載辛丑年（西元前一七六〇年）禱於桑林之野而得雨，是湯禱雨事，似有可能。惟其重視民生，取民之所悅，故因而得民心以王天下。貴因篇有湯因民之欲，以千乘制夏桀；及用民篇言湯能用民，均可參考。㈡「鄽其手」史傳作斷爪，意義甚明，畢校及俞樾平議對鄽字考校甚詳，俞謂呂氏原文本作磿，櫪之叚字，謂以木柙十指而縛之也。亦通作歷，莊子天地篇，罪人交臂歷指是也，此文磿其手，於義正合。㈢傳，高訓至。許釋訓為事蹟。尹校引范耕研補注謂「釋名、傳之言轉也，禮內則注、傳、移也」。按以范說為是。

【今譯】從前商湯戰勝夏桀而治理天下，天大旱，五年沒有收成。湯乃親自求雨於桑林之野，向上天禱告說：「我個人有罪，不要怪及百姓，百姓有罪，應由我個人負責，不要因為我個人的不材，使上帝鬼神傷害人民的生命。」於是剪髮歷指，自身作為犧牲，求福於上帝。人民得知此事都很感動，上感天神，雨乃大至。這可以說湯是通曉鬼神的變化和人事的轉移。

文王處岐事紂，冤侮雅遜，朝夕必時㊀，上貢必適，祭祀必敬。紂喜，命文王稱西伯，賜之千里之地。文王載拜稽首而辭曰：「願為民請炮烙之刑㊁。」文王非惡千里之地以為民請炮烙之刑，必欲得民心也，得民心則賢於千里之地。故曰文王智矣。

【今註】㊀文王事紂的小心謹慎，又見行論篇。冤侮是說文王受了紂王的委屈侮慢。雅遜是說文王雖受冤侮，依然文雅謙遜，不失諸侯之禮。以下三句是說文王的小心翼翼。㊁炮烙（ㄌㄨㄛˋ）是商紂的一種酷刑。許釋謂請下應有去字。韓非子難二篇述文王獻上洛水以西沃土千里，要求紂王廢除炮烙之刑，因之天下百姓都感激。孔子亦稱讚文王的仁愛。

【今譯】文王在岐，謹事商紂，雖受紂王的冤抑侮慢，依然文雅謙遜，未嘗有失諸侯之禮，朝夕覲見必不失時，職貢進獻必求適當，遇有祭祀必恭必敬。紂很高興，命文王稱為西伯，賜給他千里之地。文王再拜稽首，請辭賜地，卻說：「願為人民請求除去炮烙之刑。」文王並不是厭惡千里之地，以為民請炮烙之刑，實在是希望以此得民心，得民心便較千里之地好多了，這就表示文王的大智了。

越王苦會稽之恥㈠，欲深得民心，以致必死於吳，身不安枕席，口不甘厚味，目不視靡曼，耳不聽鐘鼓，三年苦身勞力，焦脣乾肺，內親羣臣，下養百姓，以來其心，有甘脃不足分，弗敢食，有酒流之江，與民同之㈡，身親耕而食，妻親織而衣，味禁珍，衣禁襲，色禁二㈢，時出行路，從車載食，以視孤寡老弱之漬病㈣，困窮顏色愁悴不贍者，必身自食之。於是屬諸大夫而告之曰：「願一與吳徼天下之衷㈤，今吳越之國相與俱殘，士大夫履肝肺同日而死，孤與吳王接頸交臂而僨㈥，此孤之大願也。若此而不可得也，內量吾國不足以傷吳，外事之諸侯不能害之㈦，則孤將棄國家，釋羣臣，服劍臂刃，變容貌，易姓名，執箕帚而臣事之，以與吳王爭一旦之死。孤雖知要領不屬，首足異處，四枝布裂，為天下戮，孤之志必將出焉㈧。」於是異日果與吳戰於五湖，吳師大敗，遂大圍王宮，城門不守，禽夫差，戮吳相㈨。殘吳二年而霸，此先順民心也。

【今註】㈠越王句踐為吳王夫差所敗，困於會稽，深以為恥，以必死的決心報吳雪恥。㈡甘脃即甘脆，是美味的食物。畢校謂脆當作肥，義亦同。有酒流之江，許釋引梁履繩校說「越王投醪事、列女傳、水經漸江水注並言之。文選七命曰，單醪投川，可使三軍告捷。注引黃石公記，昔良將用兵，人有饋一簞之醪，投河，令眾迎流而飲之。夫一簞之醪，不味一河，而三軍思為致死者，滋味及之也。高注投醪同味本此意。察微注亦述其事。」漸江即浙江。㊂「色禁二」，高注「二，青黃也。」許釋引孫鏘鳴補注「謂不置妾媵，此與去私篇色禁重義同」。按孫說是。㊃漬（ㄗˋ）或作瘠，是瘦弱之意，已見貴公篇。㊄「徼天下之衷」，高注「徼、求，衷、善。」畢校「下字疑衍。」許釋「吳語正作吾欲與之徼天之衷。」按徼天之衷是求天之福佑，於義為長。㊅「履肝肺」猶言肝膽塗地，許釋引梁履繩校補「肺上脫一字，如節喪篇涉血盩肝，期賢篇履腸涉血之義，且與下接頸交臂相對。」梁說是。㊆內量是自己估計。㊇「必將出焉」，高注「將出必死以伐吳也。」按高注未是，其意是說雖知身死為天下人所恥，可是他的志向必將可表白於天下。此是激勵諸大夫報仇雪恥的士氣。㊈周敬王二十四年（西元前四九六）越句踐敗吳於檇李、吳王闔閭以傷卒。二十六年（西元前四九四）吳王夫差敗越於夫椒，越王句踐逃入會稽。周元王元年（西元前四七五）越圍吳，三年（西元前四七三）越滅吳，吳王夫差自殺。其時正在春秋末期。

【今譯】　越王句踐痛心困於會稽的恥辱，希望深得民心，以必死的決心報吳國之仇。於是身不安枕席，口不甘厚味，目不視美色，耳不聽鐘鼓之聲，這樣的過了三年，苦身勞力，脣焦肺乾，內親羣臣，下養百姓，求得他們的歡心。有美味不夠分給，不敢獨食，有酒不敢獨飲，傾倒在江水中流向各處，與百姓同飲之。他自己親自耕種而食，其妻親自織布而衣，食物禁止珍異，衣服禁止重襲，房中禁止妾婦。時常出外巡行，隨從的車中載著食物，以探視孤寡老弱的疾病，對於困窮而憔悴不堪的，必定要親自餵之使食。於是告訴諸大夫說：「願意和吳國祈求上天的福佑。現在吳越兩國相與約定各自殘毀，士大夫肝膽塗地同日死去，我要與吳王接頸交臂而僵仆於地，能如此同歸於盡，而不害及人民，這是我最大的願望。這樣做如果不可能得到，那麼，我自己估量我們的力量不足以傷敗吳國，外方的諸侯亦不能傷害吳國，我將不得已放棄國家，遣散羣臣，自己帶劍執刃，變容貌，改姓名，親執箕帚而去服侍吳王，或有機會與吳王決鬥，爭取一朝的生死。我雖明知失敗而腰領分斬，首足異處，四肢割裂，為天下人所恥辱，可是我的志願必將因此而表白於天下了。」越王有此必死的決心，於是後來果然與吳國戰於五湖，吳師大敗，遂大圍吳宮，姑蘇的城門失守，擒吳王夫差，殺吳國羣臣。滅吳後二年而稱霸於諸侯。這就是越王先順民心的效果。

齊莊子請攻越，問於和子㈠，和子曰：「先君有遺令曰：無攻越，越猛虎也。」莊子曰：「雖猛虎也，而今已死矣㈡。」和子曰：「以告鴞子。」鴞子曰：「已死矣。以為生。」故凡舉事，必先審民心，然後可舉。

【今註】㈠齊莊子是齊臣。和子是齊田常的孫子田和，後來篡齊為齊侯。越自句踐滅吳稱霸，故齊常欲攻越。㊁高注「言越王衰老，不能復致力戰也，故曰而今已死矣。」按越滅吳至田和篡齊，中間相隔八十餘年，高注越王衰老，似指越王句踐而言，殊非是。莊子所言似謂雖是猛虎，而今已是死老虎了。所以下文齊相鶡子說：固然是死老虎了，可是民心尚在，雖死猶生，故曰以為生。

【今譯】齊莊子建議攻伐越國，詢問和子的意見，和子說：「先君有遺囑說：不要攻伐越國，越國是和猛虎一樣的多力。」莊子說：「雖然是猛虎，可是現在已是死老虎了。」和子說：「那麼請告訴鶡子吧！」鶡子說：「固然已死了，可是得民心，也可說是生的。」所以要用兵攻伐，必須先審察敵國的民心，然後才可決定。

三曰知士

【今註】本篇是說知人的重要。知人是要辨識人的誠偽、善惡、智愚、賢不肖，卻非易事，書云「人心惟危」，人往往在厚重的外表之後深藏一顆危險之心，使人難以辨識其為忠誠或奸詐，所以知人固難，而用人亦難。知人的目的在於用人，如果知而不能用，則與不知無異。本篇詳述靜郭君的信任劑貌辨的故事，可謂能知能用，是為任賢使能的參證。

今有千里之馬於此，非得良工，猶若弗取，良工之與馬也相得，則然後成，譬之若枹之與鼓㈠。夫士亦有千里，高節死義，此士之千里也，能使士待千里者，其惟賢者也㈡。

【今註】㈠枹（ㄈㄨ）或作桴，是打鼓的槌，枹之與鼓是比喻良工與千里馬，必相得而後成，有如枹待鼓、鼓待枹乃發聲。㈡畢校謂御覽待作行，許釋引陶鴻慶札記「待當為得之誤。上文云，夫士亦有千里，高節死義，此士之千里也，此文承之，言士得竟其用也。御覽作行，亦為不辭。」按作行作得均可，而以作行於義為長。

【今譯】現在有千里馬在這裏，非得善相馬者的評定，猶不足取，善相馬者與千里馬相遇，然後互有所成，有如枹之與鼓，必相得乃發聲。人士亦有千里，高節死義是人士中的千里；而能使人士行千里，恐怕惟有賢者吧！

靜郭君善劑貌辨㈠。劑貌辨之為人也多訾㈡，門人弗說，士尉以證靜郭君㈢，靜郭君弗聽，士尉辭而去。孟嘗君竊以諫靜郭君，靜郭君大怒曰：「剗而類，揆吾家苟可以傔劑貌辨者，吾無辭為也㈣。」於是舍之上舍，令長子御，朝暮進食㈤。

【今註】㈠靜郭君田嬰是孟嘗君田文的父親。劑貌辨或作齊貌辯、昆辨。㈡「多訾」是喜好批評他人的長短，大概劑貌辨自負材能，是狂狷之流，所以人緣不佳。畢校謂國策作疵訓病，意未明。㊂證是用語言證明事實，諫是用語言糾正錯誤。本文士尉證是向靜郭君證明劑貌辨的為人；孟嘗君諫是諫其父不應為劑貌辨而去士尉。高注訓證為諫，非是。㊃「剗而類」是剗除你們之意，猶今言去你的。揆，畢校「國策作破」，許釋引王念孫說謂同睽，有分離意，義近破。高注「慊，足也。揆度吾家誠可以足劑貌辨者，吾不辭也。」按高注是。傔即慊（ㄑㄧㄝˋ）是滿足人意。㊄上舍是上等的住處。御是服侍。

【今譯】　靜郭君善待劑貌辨。劑貌辨的為人，常好批評他人，使靜郭君的門下客都不高興。士尉以其事向靜郭君證實，靜郭君不理，士尉因此辭職而去。孟嘗君私下為此事諫其父靜郭君，靜郭君大怒說：「去你們的！揆度吾家中苟有可以使劑貌辨滿意的，我也不推辭。」於是請他住在上等的客舍，令長子侍候，早晚進食。

數年，威王薨，宣王立，靜郭君之交，大不善於宣王，辭而之薛，與劑貌辨俱㊀。留無幾何，劑貌辨辭而行，請見宣王。靜郭君曰：「王之不說嬰也甚，公往，必得死焉。」劑貌辨曰：「固非求生也，請必行。」靜郭君不能止。劑貌辨行，至於齊，宣王聞之，藏怒以待之。劑貌辨見，宣王曰：「子靜郭君之所聽愛也？」劑貎辨答曰：「愛則有之，聽則無有。王方為太子之時，辨謂靜郭君曰：『太子之不仁，過頤，涿視，若是者倍反㈡，不若革太子，更立衞姬嬰兒校師。』靜郭君泫而曰：『不可，吾弗忍為也。』且靜郭君聽辨而為之也，必無今日之患也。此為一也。至於薛，昭陽請以數倍之地易薛，辨又曰：『必聽之。』靜郭君曰：『受薛於先王，雖惡於後王，吾獨謂先王何乎㈢？且先王之廟在薛，吾豈可以先王之廟予楚乎？』又不肎聽辨。此為二也。」宣王太息動於顏色曰：「靜郭君之於寡人，一至此乎？寡人少，殊不知此。客肎為寡人少來靜郭君乎㈣？」劑貎辨答曰：「敬諾。」

【今註】㈠宣王是齊威王之子，即孟子書中所稱的齊宣王，立於周顯王二十七年（西元前三四二）。薛是靜郭君的封邑，在今山東滕縣東南。㈡「過頤涿視」：高注以「刪涿為不仁之人」，畢校謂「不知何據，國策作過頤豕視，劉辰翁曰，過頤即俗所謂耳後見顋，豕視即相法所謂下邪偷視。」許釋引王紹蘭讀書雜記「刪涿乃蔽類之譌，蔽類即蒯聵。」許謂當據齊策作太子之相不仁，過頤豕視。尹校據譚戒甫校呂遺誼改為「過頤豕視」，又謂「過當讀為咼，說文：咼，口戾不正也」。按諸說似以畢校為是。字彙補顲讀作ㄘㄜˋ，與頙同，頙與頤形似，或由此而誤。禮玉藻「頤霤垂拱」，疏「霤，屋簷，俯身故頭臨前，垂頤如屋簷。」過頤猶垂頤，與畢校所謂耳後見腮的意義相近。又頤同顲，是面頰，朱駿聲謂「從口內言之曰顲，從口外言之曰頤。」漢書王莽傳「莽為人侈口蹷顲。」可見「過頤」正與「蹷顲」相反，都不是好相。至於豕的本義是流水下滴，豕視是向下視，與豕視義同。由此，可知過顲豕視是說太子之相，耳後見腮，下邪偷視，是為人陰險而反覆無常的不仁之人，所以孟子說他「望之不似人君。」㊂昭陽是楚相。先王是齊威王，薛本是古國，周初封黃帝後裔為薛侯，春秋末，齊威王滅薛，以其地封田嬰，遂為齊國的封邑，孟子「齊人將築薛」即築薛以封田嬰。故曰受薛於先王。㊃「少來」，許釋引王念孫校本「少字因上而衍。」俞樾平議同。尹校據刪。

【今譯】　數年後，齊威王逝世，其子宣王繼位，靜郭君平日與宣王相處很不友善，於是辭職回到自己的封邑薛地去，與劑貌辨同行。留薛不久，劑貌辨告辭，要去見宣王，靜郭君說：「王很不高興我，你去見他，必定要被殺死的。」劑貌辨說：「本來是不想活的，請同意給我去。」靜郭君不能制止。劑貌辨到了齊國，宣王聽到，蓄怒以待。劑貌辨見王，王說：「你是靜郭君所喜愛的，很聽信你的話吧？」劑貌辨回答說：「偏愛是有的，聽信是沒有的。王做太子的時候，我曾經對靜郭君說：太子的相貌是不仁的，腦後見腮而目光下視，這樣的人是反覆無常的；不如廢太子，改立衞姬的小孩校師。靜郭君流涕說：不可以，我不忍心這樣做。所以靜郭君如果能聽我的話，必定沒有現今的麻煩了，這是第一件。回到薛地以後，楚相昭陽請以數倍的土地與薛邑交換，我又說：一定要聽。靜郭君說：薛地是先王封我的，雖然和後王不和睦，我怎能對不起先王呢？而且先王的宗廟在薛，我怎能把先王的宗廟交給楚國呢？又不肯聽我的話，這是第二件。」宣王聽了劑貌辨的話，太息而變色說：「靜郭君對於我，竟是這樣的愛護！我年紀輕，真不知道這些情事，你肯為我請靜郭君回來嗎？」劑貌辨回答說：「遵命。」

靜郭君來，衣威王之服，冠其冠，帶其劍，宣王自迎靜郭君於郊，望之而泣。靜郭君至，因請相之，靜郭君辭，不得已而受，十日謝病，彊辭三日而聽。當是時也，靜郭君可謂能自知人矣。能自知人，故非之弗為阻，此劑貌辨之所以外生、樂趨患難故也。

【今譯】　靜郭君來時，穿威王所賜之衣，戴威王所賜之冠，佩威王所賜之劍；宣王親自迎接靜郭君於郊外，遠遠的望見就感動而流淚。靜郭君到了齊國，宣王就請他為相，靜郭君辭謝，不得已而接受了任命。過了十天就請病假，勉強請辭了三天，才得到宣王的同意。到了這個時候，靜郭君可以說能夠自己知人了。能自己知人，故雖有別人勸諫而不為阻止，這亦就是劑貌辨所以輕視有生之樂而不避患難的緣故。

四曰審己

【今註】　本篇是說明凡事的成敗，當事的人要知道其所以然。所述魯君、齊湣王及越王三事例，都是不明事理的愚惑之至，到了敗亡以後，還是不明白其失敗的所以然，這就是不知道審己。所以說：聖人不察存亡賢不肖，而察其所以也。

凡物之然也，必有故，而不知其故，雖當與不知同，其卒必困㊀；先王名士達師之所以過俗者，以其知也。水出於山而走於海，水非惡山而欲海也，高下使之然也。稼生於野而藏於倉，稼非有欲也，人皆以之也。故子路揜雉而復釋之㊁。子列子常射中矣，請之於關尹子㊂，關尹子曰：「知子之所以中乎？」答曰：「弗知也。」關尹子曰：「未可。」退而習之三年，又請，關尹子曰：「子知子之所以中乎？」子列子曰：「知之矣㊃。」關尹子曰：「可矣，守而勿失。」非獨射也，國之存也，國之亡也，身之賢也，身之不肖也，亦皆有以㊄，聖人不察存亡賢不肖，而察其所以也。

【今註】㈠許釋引陶鴻慶札記「故，猶言所以然也，下文云，國之存也，國之亡也，身之賢也，身之不肖也，亦皆有以，有以即有故也。高注云故、事，失之。」又「而不知其故上，當有知其然三字，與上句相承，下云雖當與不知同，正對知其然而言也。如今本則文不可通。」尹校謂而不知其故句的「而，猶如也」。按陶訓故為所以然，及尹訓而為如，均可取。㈡高注「所得者小，不欲夭物，故釋之也。」許釋引俞樾平議「高注未得呂氏之旨，下文曰：子列子嘗射中矣，請之於關尹子。關尹子曰：知子之所以中乎？答曰：弗知也。關尹子曰：未可。子路之釋雉，即關尹子之意，蓋掩襲而取之，是未知所以取之也，猶射中而未知所以中也。雖足以得物，而於己未審，此子路之所以復釋之，而呂氏引以證審己之義者也。」陶鴻慶札記「俞說較高注為善。然上文水稼之喻，但言物之必有故，而關尹子論射在下文，則審己之義未明，忽著此句，殊為鶻突，宜高氏之誤解矣。疑此句當在下文聖人不察存亡賢不肖，而察其所以也句下。子路之釋雉，與柳下季之不證岑鼎，事理相類，釋雉事承身之賢不肖言，證鼎事承國之存亡言也。」㈢子列子是列禦寇，關尹子是關尹喜，都是道家。常、許釋謂借作嘗。列子曾經射中，請問其射所以中於關尹子。㈣高注「知射心平體正，然後能中，自求諸己，不求諸人，故曰知之。」㈤高注「求諸己則存，求諸人則亡。」

【今譯】大凡事物的如此，必有其所以如此的道理，如果不知道其所以如此的道理，雖然知道其確是如此，也和不知道一樣，必定仍為不知道其所以如此所困惑。先王名士達師之所以超過世俗，因為他知道所以如此的道理。水出於山而流歸於海，水並不是惡山而喜海，是由於地勢的高低使其如此。

稻穀生於野而藏於倉，稻穀並不希望藏於倉，是由於人都要用稻穀所以藏之於倉。因此，當子路掩襲而捕得野雉時，他知道野雉生長野中，所以復把它釋放了。列子學射曾經射中了，請問其所以射中的理由於關尹子，關尹子說：「你知道你的所以射中的道理嗎？」回答說：「不知道。」關尹子說：「未可告訴你。」列子退而再習射三年，又請問，關尹子說：「你知道你的所以射中的道理嗎？」列子說：「知道了。」關尹子說：「可以了，守著這原則不可忘記。」不獨射要這樣，國家的存，國家的亡，人的賢，人的不肖，也都有其所以如此的道理。聖人不要審察存亡賢不肖，而要審察其所以如此的道理。

齊攻魯，求岑鼎，魯君載他鼎以往，齊侯弗信而反之為非，使人告魯侯曰：「柳下季以為是，請因受之㈠。」魯君請於柳下季。柳下季答曰：「君之賂以欲岑鼎也㈡，以免國也；臣亦有國於此㈢。破臣之國，以免君之國，此臣之所難也。」於是魯君乃以真岑鼎往也。且柳下季可謂能說矣㈣，非獨存己之國也，又能存魯君之國。

【今註】㈠「岑鼎」，韓非子說林下作讒鼎，陳啟天韓非子校釋謂新序節士篇亦作岑鼎，讒岑並鬵（ㄑㄧㄣˊ）之借字，說文鼎大上小下若甑曰鬵。柳下季，韓詩外傳作柳下惠，韓非子說林作樂正子春，說苑立節篇作尾生，按此當是一事誤傳。㊁畢校「猶言賂以其所欲之岑鼎」。許釋引俞樾平議：「此當作君之賂以岑鼎也，欲以免國也。欲字誤移在上句，則文不成義，畢曲說也。」按畢說可用。㊂高注「亦有國於此，言已有此信以為國也。」㊃許釋引馬敘倫讀呂氏春秋記「此字涉上文而譌衍，又且字蓋讀為若。」按且字是語助詞。

【今譯】　齊國攻伐魯國，要求魯國的岑鼎，魯君送他鼎給齊國，齊侯不相信這是岑鼎而退還魯國，使人告訴魯侯說：「柳下季如認為是真的，請因柳下季之言而受之。」魯君請柳下季證明是岑鼎，柳下季回答說：「君侯賂以其所要的岑鼎，目的是要免去國家的危亡，臣亦有國在此，破壞了臣的國，以保全君侯的國，這實在使臣為難。」於是魯君不得已把真岑鼎送去。柳下季可謂能說話了，不獨保存自己的國，又能保存魯君的國。

齊湣王亡居於衛㊀，晝日步足，謂公玉丹曰：「我已亡矣，而不知其故，吾所以亡者果何故哉？我當已。」公玉丹答曰：「臣以王為已知之矣，王故尚未之知邪？王之所以亡也者以賢也，天下之王皆不肖，而惡王之賢也，因相與合兵而攻王，此王之所以亡也。」湣王慨焉太息曰：「賢固若是其苦邪？」此亦不知其所以也，此公玉丹之所以過也。

【今註】㊀亡是出奔。齊湣王是齊宣王之子，暴虐無道，周赧王三十一年（西元前二八四年），燕樂毅與秦楚共伐齊，而分其地，湣王出奔於衞，齊人立襄王，後五年，田單復齊。

【今譯】齊湣王出奔於衞，整日步行，問公玉丹說：「我已經出奔了，可是不知道其所以如此，究竟是為什麼？難道我真的完了！」公玉丹回答說：「我以為王已經知道了，王竟然還沒有知道嗎？王之所以出奔，是因為賢能，天下的王都不肖，而嫉忌王的賢能，因而聯合出兵來攻王，這就是王之所以出奔啊！」湣王慨然太息說：「賢能真是這樣的痛苦嗎？」這亦是不知道其所以如此的道理，而公玉丹所以為不忠。

越王授有子四人，越王之弟曰豫，欲盡殺之而為之後㊀。惡其三人而殺之矣，國人不說，大非上，又惡其一人而欲殺之，越王未之聽，其子恐必死，因國人之欲逐豫，圍王宮，越王太息曰：「余不聽豫之言，以罹此難也。」亦不知所以亡也。

【今註】㊀越王授是句踐的五世孫，其弟豫希望繼任為越王，所以要盡殺王授的四個兒子。貴生篇有王子搜，或疑即四子之一。

【今譯】越王授有兒子四人，越王的弟弟叫做豫，要盡殺越王的四個兒子而由自己繼位。先向越王說其中三人的壞話，已經殺死了，越國人民不高興，大大的反對越王的所為；其弟又說其所留的一子壞話，就要殺他，越王未聽從。其子恐怕被殺死，知道國人要驅逐王弟豫，因而率兵包圍了王宮，越王嘆氣說：「我真後悔不聽信豫的話，以致遭遇此禍。」這也是不知道所以如此的道理呀！

五曰精通

【今註】　精通是精氣相通之意，主旨是說道德仁義的感化作用。文中說明萬物間即使在相當距離，也可由連續區間輻射出來的感應，而有相互超距的作用。所引述事例十一項中，關於自然科學的觀察三項（兩項完全正確），人類關係的事例三項，精神集中的事例三項，及音樂現象的解釋二項。都說明精氣相通，或者可以說是互相影響及同感共鳴作用。西方人有譯此精字為輻射能。

人或謂兔絲無根，兔絲非無根也，其根不屬也，伏苓是㈠。慈石召鐵，或引之也㈡。樹相近而靡，或軵之也㈢。聖人南面而立，以愛利民為心，號令未出，而天下皆延頸舉踵矣，則精通乎民也㈣。夫賊害於人，人亦然。今夫攻者砥厲五兵，侈衣美食，發且有日矣，所被攻者不樂，非或聞之也，神者先告也。身在乎秦，所親愛在於齊死，而志氣不安，精或往來也。

【今註】㈠兔絲即菟（ㄊㄨˋ）絲，一名女蘿，是一種寄生的旋花植物，由其特殊器官，吸入寄生體的汁液。茯苓是一種菌，用於醫藥，寄生在松根。此兩種寄生植物，實不相關，現代植物學認為這是一種誤會。㈡慈石（慈愛之石）即磁石，中國早就知道磁石的吸引力。㈢樹相近而靡是因為爭取日光雨露的營養關係。軵畢校讀茸（ㄖㄨㄥˊ），擠也。以上三項，是自然科學的觀察。㈣仁政足以使天下人延頸舉踵而望之，暴政足以使人舉踵繈負而去之，不論仁暴，人民皆有預感，這三項是由於精神上的感召。

【今譯】有人說，菟絲沒有根；菟絲不是沒有根，有根而不相連屬，茯苓就是。磁石吸鐵，好像有東西引之使來；樹林相近而枝葉披靡，好像有東西擠之使去。聖王南面而立，以愛民利民為心，號令未出，而天下百姓都已延頸企踵而期望之，這是精誠能通於民心。反之，以殘民害人為心，天下人也是一樣的延頸舉踵繈負而去了。現在有準備攻伐他國的，磨礪兵刃、養精蓄銳的要發動了；而那將被攻的國家就早感到不安，並不是聽到什麼消息，祇是冥冥之中像有神明相告。又如一個人身在秦國，所親愛的人在齊國，親愛的死亡而感覺心神不安，好像精神間有所往來一樣。

德也者萬民之宰也，月也者羣陰之本也。月望則蚌蛤實，羣陰盈，月晦則蚌蛤虛，羣陰虧㈠。夫月形乎天，而羣陰化乎淵㈡，聖人行德乎己，而四荒咸飭乎仁㈢。

【今註】㊀蚌蛤（蛤蜊）都是生在淺水的輭體動物，在管子中亦述及有些海生動物受月球循環的感應，體積隨月亮之盈虧而消長。現代生物學對於輭體動物的情形還不大明白，對於棘皮動物的生殖系統有月球盈虛的週期性，特別是海膽，當月圓時肥美妙食。（見中譯中國之科學與文明第七冊）㊁高注「形，見也。羣陰，蚌蛤也，隨月盛衰虛實也。」㊂大學「一家仁，一國興仁。」論語「君子篤於親，則民興於仁」。孟子「君仁莫不仁，君義莫不義」。都是此意。

【今譯】德是萬民的主宰，月是羣陰的根本，月圓則蚌蛤充實，羣陰盈滿；月缺則蚌蛤空虛，羣陰虧損。月亮出現於天上，而蚌蛤變化於深淵，所以聖人修德於己身，而四方荒裔之民皆感化於仁義。

養由基射兕，中石，矢乃飲羽，誠乎兕也㊀。伯樂學相馬，所見無非馬者，誠乎馬也㊁。宋之庖丁好解牛，所見無非死牛者，三年而不見生牛，用刀十九年，刃若新𧫴研，順其理，誠乎牛也㊂。鍾子期夜聞擊磬者而悲，使人召而問之曰：「子何擊磬之悲也？」答曰：「臣之父不幸而殺人，不得生，臣之母得生，而為公家為酒，臣之身得生，而為公家擊磬。臣不覩臣之母三年矣，昔為舍氏覩臣之母，量所以贖之，則無有，而身固公家之財也，是故悲也㊃。」鍾子期歎嗟曰：「悲夫，悲夫，心非臂也，臂非椎非石也，悲存乎心，而木石應之。」故君子誠乎此而諭乎彼，感乎己而發乎人，豈必彊說乎哉？

【今註】㈠養由基是古代的善射者。兕即兕（ㄙˋ），是雌的犀牛，形似虎，皮堅厚，可製甲。飲羽是箭矢深入到箭尾的羽毛，這是因為他有堅強的信念，以為那真是犀牛。㈡伯樂是古代的善相馬者，聚精會神，所看見的無非是馬，故能專精。㈢庖丁解牛事，詳見莊子養生主篇，此數句應作始解牛時，所見無非牛者，三年之後，未嘗見全牛也。用刀十九年，所解數千牛矣，而刀刃若新發於硎。彼節者無間，而刀刃者無厚，以無厚入有間，恢恢乎遊刃有餘。許釋引陳昌齊正誤「此訛全為生，又於無非牛者句中加死字，遂不成文理。」陳說是。鄺研，許釋謂當作磨硎，鄺為磨誤，研應作硎，淮南齊俗篇作刃如新砥硎。㈣鍾子期是春秋時楚人，伯牙鼓琴，志在高山流水，子期聽而知之，謂之知音。子期死，伯牙不復鼓琴。酒疑是洒之誤，為公家奴婢，專作洒掃事，猶如現在的清道夫。擊磬即擊柝，是守更。舍氏是看守房屋。

【今譯】養由基射犀牛，中了石頭，箭矢的羽毛深入石中，他以為那真是犀牛。伯樂學相馬，所見的無非是馬，是一心專誠於馬。宋國的庖丁善殺牛，所看見的無非是牛，三年後看不見全牛；他的刀用了十九年，鋒刃好像剛磨礪過的一樣，遊刃於骨節之間，是因為專誠於牛。鍾子期夜裏聽到擊磬的聲音很悲慘，使人叫擊磬的來，問他說：「你的磬聲為什麼這樣的悲慘？」他回答說：「我的父親不幸犯了殺人罪而不得生，我的母親雖得不死而沒入公家為奴婢，從事洒掃，我雖得生而為公家擊磬守夜。我沒有看見母親已經三年了，前些時為了看守房子看到了母親，我思量著要把她贖出來，可是我自身還是公家所有，那來的錢去贖，因此，心中悲傷！」鍾子期嘆氣說：「悲傷呀！悲傷呀！心不是手臂，手臂不是擊磬的椎和石，悲傷存於心中，木石受感應而發悲聲。」所以君子誠於此而諭於彼，感於己而及於人，何必要強辭奪理呢？

周有申喜者亡其母，聞乞人歌於門下而悲之，動於顏色，謂門者內乞人之歌者，自覺而問焉㊀。曰：「何故而乞？」與之語，蓋其母也。故父母之於子也，子之於父母也，一體而兩分，同氣而異息，若草莽之有華實也，若樹木之有根心也，雖異處而相通，隱志相及，痛疾相救，憂思相感，生則相歡，死則相哀，此之謂骨肉之親㊁。神出於忠，而應乎心，兩精相得，豈待言哉？

【今註】㊀畢校謂御覽自覺作自見，許釋謂見字是。㊁此即俗語所謂母子連心。

【今譯】周有申喜其人，早歲和其母散失。有一天，聽到門外乞丐的歌聲而為之悲傷，動於顏色，叫守門的納入唱歌的乞丐，自己接見而問她說：「為什麼而行乞？」同她說了一些話，原來就是他的母親。所以父母之於子女，子女之於父母，實在是一體而兩分，同氣而異息，猶如草莽之有花實，樹木之有根心，雖然異處而相通，志氣相及，痛疾相救，憂思相感，生則相歡，死則相哀，這叫做骨肉至親。性出於中而應於心，兩方的精氣互相感應，豈是一定等到說話嗎？

卷十　孟冬紀

第十，凡五篇

一曰孟冬

【今註】孟冬是夏曆的十月，立冬時候，萬物終成，重要政令是謹守蓋藏，戒慎門閭，鞏固封疆，防備邊境。同時注意喪葬儀式，考核百工績效，命將帥講習軍事，訓練射御。至於孟冬紀的節葬、安死、異寶、異用各篇，都說喪葬之事，對墨家的薄葬主張，多所引伸。

孟冬之月，日在尾，昏危中，旦七星中㈠。其日壬癸㈡，其帝顓頊，其神玄冥。其蟲介，其音羽，律中應鐘，其數六。其味鹹，其臭朽，其祀行，祭先腎㈢。水始冰，地始凍，雉入大水為蜃，虹藏不見㈣。天子居玄堂左个，乘玄輅，駕鐵驪，載玄旂，衣黑衣，服玄玉。食黍與彘，其器宏以弇㈤。

【今註】㈠尾是東方宿，今屬天蠍座。危是北方宿，今屬寶瓶座。七星是南方宿，今屬長蛇座。㈡「其日壬癸」至「祭先腎」一節，詳見孟春紀註。應鐘是十二律中的陰聲，見音律篇。㈢「其祀行」，高注「音行，門內地也，冬守在內，故祀之。」或作其祀井，井水給人食用，冬屬水，故祀之。㊃雉入大水為蜃，蜃是大蛤。國語晉語「雀入於海為蛤，雉入於淮為蜃。」㊄玄堂亦作玄冥，是明堂的北向堂。玄是黑色，鐵驪是黑馬。彘是豬。弇（一ㄢˇ）是口小中寬的器具。

【今譯】　孟冬十月，太陽的位置在東方尾宿，向晚時望見北方危宿上升在南方中天，向曉時則見南方七星出現在南方中天。十月的日干為壬癸，上應的天神是水德之帝顓頊和水官之神玄冥。應時的動物為介類，應時的音律是羽音和應鐘，其數為六。其味為鹹，其臭為朽，其祀為行，祭以腎為先。其時水始冰，地始凍，雉入大水為蜃，天空的彩虹已隱藏不見。天子為順應時令，移居明堂北向的玄堂左偏室，出則乘玄輅，駕鐵驪，載玄旂，衣黑衣，佩玄玉。食則以黍與彘為主，所用器具要寬大而口小。

是月也以立冬㊀。先立冬三日，太史謁之天子，曰：「某日立冬，盛德在水。」天子乃齋。立冬之日，天子親率三公九卿大夫以迎冬於北郊。還乃賞死事，恤孤寡㊁。

【今註】　㊀立冬是在秋分後四十六日，冬是終的意思，立冬時候，萬物終成，故名。立冬多在夏曆十月，今陽曆則在十一月七日或八日。㊁賞死事，是賞賜為國事死亡殉難的忠臣烈士，矜恤其孤兒寡婦。

【今譯】　這個月是立冬。在立冬前三日，太史報告天子說：「某日立冬，盛德在水。」天子於是齋戒。立冬那天，天子親自領導三公九卿大夫到北郊去，舉行迎冬之禮。禮畢還朝，乃賞賜為國死事的忠臣烈士，撫卹他們的孤兒寡婦。

是月也，命太卜禱祠龜策，占兆、審卦吉凶㈠。於是察阿上亂法者則罪之，無有揜蔽㈡。

【今註】㈠高注「周禮，太卜掌三兆之法，一曰玉兆，二曰瓦兆，三曰原兆。又掌三易之法，一曰連山，二曰歸藏，三曰周易。龜曰兆，筮曰卦，故命太卜禱祠龜策，占兆審卦，以知吉凶。」㈡阿上是曲意奉迎，以取得君主的信任，而為非作惡，以亂法紀。揜即掩。

【今譯】這個月，命太卜祈禱龜策，審視龜所示的兆和策所列的卦，以定吉凶。於是檢察羣臣的品德，凡是阿諛逢迎而擾亂法紀的人，予以處分，不可有所掩護蒙蔽。

是月也，天子始裘。命有司曰：「天氣上騰，地氣下降，天地不通，閉而成冬㈠。命百官謹蓋藏，命司徒循行積聚，無有不斂。坿城郭㈡，戒門閭，修楗閉，慎關籥，固封璽，備邊境，完要塞，謹關梁，塞蹊徑。飭喪紀，辨衣裳，審棺槨之厚薄㈢，營丘壟之小大高卑薄厚之度，貴賤之等級㈣。

【今註】㊀孟春天氣下降，地氣上騰，故天地和同；孟冬天氣上騰，地氣下降，故天地不通。㊁坿（ㄈㄨˋ）是增加修補，使益堅固。楗（ㄐㄧㄢˋ）即鍵，是鎖簧，古人多用橫木。籥即鑰（ㄩㄝˋ）是開鎖的鑰匙。璽（ㄒㄧˇ）是印璽，月令作封疆。關梁是交通道路上的關隘橋梁。蹊（ㄒㄧ）徑是小路。㊂喪紀是喪葬的禮節儀式。衣裳是喪服，有五服的分辨，就是斬衰（三年服）、齊（ㄗ）衰（有杖服、有不杖服，有五月，有三月）、大功（九月服）、小功（五月服）、緦麻（三月服）。棺槨是尊者厚，卑者薄，各有等差。㊃丘壟就是墳墓，亦以貴賤分別小大高卑薄厚。

【今譯】這個月，天子始穿皮裘。命令主持政令的長官說：「天氣上升，地氣下降，上下不通而閉塞，冰霜凜烈而成冬。應該使百官謹慎所有的蓋藏，命司徒巡視各地的積聚，不可有未收斂入倉庫的穀物。同時要增修城郭，戒慎門閭，修理楗閉，小心關鑰，固封印璽，防備邊境，完整要塞，謹守關梁，堵塞小路。並且整飭喪事的儀節，辨別喪服的期間，審定棺槨的厚薄；營造墳墓應注意大小、高低、厚薄的規格，使合於貴賤的等級。

是月也，工師效功，陳祭器，按度程㊀。無或作為淫巧，以蕩上心，必功致為上物，勒工名以考其誠㊁。工有不當，必行其罪，以窮其情。

【今註】㊀效功是查驗工作成績。度程是式樣規格。㊁功致是工夫週致，合於規定。勒工名是刻工人的姓名於器物上，使不得詐欺取巧。

【今譯】 這個月裏，工師檢討工作績效，陳列祭器，查驗其式樣規格。不可製造奇異巧妙的器物，以惑亂動搖君主的心情。必須以工作週致合於規定的為上等，器物上要刻記工人的姓名以查考其誠實。工作如有不當，必按照情節的輕重分別處分，以窮究其誠偽的真情。

是月也，大飲蒸。天子乃祈來年于天宗㈠，大割祠于公社及門閭，饗先祖五祀。勞農夫以休息之㈡。天子乃命將率講武，肄射御，角力㈢。是月也、乃命水虞漁師收水泉池澤之賦，無或敢侵削眾庶兆民，以為天子取怨於下；其有若此者，行罪無赦。

【今註】 ㈠蒸亦作烝，是冬季祭名。「大飲蒸」因為十月稻穀已收，天子諸侯與其羣臣大飲酒，以資慶賀，並祈求明年的豐收於天宗之神，猶如豐年祭。天地四時皆為天宗，萬物非天不生，非地不載，非春不動，非夏不長，非秋不成，非冬不藏。書經上說：「禋（ㄧㄣ）於六宗」，六宗即天宗。

㈡大割是殺牲。公社是國社后土，生為上公，死祀為貴神，先祠於公社，次及門閭、先祖，是先公後私之義。五祀是木正句芒，其祀戶；火正祝融，其祀竈；土正后土，其祀中霤；金正蓐收，其祀門；水正玄冥，其祀行。（參考孟春紀）社為土官，稷為木官，俱在五祀中，以其功大，故別言社稷。

㈢肄是學習。角力是比賽力量。

【今譯】這個月，舉行大飲蒸之祭，天子向天宗之神祈求明年豐收；接著大殺牲，分別祭祀於公社及門閭，以及先祖、五祀。其時農夫空閒，故利用祭祀犒勞，使其休息。同時，天子乃命將帥講究武功，練習射御，並且比試力量。又命水虞和漁師收繳水泉池澤的賦稅，他們都不敢對百姓任意侵奪剝削，以免天子為羣眾所怨，如果有重斂生怨情事，嚴予罰罪，決不寬赦。

孟冬行春令，則凍閉不密，地氣發泄，民多流亡。行夏令，則國多暴風，方冬不寒，蟄蟲復出。行秋令、則雪霜不時，小兵時起，土地侵削。

【今譯】孟冬如行春令，則春陽復出，寒冬的閉塞不密，使地氣發泄，民多流亡，猶如陽氣四散。如行夏令，則國多暴風，方冬而不寒冷，蟄蟲復出。如行秋令，則不時霜雪，小兵數起，鄰國來侵佔土地。

二曰節喪

【今註】本篇說明喪葬的意義，在求死者之安，文中極論厚葬有弊無利，歷代大墓沒有不被發掘。或謂此是申論墨家的薄葬而反對儒家的厚葬。其實孔子亦主張節喪，所謂「禮與其奢也寧儉，喪與其易也寧戚。」就是說喪禮要用得適當，不在奢侈，檀弓篇中有子游問喪具，夫子曰：「稱家之有無」。子游曰：「有亡惡乎齊？」夫子曰：「有毋過禮；苟亡矣，斂首足形，還葬，懸棺而封，人豈有非之哉？」所以厚斂虛張，祇是世俗的流弊，祇是「生者以相矜尚也，侈靡者以為榮，儉節者以為陋。」這些惡習至今猶存，故本篇所論，尚有時代的意義。

審知生，聖人之要也，審知死，聖人之極也㈠。知生也者，不以害生，養生之謂也；知死也者，不以害死，安死之謂也㈡。此二者聖人之所獨決也。凡生於天地之間，其必有死，所不免也，孝子之重其親也，慈親之愛其子也，痛於肌骨，性也。所重所愛死，而棄之溝壑，人之情不忍為也，故有葬死之義㈢。葬也者、藏也，慈親孝子之所慎也㈣，慎之者，以生人之心慮。以生人之心為死者慮也，莫如無動，莫如無發，無發無動，莫如無有可利，則此之謂重閉㈤。

【今註】㈠審知生，如先總統　蔣公所謂「生活之目的，在增進人類全體之生活；生命之意義，在創造宇宙繼起之生命。」審知死，如孔曰成仁，孟曰取義，及死有重於泰山，輕於鴻毛。㈡畢校「續漢書禮儀志下注引此，不以物害生，不以物害死兩句，皆有物字。」按有物字文義易明，貴生篇論養生是不以物害生：本文謂無發無動，莫如無有可利，是不以物害死。㊂葬死之義，孟子述之最詳，其要在免親體之被禽獸所食，蠅蚋所聚，孟子說：「蓋上世嘗有不葬其親者，其親死，則舉而委之於壑。他日過之，狐狸食之，蠅蚋姑嘬之，其顙有泚，睨而不視。夫泚也，非為人泚，中心達於面目，蓋歸反虆梩而掩之。掩之，誠是也，則孝子仁人之掩其親，亦必有道矣。」㊃禮記檀弓「國子高曰：葬也者藏也，藏也者欲人之弗得見也。是故衣足以飾身，棺周於衣，槨周於棺，土周於椁，反壤樹之哉？」其意謂人死而葬，意在埋藏不見，不當反而植樹為標誌。㊄「重閉」：墓門封土砌石謂之閉；節葬無有可利，便不怕有奸盜發掘，又如一閉，故曰重閉。

【今譯】審知生的意義，是聖人的重要理想，審知死的意義，是聖人的終極目的。知道了生的意義，就知道不以物害生，這叫做養生之道；知道了死的意義，就知道不以物害死，這叫做安死之道。這兩點祇有聖人纔能有獨到的見解。大凡生於天地之間，死是不可避免的，孝子的尊重其親，慈親的愛惜其子，為此痛入肌骨，這是人的天性。如果所尊重的或者所愛惜的死了，拋棄其屍體於溝壑之中，是人情所不忍做的，因此有安葬死者的禮制。所謂葬就是隱藏的意思，慈親孝子對此都很慎重，慎重的辦法是用生人的心智為死者計慮。生人用心為死者計慮，最好安葬之後不要移動，不被發掘；不要移動、不被發掘，最好是葬者墓中無利可圖，這就叫做雙重閉塞。

古之人有藏於廣野深山而安者矣，非珠玉國寶之謂也，葬不

可不藏也，葬淺則狐貍抇之，深則及於水泉。故凡葬必於高陵之上，以避狐貍之患，水泉之溼。此則善矣，而忘姦邪盜賊寇亂之難，豈不惑哉？譬之若瞽師之避柱也，避柱而疾觸杙也㈠，狐貍水泉姦邪盜賊寇亂之患，此杙之大者也，慈親孝子避之者，得葬之情矣。善棺椁，所以避螻蟻蛇蟲也，今世俗大亂之主，愈侈其葬，則心非為乎死者慮也，生者以相矜尚也，侈靡者以為榮，儉節者以為陋，不以便死為故，而徒以生者之誹譽為務，此非慈親孝子之心也。父雖死，孝子之重之不怠，子雖死，慈親之愛之不懈，夫葬所愛所重，而以生者之所甚欲㈡，其以安之也，若之何哉？

【今註】㈠杙（一丶）是繫縛牲畜用的小木樁（ㄓㄨㄤ）。㈡「甚欲」猶言窮奢極慾，是指侈靡厚葬以耀世人的虛榮欲望。

【今譯】古代的人有藏屍於廣野深山而安然無事了，並不是說有珠玉國寶的意思，是因為葬便不可不隱藏，葬淺則為狐狸所掘，葬深則為水泉所侵，所以葬必擇於高山之上，以避免狐狸的患害，水泉的濕浸。這樣做似乎是完善了，可是忘記了姦邪盜賊寇亂的禍難，豈不是惑亂嗎？這譬如瞎子走路要避開柱子，避了柱子而很快的碰上小木樁；狐狸、水泉、姦邪、盜賊、寇亂的禍患，比之小木樁大多了，慈親孝子能為死者計慮而一一避免之，就合乎安葬的情理了。棺槨要堅實，不過是避免螻蟻蛇蟲罷了，而現在世俗不明事理的人，殮葬力求奢侈，他們的心理不是為死者計慮，祇是為生者自己以豪華相矜相尚而已。喜歡侈靡的人以此為榮耀，喜愛節儉的人則以此為卑陋。不以便利死者的安全為理由，而專以生者的誹譽為目的，這不是慈親孝子的本意。父雖死，孝子的尊重並不衰減，子雖死，慈親的愛情並不消失，所以葬其所尊所愛，而以生者的窮奢極慾求其安全，這怎麼可能呢？

民之於利也，犯流矢，蹈白刃，涉血盩肝以求之；野人之無聞者，忍親戚兄弟知交以求利。今無此之危，無此之醜，其為利甚厚，乘車食肉，澤及子孫，雖聖人猶不能禁，而況於亂。國彌大，家彌富，葬彌厚，含珠鱗施㊀，夫玩好、貨寶、鍾、鼎、壺濫、轝馬、衣被、戈劍，不可勝其數，諸養生之具，無不從者㊁，題湊之室，棺槨數襲，積石積炭，以環其外㊂。姦人聞之，傳以相告，上雖以嚴威重罪禁之，猶不可止。且死者彌久，生者彌疏，生者彌疏，則守者彌怠，守者彌怠，而葬器如故，其勢固不安矣。

【今註】㊀含珠是殮時含於死者口中的珠寶。鱗施是綴珠玉於死者之體多如魚鱗。㊁墨子節葬篇「又必多為屋幕，鼎鼓几梴、壺濫戈劍、羽毛齒革、寢而埋之。」都指古代殮葬的器物，今人多以紙紮代替。壺濫在慎勢篇作壺鑑，周禮亦作罋、甈，大概是一種盛水的壺，故從水作濫。㊂「題湊之室」，高注「室，槨藏也，題湊複累。」湊（ㄘㄡˋ）是棺外累聚木料，大概是停柩屋子的四壁，都用松柏硬木內向築成，十分堅固，謂之題湊。

【今譯】人民的貪利是不怕死的，冒犯流矢，衝向白刃，跋涉血泊，抽出心肝，以求取財利；不懂禮義的野人更忍心殺害其親戚兄弟和好友，以求得利。現在發掘墳墓，盜取珠寶，既沒有犯流矢蹈白刃的危險，又沒有忍心殺害親友的羞恥；而所得的財利很多，既可以乘車食肉，過著舒適的生活，還可以遺留下去，澤及子孫。這樣的事，即使在聖王治平之世也難以禁止，何況亂離之世呢？一般的情形，國愈大，家愈富，葬愈厚：含珠綴玉之外，那些玩好貨寶、鐘鼎壺鑑、輿馬、衣被、戈劍等等，不可勝數，所有養生必需的用器，應有盡有。停柩的房間，非常堅固，棺槨好幾層，又堆積許多碎石木炭，四面圍著。奸人聽到這個消息，輾轉相告，雖有嚴威重罪的法令予以禁戒，而發掘之事終不見停止。而且死者越久，家屬越疏，家屬既疏，則守者亦愈懈怠，守者雖懈怠，而葬器仍舊存在，最後的趨勢終是不安全了。

世俗之行喪，載之以大輴，羽旄旌旗如雲，僂翣以督之㊀，珠

玉以備之，黼黻文章以飭之㈡，引紼者左右萬人以行之㈢，以軍制立之，然後可㈣。以此觀世，則美矣侈矣，以此為死則不可也。苟便於死，則雖貧國勞民，若慈親孝子者之所不辭為也。

【今註】㈠這一段是描述出殯（大出喪）的情形。大輴（ㄔㄨㄣ）是載靈柩的大車。僂翣（ㄕㄚˋ）是插在喪車上的飾物，猶如現代喪車上的松柏結紮，翣狀如扇，周禮作柳翣，檀弓作蔞翣。禮器「天子八翣，諸侯六翣，大夫四翣。」督是督率，喪車在前，翣的多少，表示尊榮，故曰僂翣以督之。㈡備、許釋謂元刻張本作佩，是以珠玉佩屍，預防腐爛。飭同飾。㈢紼（ㄈㄨˋ）是出殯時拉棺材的繩索，引紼者是送葬的人都要執紼，現在叫做輓。㈣送葬的人多，以軍制部署分左右排隊，使行列整齊美觀。

【今譯】世俗的出殯，載靈柩用大車，羽旄旌旗如雲，設僂翣以為督率，佩珠玉以防腐敗，黼黻文章以為裝飾。送葬的左右萬人為之執紼，以軍制排列分行，以求其整齊壯盛而後可。以此炫耀世人，可謂美矣侈矣；以此為求死者安息則不可。這樣的大出喪，如果真的有利於死者，則雖因此而傷財勞民，那慈親孝子也不會推辭而不為呀！

三曰安死

【今註】本篇承上篇反對厚葬，歷述古代厚葬之弊，以明此非安死之道，是愛之而反害之。所以說：「先王之所惡，惟死者之辱也，發則必辱；儉則不發，故先王之葬必儉。」末更引述魯季孫桓子以璵璠為其父平子斂，孔子當即予以糾正，可見孔子是主張喪葬要合於禮義的。

世之為丘壟也，其大若山陵，其樹若林藪，其設闕庭，為宮室，造賓阼也，若都邑㈠，以此觀世示富則可矣，以此為死，則不可也。夫死、其視萬歲猶一瞚也㈡，人之壽久之不過百，中壽不過六十，以百與六十為無窮者慮，其情必不相當矣，以無窮為死者慮則得之矣。今有人於此，為石銘置之壟上曰：「此其中之物，具珠玉玩好財物寶器甚多，不可不抇，抇之必大富，世世乘車食肉。」人必相與笑之，以為大惑，世之厚葬也，有似於此。自古及今，未有不亡之國也，無不亡之國者，是無不抇之墓也。以耳目所聞見，齊荊燕嘗亡矣，宋中山已亡矣，趙魏韓皆失其故國矣㈢，自此以上者，亡國不可勝數，是故大墓無不抇也，而世皆爭為之，豈不悲哉？

【今註】㊀丘壟是築土為墳，猶如小丘。賓阼（ㄗㄨㄛˋ）是墓道的階級，檀弓篇，孔子告子貢說：「夏后氏殯於東階之上，則猶在阼也；殷人殯於兩楹之間，則與賓主夾之也；周人殯於西階之上，則猶賓之也。」㊁瞚（ㄕㄨㄣˋ），畢校謂與瞬同，李善注文選陸士衡文賦引作萬世猶一瞬。㊂齊嘗亡於燕樂毅（在周赧王三十年，後五年，田單復齊），燕嘗亡於齊宣王（在周赧王元年，燕王噲讓位子之，國亂，齊宣王伐而取之，後二年，燕人立昭王以謀恢復），荊嘗亡於吳（在周敬王十四年，申包胥乞秦師救楚）。趙滅中山（在赧王二十年），齊滅宋（在赧王二十九年）。至於韓亡於秦始皇十七年，趙亡於秦始皇十九年，魏亡於秦始皇二十二年，皆在本書作成之後，此處一本作「趙魏韓皆亡矣」，當非原文，畢校謂「續志注作趙韓魏皆失其故國矣」，較合史實。錢穆先生撰「呂不韋著書考」引顧炎武日知錄謂呂書或有成於遷蜀之後，並有成於不韋之身後者，亦未能證明。

【今譯】世間所築的丘壟，高大如山陵，植樹成林，所設造的闕庭、宮室、階阼有如都邑，以此炫耀世俗，表示富有是可以的，以此安息死者則不可。所謂死，比之萬歲不過一瞬而已，人的壽命長的不過百年，中壽不過六十，以百與六十有限的年壽作無窮盡的計慮，其情實必不相當了，以無窮盡為死者計慮那就得了。假使現在有人在壟上安置一塊銘石說：「這土中的東西有珠玉玩好、財物寶器很多，不可不發掘，發掘必得大富，世世可得乘車食肉。」人家必定都笑他，認為他太悖惑，其實世上的厚葬，有似於此。自古至今，未有不亡之國，沒有不亡之國，亦就是沒有不發掘之墓。就吾人耳目的所聞所見，齊楚燕曾經滅亡過了，宋中山已經滅亡了，趙魏韓亦都是故國了；從此再向上說，亡國更不可勝數，凡是各國的大墓沒有不被發掘，可是世人還不知覺悟，都要厚葬，豈不是大可悲哀嗎？

今夫君之不令民，父之不孝子，兄之不悌弟，皆鄉里之所遺，釜鬲者而逐之㈠，憚耕稼采薪之勞，不肎官人事㈡，而祈美衣侈食之樂，智巧窮屈，無以為之，於是乎聚羣多之徒，以深山廣澤林藪扑擊遏奪㈢，又視名丘大墓葬之厚者，求舍便居，以微扣之㈣，日夜不休，必得所利，相與分之。夫有所愛所重，而令姦邪盜賊寇亂之人卒必辱之，此孝子忠臣親父交友之大患。

【今註】㈠「不令民」是不守法、不安分、不可命令的人民。「所釜鬲者」之鬲同鬲（ㄌㄧ）是上潤下狹三足連腹的烹飪器，孔子家語「魯有儉嗇者瓦鬲煮食。」由此可知所釜鬲者（以鬲為釜）亦就是儉嗇者，是鄉里中安分守己的良民。而不令民、不孝子、不悌弟則是不事耕稼而祈得美食的游手好閒者，所以為鄉里的良民所不齒而逐之。畢校許釋所引似均未妥。㈡「不肎官人事」是不肯為公家服傜役。㈢「扑擊遏奪」是攔路搶刼。㈣畢校「有人自關中來者，為言姦人掘墓，率於古貴人家旁，相距數百步外為屋以居，人即於屋中穿地道以達於葬所，故從其外觀之，未見有發掘之形也，而藏已空矣。噫，孰知今人之巧，古已先有為之者，小人之求利，無所不至，初無古今之異也。」

【今譯】國君的不法人民，父親的不孝子，兄長的不悌弟，都是鄉里的安分良民所不齒而驅逐出境的游民。他們既怕耕稼采薪的勞苦，又不肯為公家服徭役，而希望得到美衣美食的快樂，智窮巧盡，無以為生，於是乎成羣結伴，嘯聚於深山大澤林藪之中，從事攔路搶劫的勾當。又窺覦名丘大墓的厚藏，求得墓地附近的房屋居住，用隱微的方法從事發掘，日夜不休，終必得到所希望的財利，相與朋分。那些名丘大墓的死者有所愛惜的子女，亦有所尊重的君父，而使姦邪盜賊寇亂的人終得而侮辱之，這實是孝子忠臣慈親好友所應痛心疾首的大患。

堯葬於穀林，通樹之；舜葬於紀市，不煩其肆；禹葬於會稽，不煩人徒。是故先王以儉節葬死也，非愛其費也，非惡其勞也，以為死者慮也。先王之所惡，惟死者之辱也，發則必辱，儉則不發，故先王之葬必儉、必合、必同㈠。何謂合？何謂同？葬於山林則合乎山林，葬於阪隰則同乎阪隰，此之謂愛人㈡。夫愛人者眾，知愛人者寡，故宋未亡而東冢扣㈢。齊未亡而莊公冢扣，國安寧而猶若此，又況百世之後而國已亡乎？故孝子、忠臣、親父、交友不可不察於此也。夫愛之而反危之，其此之謂乎？

詩曰：「不敢暴虎，不敢馮河，」人知其一，莫知其他，此言不知類也㊃。故反以相非，反以相是，其所非，乃其所是也，其所是，乃其所非也，是非未定，而喜怒鬬爭反為用矣㊄。吾不非鬥，不非爭，而非所以鬬，非所以爭。故凡鬬爭者，是非已定之用也，今多不先定其是非，而先疾鬬爭，此惑之大者也。

【今註】㊀此言堯舜禹之葬必儉必合必同，而無所興造，不煩民，不擾民。㊁「愛人」，許釋引陶鴻慶札記謂「愛人皆當作愛死人」。高注「謂凡愛死人者之眾，多厚葬之；知所以愛之者寡，言能儉葬者少也。」㊂東家（ㄓㄨㄥˇ）是宋文公墓，始厚葬。齊莊公冢亦厚葬。冢是高墳。㊃詩小雅小旻（ㄇㄧㄣˊ）章，暴虎是無兵搏虎，馮（ㄆㄧㄥˊ）河是無舟渡河，以喻為政不可以不恭敬，不恭敬則危殆，猶如暴虎馮河的必死。普通人都知道不敢暴虎，不敢馮河，而不知為政不敬的危殆，與暴虎馮河相類似，這就是知其一不知其他，也就是祇知厚葬是愛之，而不知厚葬是反危之。一本鄰類，許釋引俞樾平議謂鄰字衍文，此言不知類也。鄰類形似，因譌致衍耳。聽言篇曰、乃不知類矣。達鬱篇曰，不知類耳。並無鄰字，足徵此文之衍。按俞說是。㊄高注「方，比。」許釋引俞樾平議「兩方字並乃字之誤，言所非乃其所是，所是乃其所非也，故曰是非未定。高氏不知方字之誤，而訓為比，迂矣。」按俞說亦未妥，此正與莊子齊物論的「方可方不可，方不可方可」意義相同。又畢校謂「故反以相非以下，似不二篇之文，誤脫於此。」按此乃指儒墨兩家為厚葬儉葬相爭辯而言，如孟子以葬親一事，對墨者夷之批評墨子所倡的無長幼親疏一律平等的兼愛理論，為不切實際，不合人倫，使夷之恍然若有所悟。故曰是非未定，而喜怒鬥爭反為用矣。

【今譯】堯葬於穀林，不伐其樹；舜葬於紀市，不變其肆；禹葬於會稽，不擾其民。所以先王以節儉葬死者，並不是愛惜費用，亦不是恐怕勞民，是為死者計慮而已。因為先王所厭惡的，祇是死者的受辱，如果墳墓發掘則必受辱，而儉葬則可免於發掘。所以先王之葬，必儉，必合必同。什麼叫做合？什麼叫做同？葬於山林則合於山林，葬於阪隰則同於阪隰，這叫做愛護死人。大概愛護死人的很多，可是知道所以愛護的卻很少，所以宋未亡而東冢已發掘，齊未亡而莊公墓已發掘，當時宋齊兩國安寧尚且如此，又何況百世之後而國已亡呢？故孝子忠臣慈親好友不可不明察此意。所謂愛之而反危之，不就是這個意思嗎？詩經上說：不敢暴虎，不敢馮河，人知其一，莫知其他，這是說不知道相類似的事物。故此是的反以為非，非的反以為是，所非的正其所是的，所是的正其所非的，是非未定，而喜怒鬥爭反而先用了。我不反對鬥，不反對爭，而反對為什麼要鬥，反對為什麼要爭。大凡鬥爭應該使用於是非已定之時，現在不先決定是非，而先行鬥爭，這真是悖惑之至。

魯季孫有喪，孔子往弔之，入門而左，從客也。主人以璵璠收㈠，孔子徑庭而趨，歷級而上，曰：「以寶玉收，譬之猶暴骸

中原也。」徑庭歷級、非禮也，雖然，以救過也㊁。

【今註】㊀魯季孫有喪是季平子意如之喪。主人是平子之子季孫桓子。孔子往弔，入門而左行，是從客位。璵（ㄩˊ）璠（ㄈㄢˊ）是國君所佩的美玉，收是大斂。孔子認為平子不應該用璵璠斂，一時情急，竟直趨越級而上。㊁此事與左傳所載不同，左傳魯定公五年（西元前五〇五年），季平子卒，他的家臣陽虎將以璵璠斂，仲梁懷弗與，曰：「改步改玉」。陽虎欲逐之，告公山不狃。不狃曰：「彼為君也，子何怨焉？」所謂改步改玉，是說魯昭公被逐出國時，平子行君事，佩璵璠祭宗廟，定公時平子已復臣位，不能再用璵璠。此處孔子所言「以寶玉收，譬之猶暴骸中原也。」則是以反對厚葬之意阻止之。其時孔子為魯司寇。

【今譯】魯季孫氏有喪，孔子前往弔祭，入門而左行，從客位。其時主人要用璵璠入斂，孔子認為不當，由庭中直趨越級而上，說：「用寶玉為斂，譬如暴棄骸骨於原野之中呀！」由中庭直趨越級而上，這是不合禮的，雖然，是為的補救主人的過失，是不得已的。

四曰異寶

【今註】冬季各篇述喪葬，論忠義，蓋以歲時之序論述人事。本篇所引異寶事例，如孫叔敖以不利為寶，江上丈人以義為寶，子罕以廉為寶，正以配合時令而言。其所以先述孫叔敖事，亦是承上節喪安死的意義而來，說明以不利為寶是可以久享，是有遠識的，亦正補充說明厚葬是不能長久的，是世俗的淺見。

古之人非無寶也，其所寶者異也。孫叔敖疾將死，戒其子曰：「王數封我矣，吾不受也㈠，為我死，王則封汝，必無受利地㈡。荊越之閒有寢之丘者，此其地不利而名甚惡㈢，荊人畏鬼而越人信禨，可長有者，其唯此也。」孫叔敖死，王果以美地封其子，而子辭，請寢之丘，故至今不失。孫叔敖之知，知不以利為利矣，知以人之所惡為己之所喜，此有道者之所以異乎俗也。

【今註】㈠孫叔敖是楚莊王的令尹，助莊王成霸業，見情欲、贊能、察傳各篇。韓非子喻老篇謂楚莊王既勝晉於河雍，歸而賞孫叔敖，孫叔敖請漢閒之地，沙石之處。楚邦之法，祿臣再世而收地，惟孫叔敖獨在，九世而祀不絕。與本篇所述不同。㈡「為我死」，畢校「為字衍，後漢書郭丹傳注引此無。」尹校許釋引王念孫說「為猶如也。」按為字亦可通。㈢「寢之丘」：列子說符篇、淮南子人間訓皆作寢邱，在今河南沈丘縣東南。利地是一般人所貪利之地，不利是大家不貪利之地。寢有陵寢、寢廟、醜陋等意義，故其名惡。畢校謂「史記正義引作而前有垢谷，後有戾丘，其名惡，可長有也。」

【今譯】　古代的人不是沒有寶，祇是所寶的不同而已。孫叔敖病重將死，告誡他的兒子說：「楚王數次要給我封地了，我不肯接受，為了我的死，王就會封汝，決不可接受大家所貪利的地方。楚越兩國之間有地名叫寢之丘，這地方是大家認為不利的，而且地名很醜惡，楚人畏怕鬼神而越人相信吉凶的禨祥，都不會要，可以長久保有的，恐怕祇有這塊地方。」孫叔敖死了，楚王果然以好地方封賜他的兒子，他的兒子辭謝，而請封寢之丘，所以直到現在不曾喪失。孫叔敖的智慧知道不以利為利了，知道利用他人的所惡作為自己的所喜，這就是有道者的見解所以不同於流俗呀。

五員亡㈠，荊急求之，登太行而望鄭㈡，曰：「蓋是國也，地險而民多知，其主俗主也，不足與舉。」去鄭而之許，見許公而問所之，許公不應，東南嚮而唾，五員載拜受賜曰：「知所之矣。」因如吳。過於荊㈢，至江上欲涉，見一丈人刺小船，方將漁，從而請焉。丈人度之絕江，問其名族，則不肎告，解其劍以予丈人曰：「此千金之劍也，願獻之丈人。」丈人不肎受，曰：「荊國之法，得五員者爵執圭，祿萬簷，金千鎰㈣，昔者子胥過，吾猶不取，今我何以子之千金劍為乎？」五員過於吳，使人求之江上，則不能得也。每食必祭之，祝曰：「江上之丈人。」天地至大矣，至眾矣，將奚不有為也，而無以為；為矣，而無以為之㊄，名不可得而聞，身不可得而見，其惟江上之丈人乎？

【今註】㊀五員即伍子胥，楚平王信費無極讒，殺了伍員的父兄，伍員出奔，此為周景王二十三年事（左傳昭公十九年，西元前五二二）。是年鄭子產卒。㊁太行山在今河南輝縣西北，鄭國在今河南新鄭縣。㊂許國在今河南許昌縣，由許往吳，必須經過吳楚往來要道的昭關（在今安徽含山縣北），相傳伍子胥橐載過了昭關，一夜白頭。㊃「爵執圭」是封侯。檐同擔、儋，亦即一石、一百斤。鎰是二十四兩。㊄此數句意頗難明，許釋引陳昌齊、孫鏘鳴、俞樾、陶鴻慶四人補注，以俞陶二說為妥。俞樾平議：「而無以為四字為句，將奚不有為也，而無以為，言人皆有為，而彼獨無為也。為矣而無以為之，言雖有為而仍無為也。高氏讀而無以為為矣六字為句，則上下文皆不成義。」陶鴻慶札記：「俞氏雖得其讀，而未得其旨，將奚不有為也，而無以為，皆指天地言，言天地之德，為禮至大，生物至眾，固無不為，而實無為也。為矣而無以為之，與下文名不可得而聞，身不可得而見，其惟江上之丈人乎？一氣相屬，言惟丈人之有為而無為，與天地之德同也。如俞說則於文複矣。」陶意江上丈人的為，正如老子所謂「生而不有，為而不恃，功成不居」。故曰為矣而無以為之。

【今譯】伍員出奔，楚國追緝甚急，他登上太行山而遙望鄭國說：「這國家地方險阻而人民多智，可是其主是俗主，不足與謀事。」去鄭而往許國，見許公而請教該到那裏去，許公不應，向東南方吐了口唾，伍員再拜受教說：「我知道到那裏去了。」因而往吳國去，經過楚地而到達長江邊，希望渡江，看見一位老漁翁撐著小船，正要打漁，就請求設法，漁翁渡他過江。他問漁翁的姓名，不肯告訴，因此解下寶劍給漁翁說：「這是價值千金的寶劍，願意奉獻給老人家。」漁翁不肯接受說：「楚國的法令，得到伍員的人，官爵封侯，祿米萬擔，黃金千鎰。日前渡伍子胥過江，我尚且不取，現在我怎會要你的千金寶劍呢？」伍員到了吳國，使人到江上去求漁翁，已經找不到了。因此，每天食時，必先祭告漁翁，祝辭稱他為「江上之丈人」。天地至大了，萬物至眾了，還有什麼無為而無不為。既已為了而又無有所為，連姓名不可得而傳，身形不可得而見，難道祇有稱之為「江上之丈人」嗎？

宋之野人耕而得玉，獻之司城子罕㈠，子罕不受。野人請曰：「此野人之寶也，願相國為之賜而受之也。」子罕曰：「子以玉為寶，我以不受為寶。」故宋國之長者曰：子罕非無寶也，所寶者異也。今以百金與摶黍以示兒子㈡，兒子必取摶黍矣；以龢氏之璧與百金以示鄙人，鄙人必取百金矣；以龢氏之璧、道德之至言，以示賢者，賢者必取至言矣。其知彌精，其所取彌精，其知彌觕，其所取彌觕㊂。

【今註】㊀子罕即樂喜，是春秋時宋國賢大夫。司城是宋國的司空，此事見左傳襄公十五年，韓非子喻老、淮南子精神訓及新序節士篇，並有此事。惟韓詩外傳卷五、韓非外儲說右下、淮南道應訓及史記李斯傳則載有子罕欺君劫君之事，未知孰是。㊁此節說明各人所寶不同。摶（ㄊㄨㄢˊ）黍是用手捏成一團的飯，猶如現時市面所賣的糯米飯。兒子是指小孩。龢氏即和氏。道德之至言是格言。精是微妙，觕是粗疏。㊂春秋繁露身之養重於義篇「利以養其體，義以養其心。」故小兒與鄙人取其利，而賢者取其義。又說：「今握棗與錯金以示嬰兒，嬰兒必取棗而不取金也；握一斤金與千萬之珠以示野人，野人必取金而不取珠也。故物之於人，小者易知也，其於大者難見也。」與本文同。

【今譯】宋國的農人耕地而得到一塊寶玉，獻給司城子罕，子罕不接受。農人請求說：「這在我們看來是寶玉，希望相國賞光，接受了吧！」子罕說：「你以玉為寶，我卻以不受為寶。」所以宋國的長者說：子罕不是沒有寶，他的寶與眾不同而已。現在如果把百金與摶黍兩樣東西給小孩看，小孩必定要取摶黍了；如果把和氏璧與百金給鄉下人看，鄉下人一定要取百金了；如果把和氏璧與道德格言給賢者看，賢者必定要取格言了。智慧愈精微，所取也愈精微；智慧愈粗疏，所取也愈粗疏。

五曰異用

【今註】　本篇是說萬物的價值在於用，用之得當，則為治為存，用之不當則為亂為亡。成湯的網開三面，文王的掩埋枯骨，似乎是很普通的事，而所得不可計量。所以說：「國廣巨，兵強富，未必安也，尊貴高大，未必顯也，在於用之。桀紂用其材而以成其亡，湯武用其材而以成其王。」末段以射與飴為喻，更可說明物同而用之異的意義。此篇接節喪安死之後，亦以說明葬禮相同，而厚葬儉葬的效用則大異。

萬物不同，而用之於人異也㈠，此治亂存亡死生之原。故國廣巨，兵彊富，未必安也，尊貴高大，未必顯也，在於用之。桀紂用其材而以成其亡，湯武用其材而以成其王。湯見祝網者置四面㈡，其祝曰：「從天墜者，從地出者，從四方來者，皆離吾網。」湯曰：「嘻，盡之矣，非桀其孰為此也。」湯收其三面，置其一面，更教祝曰：「昔蛛蝥作網罟，今之人學紓㈢，欲左者左，欲右者右，欲高者高，欲下者下，吾取其犯命者。」漢南之國聞之曰：「湯之德及禽獸矣。」四十國歸之。人置四面，

未必得鳥，湯去其三面，置其一面，以網其四十國，非徒網鳥也。

【今註】㊀「萬物不同」，許釋引陳昌齊、陶鴻慶說，認為不字不當有，應為萬物同而用之於人異。尹校據刪。按依照題旨，似應刪不字，惟萬物同亦不可通。如上文異寶篇所說，摶黍、百金、和氏璧及道德之至言，是萬物不同；而小孩取摶黍，鄉人取百金，賢者取道德之至言，是用之於人異也。即如本文，湯以網去三面得四十國，文王以掩埋枯骨得民心，是萬事不同而用之於人異也。故陳陶說不足取，尹不宜刪。㊁祝網者是設網祝禱以捕禽鳥的人。㊂蛛蝥（ㄇㄠˊ）是蜘蛛，最初作網罟的人是效法蜘蛛結網，畢校引賈誼書諭誠篇「蛛蝥作網，今之人循緒。」學紓，當即循緒效法之意。

【今譯】萬物不同而用之於人亦異，此乃治亂存亡死生的本源。所以國家廣大，兵強民富，未必平安；位望尊貴，門閭高大，未必尊顯，在於運用是否得當。桀紂用其材能而以成其亡，湯武用其材能而以成其王。成湯看見張網捕鳥的人設置四面，祝禱著說：「從天空飛下的，從地上飛起的，從四方飛來的，都到我的網中。」湯說：「嘻！太過分了！不是桀的殘忍、誰能這樣做呢？」湯遂即收起網的三面，祇設置一面，更教他祝禱說：「從前蜘蛛作網，現在的人也學著作。要去左的向左飛，要去右的向右飛，要高的往上飛，要低的往下飛，我祇要捕取那些不聽話的。」漢水之南的國家聽到這事，就說：「湯的德澤普及禽獸了。」四十個國家都來歸順。那捕鳥的人設置四面網，未必得鳥；湯去其三面，祇留一面，卻網到四十國，不僅是網鳥的啊！

周文王使人扣池，得死人之骸，吏以聞於文王㊀。文王曰：「更葬之。」吏曰：「此無主矣。」文王曰：「有天下者天下之主也，有一國者一國之主也，今我非其主也？」遂令吏以衣棺更葬之。天下聞之曰：「文王賢矣，澤及髊骨㊁，又況於人乎？」或得寶以危其國，文王得朽骨以喻其意，故聖人於物也無不材。

【今註】㊀扣池是掘地為池。或謂「西伯行於野，見枯骨，命吏瘞之。」㊁「髊骨」，高注「骨有肉曰髊，無曰枯。」

【今譯】周文王使人掘地為池，掘得死人的骸骨，承辦的官吏把這事報告文王，文王說：「重新葬了。」吏說：「這是無主的了。」文王說：「有天下的人是天下之主，有一國的人是一國之主，現在我不是他的主人嗎？」遂即命令吏人用衣棺予以改葬。天下百姓知道了，都說：「文王是賢君了，德澤及於枯骨，何況於人呢？」有些人得寶反以危其國，文王得朽骨使百姓心服，所以聖人認為天生萬物都是有用之材。

孔子之弟子從遠方來者，孔子荷杖而問之，曰：「子之公不有恙乎？」搏杖而揖之，問曰：「子之父母不有恙乎？」置杖而問曰：「子之兄弟不有恙乎？」杙步而倍之，問曰：「子之妻子不有恙乎㈠？」故孔子以六尺之杖，諭貴賤之等，辨疏親之義，又況於以尊位厚祿乎㈡？古之人貴能射也，以長幼養老也㈢，今之人貴能射也，以攻戰侵奪也，其細者以劫弱暴寡也，以遏奪為務也。仁人之得飴，以養疾侍老也；跖與企足得飴㈣，以開閉取楗也。

【今註】㈠荷杖、搏杖、置杖、杙杖是用杖的四種不同姿勢，表示對人尊卑親疏的態度。荷杖是用肩負杖，如荷畚；搏（ㄅㄛˊ）杖或作扶杖，持杖；置杖或作拄杖；杙（ㄧˋ）杖或作杖步而倚之，或作曳杖，杙步是止步如植樁，倍之是把杖放在背後，即曳杖。㈡論語鄉黨黨篇敘述孔子的公生活，處處顯示出周旋得體，從容中節，如「與下大夫言，侃侃如也；與上大夫言，誾誾如也；君在，踧踖如也，與與如也。」「鄉人飲酒，杖者出，斯出矣；鄉人儺，朝服而立於阼階。」都有尊卑貴賤的辨別。㈢古代射禮，射中的人要向射不中的人作揖，共同登堂對飲，勝者所以表示謙遜，不勝者所以表示賀意，皆有君子的風度。這是說古人所以以能射為貴，既用射以選拔人材，復可養成長幼敬老的風度；可是今人能射，好的方面用於攻伐作戰，壞的方面則用以欺弱凌寡或攔路搶奪。㈣飴是麥餳糖，古人用以養疾侍老，所以說含飴弄孫。跖是盜跖，企足是莊蹻，都是古代的大盜，高注「以飴取人楗牡，開人府藏，竊人財物。」畢校「淮南說林訓、柳下惠見飴曰，可以養老。盜跖見飴曰，可以黏牡。見物同而用之異。注，牡，門戶籥牡，此云楗即牡也。黏牡使之無聲，又開之滑易也。」

【今譯】　孔子的弟子有從遠方來的，孔子荷杖而問他說：「令祖父很好嗎？」扶杖而揖問說：「令尊令堂很好嗎？」置杖而問說：「令兄令弟都很好嗎？」曳杖而問說：「你太太和小孩都很好嗎？」所以孔子用六尺的杖，表示尊卑的等級，辨別親疏的意義，又何況對於尊位厚祿的運用呢？古人以能射為貴，因為可養成長幼敬老的風度；今人亦以能射為貴，不過用於攻戰侵奪，壞的人則用以欺弱淩寡，甚或搶劫為務。仁愛的人得到麥飴，用以養疾侍老；而盜跖莊蹻得飴，則用以開閉取楗，竊人財物。

卷十一　仲冬紀

第十一，凡五篇

一曰仲冬

【今註】仲冬是夏曆十一月。重要的節候是冬至，日行南陸，北半球晝最短，夜最長，本日後日漸長，夜漸短。其時氣溫低降，萬物斂藏，人體亦是如此，所以最忌縱情恣慾，以免精血虧耗，體質日虛，對於嚴寒的氣候缺乏抵抗力，稍一不慎，容易生病。冬至在氣候的變化上，是一歲中的要節，故本篇謂「君子齋戒，處必弇，身欲寧，去聲色，禁嗜欲，安形性，事欲靜，以待陰陽之所定。」本月的重要政令，是謹嚴宮闈，注意釀酒，督促人民收藏穀物牲畜，伐取林木竹箭。

仲冬之月，日在斗㈠，昏東壁中，旦軫中。其日壬癸㈡，其帝顓頊，其神玄冥。其蟲介，其音羽，律中黃鐘，其數六。其味鹹，其臭朽，其祀行，祭先腎。冰益壯，地始坼，鶡鴠不鳴，虎始交㈢。天子居玄堂太廟㈣，乘玄輅，駕鐵驪，載玄旂，衣黑衣，服玄玉。食黍與彘，其器宏以弇。

【今註】㈠斗是北方宿，今屬人馬座，因為歲差關係，在太初曆改革時，冬至點在斗牛之間。東壁是北方宿，今屬飛馬座。軫是南方宿，今屬烏鴉座。㈡「其日壬癸」一節，見孟冬紀及孟春紀註。黃鐘是十二律中的陽聲，冬至一陽生，地氣上升，黃者中央之位，鐘者陽氣始衝動陰氣而鍾靈。㈢立冬後三十日為大雪，故冰益堅而地面始凍裂，坼（ㄔㄜˋ）是凍裂。鶡（ㄏㄧㄠˋ）鴠（ㄉㄢˋ）是求旦而鳴的山鳥，青色如雉，好鬥，天寒不鳴。交是交尾。㈣太廟是玄堂的中央室。冬尚黑，說見孟冬。

【今譯】仲冬十一月，太陽的位置在北方斗宿，向晚時望見北方的東壁上升在南方中天，向曉時則見南方的軫宿出現在南方中天。十一月的日干為壬癸，上應的天神是水德之帝顓頊和水官之神玄冥。應時的動物為介類，應時的音律是羽音和黃鐘，其數為六。其味為鹹，其臭為朽，其祀為行，祭以腎為先。其時冰益堅，地面始凍裂，山鳥鶡鴠不鳴，虎始交尾。天子為順應時令，移居明堂北向的玄堂太廟，出則乘玄輅，駕鐵驪，載玄旂，衣黑衣，佩玄玉。食則以黍與彘為主，所用器具，要寬大而口小。

命有司曰：土事無作，無發蓋藏，無起大眾，以固而閉㈠。發蓋藏，起大眾，地氣且泄，是謂發天地之房㈡，諸蟄則死，民多疾疫，又隨以喪，命之曰暢月㈢。

【今註】㈠有司是司徒，管理土地蓋藏及人民之事，此數句月令作「土事毋作，慎毋發蓋，毋發室屋，及起大眾，以固而閉。」文稍異。尹校依俞樾平議改以固而閉為「以固天閉地。」㊁「無起大眾」在十二紀中時時提及，如孟春「無聚大眾」仲春「無作大事以妨農功，」孟夏「無起大功，無發大眾」，季夏「不可以起兵動眾，無舉大事」，仲秋「凡舉事無逆天數，必順其時」，季秋「民力不堪，其皆入室」，孟冬「無或敢侵削眾庶兆民，以為天子取怨於下」，季冬「專於農民，無有所使」可見本書的政治思想，何等重視民時，重視民生。論語「使民以時」，孟子「不違農時，穀不可勝食也。」可知十二紀完全尊崇儒家思想。㊂暢月謂人民空閒，無所事作，是精神暢適的時候。

【今譯】天子命主管民事的司徒說：天寒地凍，凡屬土事不要興作，不可開發蓋藏，不可發動大眾，以固天閉地。如果開發蓋藏，發動大眾，則地氣即將泄漏，這就是開發天地的所藏，那麼各種蟄蟲都要凍死了，人民亦多病疫癘，而相繼死亡。所以這個月叫做暢月。

是月也，命閹尹申宮令：審門閭，謹房室，必重閉㊀，省婦事，毋得淫，雖有貴戚近習，無有不禁。乃命大酋秫稻必齊，麴蘖必時㊁，湛饎必潔，水泉必香㊂，陶器必良，火齊必得，兼用六物㊃，大酋監之，無有差忒。天子乃命有司祈祀四海大川名原、淵澤井泉。

【今註】㊀閹尹即宦官，亦稱太監，是主管宮中之事。門閭、畢校據蔡邕月令說，謂應作門闈。門閭是里門，非閹尹所主。尹校據改。㈡大酋是主酒官。秫（ㄕㄨˊ）古代即黍，是粘性的稷，一名高粱。秫稻的分量分配，必得準備齊全。麴（ㄑㄩˊ）蘗（ㄋㄧㄝˋ）是麥芽，齊民要術「作蘗法，八月中，浸小麥，日曝之布席上，澆以水，一日一度，芽生便止，即散收陰乾。」置麴蘗於穀麥黍稷中，以使發酵成酒，故稱麴蘗為酒母。此處是指置麴蘗於秫稻中必得其時，過早過晚都不能釀成好酒。㈢湛（ㄓㄢˇ）饎（ㄔˋ），湛是以水浸之，饎是以火炊之，詩大雅「泂酌彼行潦，挹彼注茲，可以餴饎。」餴（ㄅㄥ）是蒸飯，饎是造酒食。這是說秫稻與麴蘗相和後，浸之以水，炊之以火，都要清潔，如能得美好的泉水，必可釀成好酒。㈣「火齊」就是火候，齊有界限調勻之意。六物，高注為秫、稻、麴、蘗、水、火。尹校引俞樾平議謂指秫、稻、麴、蘗、湛饎、水泉、陶器、火齊而言。

【今譯】　這個月，命主管內宮的閹尹申明宮令：稽查門闈的開閉，謹嚴房室的出入，必須嚴密關閉，減少宮中婦女之事，不得奢華淫佚，雖有貴戚近侍的區別，沒有不加禁止。同時命釀酒的大酋注意，麴稻分量必須齊備，麴蘗放置必須得時，水浸火炊必須清潔，所用水泉必須香美，貯酒陶器必須精良，蒸炊火候必須得要，兼用六項事物，由大酋親自監督，不得有所差誤。於是天子乃命典禮官祭祀四方的大川、名原、深淵、井泉之神祇。

是月也，農有不收藏積聚者，牛馬畜獸有放佚者，取之不詰㈠。山林藪澤㈡，有能取疏食田獵禽獸者，野虞教導之，其有

侵奪者，罪之不赦。

【今註】㊀詰是責讓，許釋「取之不詰者，警戒其失主也。」㊁藪（ㄙㄡˇ）澤是大澤，高注「無水曰藪，有水曰澤。」疏食，高注「草實曰疏食」，按疏通蔬。

【今譯】這個月裏，農民如有不收藏積聚的穀物以及放佚其牛馬六畜於野外的，任何人都可拿走，地方官不予責罰。山林藪澤之中，如有人能採取可食的蔬果，獵得禽獸，那麼野虞應該予以教導，如有侵奪人民所得，予以罰罪，決不寬赦。

是月也，日短至㊀，陰陽爭，諸生蕩㊁。君子齋戒，處必弇㊂，身欲寧，去聲色，禁嗜慾，安形性，事欲靜，以待陰陽之所定。芸始生，荔挺出，蚯蚓結，麋角解，水泉動㊃。日短至則伐林木，取竹箭。

【今註】㊀「日短至」就是冬至，其時日行二七〇度，陰極之至，陽氣始生，杜甫詩所謂「冬至陽生春又來。」冬至多在夏曆十一月間，陽曆則在十二月二十二日或二十三日。㊁夏至是陽極陰生，冬至是陰極陽生，所以都說「陰陽爭。」諸生蕩是說各種蟄蟲都要動蕩了。㊂弇（ㄧㄢˇ）是口小中寬的器物，處必弇是說居處必須在深邃的房子裏，以求得身心的寧靜。㊃芸是香草，本味篇「陽華之芸」，高注「芳菜也」。荔是馬荔，似蒲而小，根多而細，可以為刷。王念孫疏證以荔挺二字為草名，與高注異。程瑤田謂荔草似幽蘭，長者二尺許，土人呼為馬蓮或馬蘭草，甚堅韌，昔時商人用以貫錢及繫物。蚯蚓對農事土壤是益蟲，故孟夏紀謂「蚯蚓出」，此處又謂「蚯蚓結」，結是屈曲之意。麋角解已見仲夏紀鹿角解注。

【今譯】這個月是冬至，陰極陽生，各種蟄蟲都已蠕動。有地位的人都要齋戒，深居簡出，以求身心的寧靜，屏去聲色，禁絕嗜慾，使身心得以休息，凡事都要安靜，以等候陰陽的所成。其時芸草始生，荔草挺出，蚯蚓屈曲土中，麋角解墮，水泉湧動。冬至時竹木堅韌，可以伐林木，取竹箭。

是月也，可以罷官之無事者，去器之無用者，塗闕庭門閭，築囹圄，此所以助天地之閉藏也。

【今譯】這個月裏，可以罷免無事可作的官吏，可以棄去不合實用的器具，應該塗塞闕庭門閭使其堅牢，修築牢獄，這些事都有助於天地的閉藏。

仲冬行夏令，則其國乃旱，氣霧冥冥，雷乃發聲。行秋令，則天時雨汁，瓜瓠不成，國有大兵。行春令，則蟲螟為敗，水泉減竭，民多疾癘。

【今譯】仲冬如氣候失調而行夏令，則國內乾旱，霧氣晦暗，雷乃發聲。如行秋令，則雨雪雜下，瓜瓠不能成長，將有大兵來伐。如行春令，則蟲螟為害，水泉涸竭，人民多患疾癘。

二曰至忠

【今註】本篇說明忠心之至必以死相殉，引申公子培兩事例，似謂非死不足以言忠。孔子謂「君使臣以禮，臣事君以忠。」又何必以死相殉，然謂之至忠。孟子謂「可以死，可以無死，死傷勇。」文摯與齊王無君臣之義，可以無死，而湣王雖昏暴，或不至如此無理可喻，比事殊不足為訓，所以畢校謂「此事姑妄聽之而已。」

至忠逆於耳，倒於心㈠，非賢主其孰能聽之，故賢主之所說，不肖主之所誅也。人主無不惡暴劫者，而日致之，惡之何益㈡。今有樹於此，而欲其美也，人時灌之則惡之，而日伐其根，則必無活樹矣，夫惡聞忠言，乃自伐之精者也㈢。

【今註】㈠至忠當作忠言，許釋引楊德崇說可採取，此與孔子家語六本章「良藥苦口利於病，忠言逆耳利於行」之意同。㈡高注「日致為暴刼之政也，孟子曰，惡溼而居下，故曰惡之何益。」㈢「日伐其根」，許釋引俞樾平議「日當作自，字之誤也，此句自字與上句人字正相對。下文曰，夫惡聞忠言，乃自伐之精者也，即承此言之。」按日伐亦可通，惟以自伐為佳。

【今譯】忠言是逆於耳、倒於心，不是賢主有誰能接受，所以賢主所喜悅的，是不肖主所要誅殺的。大凡人主沒有不厭惡暴虐劫奪之事，可是經常施行暴政，厭惡又有什麼用呢？好像有一株樹在此，希望它枝葉茂美，有人時常來灌水，卻討厭它，而自己反要斫伐樹根，那必定沒有活樹了。對於忠言不高興聽，這乃是自伐之尤者也。

荊莊哀王獵於雲夢㊀，射隨兕中之㊁，申公子培劫王而奪之。王曰：「何其暴而不敬也。」命吏誅之。左右大夫皆進諫曰：「子培賢者也，又為王百倍之臣，此必有故，願察之也㊂。」不出三月，子培疾而死。荊興師戰於兩棠，大勝晉㊃，歸而賞有功者。申公子培之弟進請賞於吏曰：「人之有功也於軍旅，臣兄之有功也於車下㊄。」王曰：「何謂也？」對曰：「臣之兄犯暴不敬之名，觸死亡之罪於王之側，其愚心將以忠於君王之身，而持千歲之壽也。臣之兄嘗讀故記曰：殺隨兕者不出三月，是以臣之兄驚懼而爭之，故伏其罪而死。」王令人發平府而視之，於故記果有，乃厚賞之㈥。申公子培其忠也可謂穆行㈦矣，穆行之意，人知之不為勸，人不知不為沮，行無高乎此矣。

【今註】㈠荊莊哀王高注為莊烈王之子，畢校據說苑各書認為是楚莊王，不當有哀字。雲夢澤在今湖北安陸縣南。㈡兕（ㄙˋ）是兇猛的牝犀牛。隨在今湖北隨縣南，與雲夢相鄰，故獵於雲夢而射中隨兕。㈢子培是申邑宰。百倍之臣，高注「子培之賢，百倍於人。」尹校據馬敘倫讀呂氏春秋記改為「不倍」，是忠心不貳之意。㈣兩棠是楚國地名，許釋引說苑立節篇及賈誼新書先醒篇，認為即左宣十二年（西元前五九七）的邲之戰，楚敗晉師。㈤高注「於王車下，奪王隨兕，所以代王死之，兕有是功。」㈥平府是庋藏圖書的府庫。㈦穆行是和順恭敬的行為。

【今譯】楚莊王獵於雲夢澤，射中隨兕，申公子培劫奪王的隨兕，王說：「怎麼這樣兇暴而不敬啊！」命吏殺子培，左右大夫都進諫說：「子培是賢者，又是王的忠心之臣，這必定有什麼緣故，請王查明再辦。」不出三個月，子培病死了。其時楚國起兵與晉師戰於兩棠，大勝晉，莊王還師而賞作戰有功者。申公子培之弟前來請賞於吏，說：「人家是有功於軍旅，臣兄的有功是在王的車下。」王說：「怎麼說呢？」回答說：「臣兄冒犯凶暴不敬的惡名，不顧死亡，得罪於王之側，其愚意實是盡忠於王身，使王保有千歲之壽。臣兄曾經閱讀古記，謂殺隨兕者不出三月必死，因此，當他看見王射中隨兕，驚懼不知所措而去爭奪，所以得殃而死。」王使人查視平府的藏書，在古記中果有此說，乃厚賞申公子培之弟。申公子培的忠心，可以說是和順恭敬的德行了，和順恭敬的美意，但求在己，人家知道了不為之勸勉，人家不知道不為之阻止，人的德行無有高於此了。

齊王疾痟，使人之宋迎文摯㈠。文摯至，視王之疾，謂太子曰：「王之疾必可已也，雖然，王之病已，則必殺摯也。」太子曰：「何故？」文摯對曰：「非怒王㈡，則疾不可治，怒王則摯必死。」太子頓首彊請曰：「苟已王之疾，臣與臣之母以死爭之於王，王必幸臣與臣之母，願先生之勿患也。」文摯曰：「諾，請以死為王。」與太子期而將往，不當者三，齊王固已怒矣。文摯至，不解屨登牀，履王衣，問王之疾，王怒而不與言。文摯因出辭以重怒王，王叱而起，疾乃遂已。王大怒不說，將生烹文摯，太子與王后急爭之而不能得，果以鼎生烹文摯，爨之三日三夜，顏色不變。文摯曰：「誠欲殺我，則胡不覆之，以絕陰陽之氣。」王使覆之，文摯乃死。夫忠於治世易，忠於濁世難，文摯非不知活王之疾而身獲死也，為太子行難，以成其義也。

【今註】㊀齊王是齊湣王，痏（ㄨㄟˇ）是皮膚病，畢校引論衡道虛篇作齊王病痏，文選李善注張景陽七命又引作病瘠，則似是腸胃病。文摯是戰國時名醫。㊁三國時名醫華佗亦有以怒治病的故事：一位郡守久病，華佗以為大怒便可痊癒，於是多收其酬金而不用心診視，不久便置之不理，而且留信侮罵，郡守果然大怒，叫人追殺華佗。過一些時，因為憤怒過度，吐黑血數升而病癒。此與文摯治齊王病的經過相同。有人認為郡守的病是思慮太過，心志鬱結，飲食不消，故發生脾疾。素問五象大論篇「怒傷肝，悲勝怒；思傷脾，怒勝思」是利用情緒的激動，治療神經官能病。華佗即用「怒勝思」的治理。齊湣王雖昏暴，卻有大志，曾和秦國約定，要平分天下，齊稱東帝，秦稱西帝，不久即行棄去，則其心志亦有所鬱結而成病，故文摯亦用「怒勝思」的原理治療。

【今譯】齊湣王病痏，使人到宋國去迎接名醫文摯來治療。文摯到了齊國，診視王的病，告訴太子說：「王的病必定可治癒；可是王的病癒後，必定要殺摯。」太子說：「為什麼？」文摯回答說：「治療王的病一定要王發怒，使王發怒，則摯將被殺死。」太子叩首強求說：「如果治癒王的病，我和我母親可以盡力爭論於王，王必會憐憫我和我母親，希望先生不要怕。」文摯說：「好吧，我當以死罪來治王的病。」於是同太子約定期間而不如期來治病，如是者三次，齊王實已有怒意了。文摯到了，不脫鞋便登上了牀，踩著王的衣服，問王的病況，王怒而不言，文摯因故意出言不遜以激怒王，王果大怒，叱罵而起，病就痊癒了。可是王大怒不解，要生烹文摯，太子和王后急向王爭論，沒有效果，果然用鼎生烹文摯，燒了三天三夜，顏色不變，文摯說：「真要殺我，為什麼不把鼎倒覆過來，斷絕了陰陽之氣。」王使人把鼎倒覆過來，文摯乃死。忠於治世易，忠於亂世難，文摯不是不知道治好王的病而本身要死，是因為太子孝敬難得，故寧殺身以成全其義行。

三曰忠廉

【今註】 本篇是和至忠篇意義相同，所引兩事例，作者認為要離是忠且廉，而弘演則是至忠。廉是明辨是非、不稍苟且之意，其實要離的行為，亦不能算是明辨是非，而殺妻子以便行事，亦不近人情之至。而且兩人的忠，只是忠於私人，對於國家並無關係，亦不能算是大忠。所以有人認為這兩篇都是縱橫家的理論。

士議之不可辱者大之也㊀，大之則尊於富貴也，利不足以虞其意矣㊁，為諸侯，實有萬乘不足以挺其心矣㊂，誠辱則無為樂生。若此人也，有勢則必不自私矣，處官則必不為污矣，將眾則必不撓北矣。忠臣亦然，苟便於主，利於國，無敢辭違，殺身出生以徇之㊃，國有士若此，則可謂有人矣。若此人者，固難得，其患雖得之、有不知。

【今註】 ㈠許釋引孫鏘鳴高注補正「議讀曰義，謂為士者義不可辱，視義甚大也，視義甚大，則富貴不足尊，故下言大之則尊於富貴。」按高注「議平也，平之不可得污辱者，士之大者也。」意難明，孫說較可通，下文謂忠臣亦然，此以義士引出忠臣。或謂士議猶物議、眾議、猶今言輿論。孟子「諸侯放恣，處士橫議。」論語「天下有道，則庶人不議。」士議之所以不可辱是重視它，重視則尊於富貴，利不足以欺其意，勢不足以動其心了。亦可通。㈡高注「虞猶回也」，許釋引洪頤煊說「虞無回訓，虞與娛同，莊子讓王篇、許由虞於穎濱，釋文，虞本作娛。」按洪說亦可通，慎人篇作「許由虞乎穎陽」，高注「虞樂也」。惟虞本有欺詐意，如我詐爾虞，亦有疑誤意，如詩魯頌「無貳無虞」，疏「虞，疑誤也」，高之訓回，蓋此意。㈢挺高注「猶動也」。㈣高注「出猶去，去生必死也。徇猶衞也。」許釋引俞樾平議：『出生二字，義甚迂曲，疑當作出身殺生以徇之。誠廉篇曰、此二士者皆出身棄生以立其意』，亦以出身二字連文，可證。」按出生猶棄生，貴生篇「今世俗之君子，危身棄生以徇物」與此句同。徇應通殉，是推命以求達目的之意，如徇道、徇節，高注未妥。

【今譯】 為士者義不可辱，故以義為大，以義為大則尊於富貴，利不足以欺其意了，雖名為諸侯，實有萬乘，不足以動其心了，如果受辱則痛不欲生。這樣的人，有權勢必不會自私了，處官職必不會貪汚了，將兵作戰則必不會敗北了。忠臣也是如此，祇要有便於主、有利於國，不敢辭避，甚至殺身棄生以徇節。國家有士如此，則可以說有人材了，這種人固然難得，可慮的還是既已得之而有所不知，不能知人善任。

吳王欲殺王子慶忌，而莫之能殺㈠，吳王患之。要離曰：「臣能之。」吳王曰：「汝惡能乎？吾嘗以六馬逐之江上矣，而不能及，射之矢左右滿把，而不能中。今汝拔劍則不能舉臂，上車則不能登軾，汝惡能？」要離曰：「士患不勇耳，奚患於不能，王誠能助，臣請必能。」吳王曰：「諾。」明旦，加要離罪焉，摯執妻子，焚之而揚其灰。要離走，往見王子慶忌於衛㈡，王子慶忌喜曰：「吳王之無道也，子之所見也，諸侯之所知也，今子得免而去之，亦善矣。」要離與王子慶忌居，有閒，謂王子慶忌曰：「吳之無道也愈甚，請與王子往奪之國。」王子慶忌曰：「善。」乃與要離俱涉於江。中江拔劍以刺王子慶忌，王子慶忌捽之，投之於江，浮則又取而投之，如此者三，其卒曰：「汝天下之國士也，幸汝以成而名。」要離得不死，歸於吳，吳王大說，請與分國。要離曰：「不可，臣請必死。」吳王止之，要離曰：「夫殺妻子焚之而揚其灰，以便事也，臣以為不仁。夫為故主殺新主，臣以為不義㈢。夫捽而浮乎江，三入三出，特王子慶忌為之賜而不殺耳，臣已為辱矣。夫不仁不義又且已辱，不可以生。」吳王不能止，果伏劍而死。要離可謂不為賞動矣。故臨大利而不易其義，可謂廉矣，廉故不以貴富而忘其辱㈣。

【今註】㈠吳王闔閭使專諸刺殺王僚（見上論威篇）取得王位。王子慶忌是王僚之子，故闔閭要殺他。惟慶忌捷疾多力，人皆畏之，故曰莫之能殺。㈡左傳哀公二十年載吳人殺公子慶忌，其時慶忌驟諫吳王夫差曰：「不改必亡」。弗聽。慶忌乃適楚。聞越將伐吳，請歸平越，遂歸，吳王欲除不忠者以說於越，故殺慶忌。按吳公子光（即闔閭）弒王僚，係在周敬王五年（西元前五一五），敬王二十四年（西元前四九六），越王句踐敗吳於檇李，闔閭以傷卒。又後二十年，即周元王元年（即魯哀公二十年，西元前四七五），吳人殺王子慶忌。由此推之，則本文述要離刺慶忌事，似不可盡信。畢校謂「左氏哀二十年傳云，慶忌適楚，此與吳越春秋皆云在衞」，則認為要離刺慶忌，是吳王夫差所主使了，高注畢校都不合於史實。㈢畢校「此文訛，案吳越春秋為新君而殺故君之子，非義也。」許釋引徐時棟讀書志認為原文不訛，要離既事慶忌，新主即指慶忌，而故主為吳王。㈣「夫殺妻子而焚之」「夫為故主殺新主」「夫捽而浮之江」「夫不仁不義又且已辱」，此四句句首的夫字是語氣詞，無意義，其作用在提引一件事物加以說明，此在本書中最常用。

【今譯】 吳王欲殺王子慶忌，而沒有人能殺他，心裏很害怕。要離說：「我能夠殺他。」吳王說：「你怎麼能夠呢？我曾經用六匹馬逐他於江上，而不能趕得上；用箭射他，矢左右滿把，而不能射中；現在你拔劍則不能舉臂，上車則不能攀上車前的橫木，你怎麼能夠呢？」要離說：「祇怕不夠勇敢而已，怎麼怕辦不到？王要是能成全我的請求，我必定能夠辦到。」吳王說：「好的。」第二天早上，就加上要離的罪名，逮捕他的妻子燒死他們，而揚棄其骨灰。要離逃走，到衞國去見王子慶忌，王子慶忌高興說：「吳王的暴虐無道，是你所看見的，是諸侯所知道的，你現在得免死而離開，也很好了。」要離跟隨王子慶忌一起居住。過了不久，告訴王子慶忌說：「吳王的無道更甚，請與王子去奪取吳國」。王子慶忌說：「很好。」於是同要離渡江，到了江中，要離拔劍刺殺王子慶忌，王子慶忌扭執著他投於江中，看見他浮起來，則又扭取而投之，如此者三次，最後說，「你是天下的勇士，放你一條活路，成就你的名聲吧！」要離得以不死，回到吳國，吳王很高興，要把吳國土地分封給他，要離說：「不可以，我必定要死。」吳王阻止他，要離說：「焚殺妻子而揚棄其灰，以便行事，我知道這是不仁的。為了故主殺新主，我知道這是不義的。捽而浮於江中，三入三出，這是王子慶忌所賜而不殺罷了，我已經受辱了。一個不仁不義而且已受辱的人，不可以偷生苟活。」吳王不能阻止，要離果然自殺而死。如同要離這樣的人，可以說不為厚賞而動心了。所以遇到大利而不移易其義，可謂廉潔了，能廉故不為貴富而忘其受辱。

衛懿公有臣曰弘演，有所於使㊀。翟人攻衛，其民曰：「君之所予位祿者鶴也，所貴富者宮人也，君使宮人與鶴戰，余焉能戰㊁。」遂潰而去。翟人至，及懿公於滎澤㊂，殺之，盡食其肉，獨舍其肝。弘演至，報使於肝畢，呼天而啼，盡哀而止，曰：「臣請為襮。」因自殺，先出其腹實，內懿公之肝㊃。桓公聞之，曰：「衛之亡也，以為無道也，今有臣若此，不可不存。」於是復立衛於楚丘。弘演可謂忠矣，殺身出生以徇其君，非徒徇其君也，又令衛之宗廟復立，祭祀不絕，可謂有功矣。

【今註】㊀「有所於使」是有使命到他國去。韓詩外傳作「受命而使」；新序義勇篇作「遠使未還」。㊁狄人攻衛見左傳閔公二年。㊂滎澤，畢校謂「左傳、韓詩外傳並作熒澤，當從之。」按應作滎澤，春秋時為澤，漢時塞為平地，在今河南滎澤縣南。㊃襮（ㄅㄛˊ）是外衣，此處是以軀體為外表之意。

【今譯】衛懿公有臣名叫弘演，有使命到他國去了。其時狄人攻衛，衛國人民說：「國君所給予祿位的是鶴，所貴富的是宮人，君可使宮人和鶴作戰，我們怎能作戰呢？」遂潰散而去。狄人到了衛地，追殺懿公於滎澤，吃了他的肉，祇棄去了他的肝。弘演回國，向懿公的肝報告使命後，呼天號哭，盡哀而止，說：「請以我的軀體為外表。」因自殺，先掏出腹內的五臟，然後納入懿公的肝。齊桓公聽到這個消息，就說：「衛國的滅亡，是因為無道，現在有臣如此忠烈，不可不保存其國家。」於是復建立衛國於楚丘。弘演可謂忠烈了，殺身以殉其君，非但殉其君，又使衛國的宗廟復立，祭祀不絕，可以說是有大功於國家了。

四曰當務

【今註】 當務是說萬事的處理都要求其適當合理，所以「辨而不當論，信而不當理，勇而不當義，法而不當務」，必將大亂天下。所引例證，如盜跖的辯，直躬的信，齊人的勇，太史的法，都是不達其理，不當其務。而商太史對於一母所生之子，不立長而立少，更是膠柱鼓瑟，終致商紂暴虐無道，大亂天下，尤為不當，故以當務名篇。

辨而不當論，信而不當理，勇而不當義，法而不當務，惑而乘驥也，狂而操吳干將也，大亂天下者，必此四者也㊀。所貴辨者、為其由所論也，所貴信者、為其遵所理也㊁，所貴勇者、為其行義也，所貴法者、為其當務也。

【今註】㈠高注「四者辨信勇法也。惑而乘驥，必失其道，吳干將、利劍也，狂而操之，必殺害人，故曰亂天下者必此四者也。」許釋「辨與辯古通，荀子書皆如是。」按辯而不當論是用利口詭辯來爭論，故孔子謂「惡佞恐其亂義也。」信而不當理是利用不合理的手段以表示自己的誠信，故孔子謂「信近於義」，孟子謂「有諸己之謂信。」而以忠信、誠信二字連用。勇而不當義是好勇狠鬬，故孔子謂「君子有勇而無義為亂，小人有勇而無義為盜。」又謂「勇者不必有仁」，為其不當於義。法而不當務則正如韓非子所謂「好辯說而不求其用，可亡也。」㈡由所論、遵所理、許釋引陶鴻慶札記謂兩所字皆衍文，論與倫同，倫亦理也。與下文行義、當務文例同。尹校據刪。

【今譯】辯而不當於論，信而不當於理，勇而不當於義，法而不當於務，這猶如昏惑的人騎著快馬，必失其道，狂亂的人拿著利劍，必殺害人，大亂天下，必將由於此四者。辯論所以可貴，是因為辯論可以明理；誠信所以可貴，是因為誠信可以合理；勇敢所以可貴，是因為勇敢可以行義；用法所以可貴，是因為用法可以致治。

跖之徒問於跖曰：「盜有道乎㈠？」跖曰：「奚啻其有道也？夫妄意關內中藏，聖也㈡，入先，勇也，出後，義也，知時，智也，分均，仁也。不通此五者而能成大盜者，天下無有。」備說非六王五伯㈢：以為堯有不慈之名㈣，舜有不孝之行㈤，禹有淫湎之意㈥，湯武有放殺之事㈦，五伯有暴亂之謀㈧，世皆譽之，人皆諱之，惑也。故死而操金椎以葬，曰：下見六王五伯，將敲其頭矣。辨若此不如無辨。

【今註】㈠跖是大盜，徒是他的弟子。㈡奚啻（ㄔˋ）是何止之意，莊子胠篋篇「何適而無有道邪？」注亦謂適，僅也。猜中閉藏的東西，是從外知內，這是要有很高的智慧，故曰聖也。㈢「備說非」是盜跖接著再對他的徒弟述說六王五霸的缺點。六王是指堯舜禹湯文武，五霸是齊桓晉文宋襄楚莊秦穆。㈣堯不以天下傳給兒子丹朱，而反禪讓給舜，故曰有不慈之名。尚書大傳「堯為天子，丹朱為太子，舜為左右。堯知丹朱之不肖，必將壞其宗廟，滅其社稷，而天下同賊之，故堯推尊舜而尚之，屬諸侯焉。」史記五帝本紀「堯知丹朱之不肖，不足授天下；授舜則天下得其利而丹朱病；授丹朱，則天下病而丹朱得其利。堯曰：『終不以天下之病而利一人。』卒授舜以天下。」由是世之論者皆謂堯舍其子丹朱而以天下與舜。㈤舜的父母不喜歡舜而喜愛其弟象，堯典謂「父頑母嚚象傲。」孟子謂「舜往於田，號泣於旻天，於父母。」故曰有不孝之行。㈥高注「禹甘旨酒而飲之，故曰有淫湎之意。」孟子「禹惡旨酒而好善言」，戰國策「儀狄作酒，禹飲而甘之，遂疏儀狄而絕旨酒。」是當時已有兩種不同的說法。㈦成湯放桀於南巢，周武殺殷紂於宣室，故曰有放殺之事。崔述考信錄謂「自戰國以後，楊墨並起，而楊氏之言尤橫，常非堯舜，薄湯武，毀孔子，以自張大其說；一變而託於黃老，再變而流為名法。是以史記自敘，六術之中，有墨而無楊。何者？黃老名法即楊氏也。習黃老者務以清靜無事為貴，故以堯舜為擾民，以湯武為弒君。」㈧五伯爭國，骨肉相殺，以大兼小，故曰有暴亂之謀。

【今譯】盜跖的徒弟問於跖說：「竊盜亦有道理嗎？」跖說：「何止有道理呢？猜中閉藏的東西，是聖；率先入內、是勇；出來掩後、是義；知道時間，是智；平均分物、是仁。不通達此五者而能成為大盜，是天下所沒有的。」接著他又述說六王五霸的缺點：也認為堯有不慈之名，舜有不孝之行，禹有淫湎之意，湯武有放殺之事，五霸有暴亂之謀。可是世人皆稱譽六王為聖，五霸為賢，而諱言其不慈不孝放殺暴亂之事，這是悖惑的。所以他死時拿著金椎殯葬，他說：「地下遇著六王五霸時，將要用金椎敲擊他們的頭顱了。」這樣的辯不如沒有辯。

楚有直躬者㈠，其父竊羊，而謁之上，上執而將誅之，直躬者請代之，將誅矣，告吏曰：「父竊羊而謁之，不亦信乎？父誅而代之，不亦孝乎？信且孝而誅之，國將有不誅者乎？」荊王聞之，乃不誅也。孔子聞之，曰：「異哉直躬之為信也，一父而載取名焉。」故直躬之信，不若無信㈡。

【今註】㈠論語「葉公語孔子曰：吾黨有直躬者，其父攘羊，而子證之。」孔子曰：「吾黨之直者異於是，父為子隱，子為父隱，直在其中矣。」直躬者是假設的自命正直的人，許釋謂孔安國解直躬為直身而行，經師多從其說，惟武億羣經義證據莊子、淮南、三國志注，定為人姓名。㈡載同再，謂直躬既告發其父竊羊以取信，又代父誅以取孝，故曰一父而再取名焉。

【今譯】　楚國有直躬者，他的父親偷了人家的羊，他去見地方官告發其父偷羊之事。地方官逮捕其父將要殺之，直躬者請代其父死。將要殺他時，他告訴官吏說：「父親偷羊而來告發，不是信嗎？父要被殺而請求代替，不是孝嗎？信而且孝的人尚且被殺，一國之內還有誰不可殺呢？」楚王聽說，乃赦而不殺。孔子聽到說：「奇怪哉直躬的所謂信，利用父親而再取名譽善罷了。」所以說直躬之信不如沒有信。

齊之好勇者，其一人居東郭，其一人居西郭，卒然㈠相遇於塗曰：「姑相飲乎？」觴數行，曰：「姑求肉乎？」一人曰：「子肉也，我肉也，尚胡革求肉而為㈡？於是具染而已。」因抽刀而相啖，至死而止。勇若此不若無勇。

【今註】　㈠卒然即猝然，是不期而遇。㈡姑是姑且。革是更。具染是具備豆豉醬。

【今譯】　齊國的自稱勇者，一人住在東郭，一人住在西郭，偶然在路中相遇，因相向說：「姑且去相對飲幾杯，好不好？」喝了幾杯後，又說：「姑且找些肉吃吧！」一人說：「你有肉，我也有肉，還要更找肉做什麼？祇要弄些豆豉醬就行了。」因而抽刀互相割肉而吃，一直到死為止。這樣的勇不如沒有勇。

紂之同母三人，其長曰微子啟，其次曰中衍，其次曰受德，受德乃紂也，甚少矣。紂母之生微子啟與中衍也，尚為妾，已而為妻而生紂。紂之父、紂之母欲置微子啟以為太子，太史據法而爭之，曰：「有妻之子而不可置妾之子。」紂故為後。用法若此，不若無法。

【今譯】紂的同母兄弟三人，最長的是微子啟，其次是中衍，再其次是受德，受德就是紂，很少了。紂母生微子啟和中衍的時候還是妾，後來為妻時才生紂，紂的父母都要立微子啟為太子，太史據法力爭，說：「有妻之子不可立妾之子。」所以紂因此得以繼世。這樣的用法，不如沒有法。

五曰長見

【今註】本篇是說遠見卓識的重要，連引五個故事都有高瞻遠矚的歷史眼光，可資參考。本書主張尚賢，仲冬紀各篇都有尚賢之意，而長見的意義尤與先識篇相似。

智所以相過，以其長見與短見也㈠。今之於古也，猶古之於後世也，今之於後世，亦猶今之於古也。故審知今則可知古，知古則可知後㈡，古今前後一也，故聖人上知千歲，下知千歲也。

【今註】㈠長見是遠見，短見是淺見。㈡論語為政篇「子張問十世可知也？子曰：殷因於夏禮，所損益可知也；周因於殷禮，所損益可知也。其或繼周者，雖百世可知也。」這就是審知今則可知古，知古則可知後。老子亦謂「執古之道，以御今之有，能知古始，是謂道紀。」可知孔子老子對於時代演變的原則，都主張古今協和之旨。

【今譯】人的智慧所以相差甚遠，因為有長見與短見的不同。今之於古，猶如古代之於後世；今之於後世，亦猶如今之於古。所以審知今日事物的演變，可以推知古代的事物；審知古代的事物，則可以推知後世的事物。古今前後的演變是有同一的原則，所以聖人上知千歲，下知千歲。

荊文王曰：「莧譆數犯我以義，違我以禮㈠，與處則不安，曠之而不穀得焉㈡，不以吾身爵之，後世有聖人，將以非不穀。」於是爵之五大夫。申侯伯善持養吾意，吾所欲則先我為之，與處則安，曠之而不穀喪焉，不以吾身遠之，後世有聖人，將以非不穀。」於是送而行之㊂。申侯伯如鄭，阿鄭君之心，先為其所欲，三年而知鄭國之政也，五月而鄭人殺之。是後世之聖人使文王為善於上世也㊃。

【今註】㊀此段是說楚文王的長見。莧（ㄒㄧㄢˋ）譆（ㄒㄧ）、說苑作筦（ㄍㄨㄢˇ）譆，新序作筦蘇，大概是楚文王的忠直敢言之臣。數犯我以義違我以禮，是說數次直言冒犯，指責我有不義之事及違背失禮之處。㊁「不穀」：穀是善的意思，曲禮下「其在東夷北狄西戎南蠻，雖大曰子（子爵），於內自稱曰不穀……庶方小侯自稱曰孤。」「諸侯與民言，自稱曰寡人。」楚為南蠻，故楚子自稱曰不穀。曠之是曠日持久的曠，畢校，曠猶久也。㊂申侯伯是善伺人意的小人，左傳魯僖公七年，楚文王將死，與之璧使行，曰：「惟我知汝，汝專利而不厭，予取予求，不汝玼瑕也。後之人將求多於汝，汝必不免，我死，汝遠行。毋適小國，將不汝容焉。」㊃其意是說楚文王怕受後世聖人的批評，封莧譆而去申侯伯，使為善事於上世。

【今譯】楚文王說：「莧譆數次以義來冒犯我，以禮來指責我，與他相處便覺不安，過了許久，使我從義入禮甚有所得。我如果不親自封賞他，後世的聖人將要批評我的不是。」於是封他為五大夫。又說：「申侯伯善於伺候我的意旨，我有所欲，就先給我辦好，我和他在一起覺得很安心；過了許久，我才覺得如有所失。我如果不親自疏遠他，後世的聖人將要批評我的錯誤。」於是贈送他禮物使其遠行。申侯伯往鄭國去，迎合鄭君的心意，先奉承其所欲，過了三年，就參與鄭國的政事，再過五個月，鄭國人把他殺了。所以後世的聖人使楚文王在前世做了善事。

晉平公鑄為大鐘，使工聽之，皆以為調矣。師曠曰：「不調，請更鑄之。」平公曰：「工皆以為調矣。」師曠曰：「後世有知音者，將知鐘之不調也，臣竊為君恥之㊀。」至於師涓，而果知鐘之不調也㊁。是師曠欲善調鐘，以為後世之知音者也。

【今註】㊀此段是說師曠的長見。師曠是春秋時晉國的樂官，能辨音以知吉凶。㊁師涓是戰國時趙國的樂官。

【今譯】晉平公鑄造一個大鐘，使樂工聽辨鐘聲，都認為調和了。師曠說：「不調和，請重新鑄造。」平公說：「樂工都認為調和了。」師曠說：「後世有知音的人，將會知道這鐘的聲音不調和，我私心擔憂以此為君之恥。」到了師涓，果然知道這鐘聲的不調和。師曠要善調鐘聲，是為後世的知音者作張本。

呂太公望封於齊，周公旦封於魯㊀，二君者甚相善也，相謂曰：「何以治國。」太公望曰：「尊賢上功。」周公旦曰：「親親上恩。」太公望曰：「魯自此削矣㈡。」周公旦曰：「魯雖削，有齊者亦必非呂氏也。」其後齊日以大，至於霸，二十四世而田成子有齊國㈢。魯公以削，至於覲存，三十四世而亡㈣。

【今註】㈠此段是說太公望、周公旦的長見。韓詩外傳、淮南齊俗訓、漢書地理志同有此文。㈡高注「親親上恩，恩多則威武不行，威武不行，故削弱也。」㈢高注「尊賢敬德，故能霸也，上功則臣權重，故能奪君國也。田成子恆殺簡公，適二十四世也。」按田恆始專齊政，三傳至田和逐齊康公，田恆殺簡公是在周敬王三十九年（西元前四八一）至田和取齊尚隔九十餘年，高說非。周安王十六年（西元前三八六）命齊大夫田和為諸侯，是為田齊，至秦始皇二十六年（西元前二二一），齊亡。㈣魯公以削、許釋引劉叔雅三餘札記「公當為日字之誤，與上文齊日以大相對。」覲存、高注「覲、裁也。」按覲應與僅字通用。魯在秦始皇前三年為楚所滅，適三十四世。

【今譯】呂太公望封於齊，周公旦封於魯，他們兩人是很友善的，相互的說：「怎樣治理國事？」太公望說：「尊賢上功。」周公旦說：「親親上恩。」太公望說：「魯國從此要削弱了。」周公旦說：「魯國雖然削弱，可是齊國將來亦必非呂氏所有了。」其後，齊國日以強大，至於稱霸，傳了二十四世而田成子有了齊國。魯國日以削弱，至於僅能生存，傳了三十四世而亡。

吳起治西河之外，王錯譖之於魏武侯㊀，武侯使人召之。吳起至於岸門㊁，止車而望西河，泣數行而下。其僕謂吳起曰：「竊觀公之意，視釋天下若釋躧㊂，今去西河而泣，何也？」吳起抿泣而應之曰：「子不識，君知我而使我畢能西河，可以王，今君聽讒人之議，而不知我，西河之為秦取不久矣，魏從此削矣。」吳起果去魏入楚。有閒，西河畢入秦，秦日益大，此吳起之所先見而泣也㊃。

【今註】㊀此段是說吳起的長見。吳起衞人，是子夏的弟子，為魏國將，善用兵。西河是魏國在黃河以西之地，在今山西西南部及陝西東南隅。魏武侯是文侯之子。㊁岸門，畢校謂在許州長社縣西北十八里。㊂釋是棄去，躧（ㄒㄧˇ）是草鞋，與屣、履通。㊃吳起入楚，楚悼王以為相，國富兵強，是在周安王十八年（西元前三八四），至周顯王二十九年（西元前三四〇），秦孝公伐魏，魏王（即梁惠王）遷都大梁（即開封），獻西河之地於秦。距吳起去西河時，不過四十餘年，足證吳起的遠見。

【今譯】吳起治理西河之外，王錯向魏武王虛構事實誣陷吳起，武侯使人召回。吳起到達岸門，停車而望西河，淚數行下。他的僕人對吳起說：「我曾私下觀察公的器度，視棄天下猶如棄去敝屣，現在為離開西河而流淚，為什麼？」吳起抆淚而答應說：「你不曉得，國君如果相信我而使我能盡力治理西河，將可以王天下。現在聽信讒人的話，而不瞭解我，西河不久要為泰國取去了，魏國從此削弱了。」吳起果然離開魏國，往楚國去了。過了不久，西河盡為秦國所有，秦國愈益強大。這是吳起所先見而為之流淚呀！

魏公叔痤疾，惠王往問之㈠，曰：「公叔之病甚矣，將奈社稷何？」公叔對曰：「臣之御庶子鞅，願王以國聽之也㈡，為不能聽，勿使出境。」王不應，出而謂左右曰：「豈不悲哉？以公叔之賢，而今謂寡人必以國聽鞅，悖也夫！」公叔死，公孫鞅西游秦，秦孝公聽之，秦果用彊，魏果用弱，非公叔痤之悖也，魏王則悖也。夫悖者之患，固以不悖為悖。

【今註】㈠此段是說魏公叔痤的長見。魏惠王即梁惠王，是武侯之子，在周顯王十三年（西元前三五六）始稱王，後十餘年，西河入秦，惠王遷都大梁，後數年，孟子至魏見梁惠王。㈡御庶子是官名，鞅即商鞅，於周顯王八年入秦，十年，秦孝公信用商鞅，下變法之令，秦遂大強。

【今譯】魏國公叔痤有病，惠王親往探問，說：「公叔的病很嚴重了，我們的國事怎麼辦呢？」公叔說：「我的御庶子公孫鞅可以用，希望王付以國事；如不能用，那就勿讓他出境。」惠王不應，出來時告訴左右的人說：「真可傷心啊！如同公叔的賢才，今天同我說，必定要用鞅主政，真是悖謬呀！」公叔死了，公孫鞅西往秦國，秦孝公信用他，果然因此強盛，而魏國從此衰弱。這不是公叔的悖謬，魏王實在是悖謬，悖謬者的禍患，是常把不悖謬的看作悖謬。

卷十二　季冬紀

第十二，凡五篇、又序意一篇

一曰季冬

【今註】季冬是夏曆的十二月。這個月，日窮於次，月窮於紀，星迴於天，十二月之數將近終了，歲將更新。故應注重年終檢討，以規劃明年的政令。歲寒然後知松柏之後凋，故注重勵士節，明士志，以待來茲，本書以士節、介立、誠廉、不侵四篇列入季冬，固不免牽強，但亦有深意在焉。本月的重要政令是大儺以送寒氣，遍祭皇天上帝社稷宗廟山林名川的神祇，命司農準備明年的農事，令百姓選擇五穀的種子，修理農具，最後舉行年終檢討，使卿大夫整飭國家的法典，檢討時令，以規劃明年應行的政令。

季冬之月，日在婺女㈠，昏婁中，旦氐中。其日壬癸㈡，其帝顓頊，其神玄冥。其蟲介，其音音羽，律中大呂，其數六。其味鹹，其臭朽，其祀行，祭先腎。鴈北鄉，鵲始巢，雉雊，雞乳㈢。天子居玄堂右个，乘玄駱，駕鐵驪，載玄旂，衣黑衣，服

玄玉。食黍與彘，其器宏以弇。

【今註】㈠婺女即女星，是北方宿，今屬寶瓶座。婁是西方宿，今屬白羊座。氐是東方宿，今屬天秤座。㈡「其日壬癸」一節見孟冬及孟春紀註。大呂是十二律中的陰聲，陰氣旅於地而大寒，古人以此月祭山川井竈，謂之臘祭，祭主要露宿於野，故曰旅。㈢「鴈北鄉」已見孟春紀註。鵲是喜鵲，此時始作巢。雉雊（ㄍㄡˋ）是春時雄雉鼓翼曲頸而鳴。雞乳是雌雞伏卵時用爪反覆其卵以生雛。此均表示春氣已動。

【今譯】季冬十二月，太陽的位置在北方婺女，向晚時望見西方婁宿上升在南方中天，向曉時則見東方氐宿出現在南方中天。十二月的日干為壬癸，上應的天神是水德之帝顓頊和水官之神玄冥。應時的動物為介類，應時的音律是羽音和大呂，其數為六。其味為鹹，其臭為朽，其祀為行，祭以腎為先。其時鴈北向，鵲始巢，雉鳴，雞孵雛。天子為順應時令，移居玄堂的右偏室，出則乘玄輅，駕鐵驪，載玄旂，衣黑衣，佩玄玉。食則以黍與彘為主，所用器具要寬大而口小。

命有司大儺㈠，旁磔，出土牛，以送寒氣㈡。征鳥厲疾，乃畢行山川之祀，及帝之大臣天地之神祇㈢。

【今註】㈠大儺是驅逐疫鬼的祭名，已詳見季春註。㈡旁磔就是季春篇的磔禳，分割大羊於四方，以禳除冬天的寒氣。出土牛是使土牛出都城，前往各郡縣，待立春外出勸農耕於東郊。畢校謂續漢禮儀志亦於季冬出土牛。㊂「征鳥厲疾」，是說羣鳥飛行兇猛快速，猶如出征，或謂此句應在上文雉雊雞乳之下，錯簡於此。帝之大臣，指有功德於人民的大臣，如益稷周召等，歲終報功，徧祀各種神祇，在天曰神，在地曰祇。

【今譯】 命有司舉行大儺之祭，分割犧牲於四方，送出土牛於郡縣，以盡送寒氣，導引陽氣。其時羣鳥高飛，快速兇猛猶如出征，於是普遍舉行山川之祀，以及先帝的大臣，天地的神祇。

是月也，命漁師始漁，天子親往，乃嘗魚，先薦寢廟。冰方盛，水澤復㊀，命取冰，冰已入㊁。令告民出五種㊂。命司農計耦耕事，修耒耜，具田器。命樂師大合吹而罷㊃。乃命四監收秩薪柴，以供寢廟及百祀之薪燎㊄。

【今註】 ㊀「水澤復」，高注「復亦盛也。復或作複，凍重絫也。」上農篇「民農則其產復」、復亦盛意。㊁「冰已入」，高注「入凌室也。」仲春乃開冰室取冰。㊂五種是五穀的種子，出是由地窖中取出予以選擇。㊃「大合吹」，高注「周禮籥章、仲春、晝擊土鼓，吹豳詩以逆暑；仲秋、夜逆寒，亦如之。舉春秋、省文也，則冬夏可知。」依此，則大合吹是驅冬寒迎春溫之意。而罷，是於大合吹後，遣散樂工回家，使各休息。㊄薪燎是焚薪祭天之禮，現在孔廟釋奠儀節中亦有「望燎」

的節目，樂長唱「咸和之曲」，鐘鼓齊鳴，正獻官隨引贊前往燎所望燎。四監已見季夏篇註。

【今譯】　這個月，命漁師開始捕魚，天子親往觀之，於是嘗魚，先薦祖廟。其時冰凍正厲害，所有川澤都冰結重重，命主管官取冰，存入儲藏的凌室。命令百姓取出五穀的種子而選擇之。司農的官吏計畫農耕之事，修理耒耜，準備田器。又命樂師舉行大合吹而罷息，命四監收積薪柴，以供給郊廟及百祀薪燎之用。

是月也，日窮於次，月窮於紀，星迴於天㈠，數將幾終，歲將更始㈡，專於農民，無有所使㈢。天子乃與卿大夫飭國典，論時令，以待來歲之宜㈣。乃命太史次諸侯之列，賦之犧牲，以供皇天上帝社稷之享㈤。乃命同姓之國，供寢廟之芻豢。令宰歷卿大夫至於庶民土田之數，而賦之犧牲，以供山林名川之祀㈥。凡在天下九州之民者，無不成獻其力，以供皇天上帝社稷寢廟山林名川之祀。

【今註】　㈠次是居宿之處，十二次窮於牽牛，地球繞日一週，此時又見太陽回到原來的位次，故曰日窮於次。日月相會合，乃有圓缺，一圓一缺謂之紀，紀是交點，此時日回到原位，與月相會，在一年內為最後一次，故曰月窮於紀。昏旦所見的二十八宿迴於牽牛，已是一週，此後孟春，又是昏參中，旦尾中，故曰星迴於天。㈡數是一歲十二月三百六十五日之數，至此將終了，而另一歲又將更始於孟春正月。㈢歲將更始，農事又將起來，所以此時獨對於農民，不可有所役使。㈣整飭國法，討論時令，取其所宜者而行之，這是檢討一年的政令。㈤次是辨別等級，列是國之大小，辨別其大小等級，以核定其應賦斂犧牲的多寡。此諸侯是指異姓之國，下文同姓之國是同姓諸侯。㈥芻是牛羊，豢（ㄏㄨㄢˋ）是犬豕。同為犧牲而用處有別：異姓諸侯的供給皇天上帝社稷之祭，同姓諸侯的供給宗廟之祭，而以卿大夫及庶民土田所貢的供給山林名川之祀。

【今譯】這個月，日已到了十二次，月已到了十二紀，星要回到原位，一年十二月三百六十五日之數將近終了，新歲又將更始。歲將更始，農事又起，此時對於農民，不可有所役使。天子乃與卿大夫整飭國法，研討時令，以準備明年應該辦理的事宜。於是命太史序次異姓諸侯的等級，以定賦斂犧牲的多寡，以供應皇天上帝社稷之享；命同姓諸侯供應祖廟的牛羊犬豕；又使太宰序次卿大夫以至一般百姓的土地之數，而各賦收其犧牲，以供應山林名川之祀。總之，天下九州的人民，無不共同出力，以供應皇天上帝、社稷宗廟、山林名川的祭祀。

行之是令，此謂一終，三旬二日㈠。季冬行秋令則白露蚤降，介蟲為妖，四鄰入保。行春令則胎夭多傷，國多固疾，命之曰逆㈡。行夏令則水潦敗國，時雪不降，冰凍消釋。

【今註】㈠月令無此三句。一終是一歲十二月之終。三旬二日，高注謂「十日一旬也，二十日為二旬，後一旬在新月，故曰三旬二日。」此意未明。尹校引陶鴻慶札記「此三旬二日，上無所承，疑上有脫文，殆指雨雪言之。季夏紀，行之是令，是月甘雨三至，與此略同，此謂祁寒盛暑，皆非常月之比也。」㈡胎夭已見孟春篇註。固疾即痼疾，是不易治療的病症，蔡邕月令答問作「民多蠱疾。」氣候不和調，國多逆氣，故命之曰逆。

【今譯】時令適合，這叫做一終，三旬二曰。如果時令失調，季冬而行秋令，則白露早降，介蟲為災，盜賊時起，四境之民入城自保。如行春令，則胎夭的動物多受傷害，國人多患不易治療的痼疾，這叫做逆氣。如行夏令，則應冷而反熱，必多淋雨，水潦為災，時雪當降而不降，冰凍不當消而消釋，這些都是節候不調的災變。

二曰士節

【今註】季冬紀各篇皆以述說節操為中心，其實仍是發揮用賢之意。本篇說晏子客北郭子及其友都為了晏子見疑去國而死，一以報答晏子的禮遇，一以警告齊君，救齊國。所言「士之為人，當理不避其難，臨患忘利，遺生行義，視死如歸。」就是孔曰成仁、孟曰取義的意思。本書雖主張貴生重己，卻不同意貪生怕死，認為如果所行不義，倒是生不如死。所以說「全生為上，虧生次之，死次之，迫生為下。」故本篇推許北郭子及其友為節士。

士之為人，當理不避其難，臨患忘利，遺生行義，視死如歸。有如此者，國君不得而友，天子不得而臣㈠，大者定天下，其次定一國，必由如此人者也。故人主之欲大立功名者，不可不務求此人也，賢主勞於求人，而佚於治事。

【今註】㈠孟子勉人重視氣節，當生與死不可兼得之時，寧可捨棄生命以保全義理。國君應該禮賢下士，尊重道德，對於有氣節的士君子，不得而臣，所以說：「天下有道，以道殉身，天下無道，以身殉道，未聞以道殉乎人者也。」

【今譯】士人的立身處世，堅守理義而不避患難，臨到危難時便忘卻利害，寧可遺棄生命以行其義，而置生死於度外。這樣的士人，國君不得而友，天子不得而臣，大的如定天下，其次如定一國，必定是由於這樣的人。所以人主要立大功、成大名的，不可不求得這樣的人。賢能的君主都是勞心於求賢，而治事自然安逸了。

齊有北郭騷者，結罘罔㈠，捆蒲葦，織萉屨，以養其母，猶不足，踵門見晏子曰：「願乞所以養母。」晏子之僕㈡謂晏子曰：

「此齊國之賢者也，其義不臣乎天子，不友乎諸侯，於利不苟取，於害不苟免，今乞所以養母，是說夫子之義也，必與之。」晏子使人分倉粟分府金而遺之，辭金而受粟。有間，晏子見疑於齊君，出奔，過北郭騷之門而辭，北郭騷沐浴而出，見晏子曰：「夫子將焉適？」晏子曰：「見疑於齊君，將出奔。」北郭子曰：「夫子勉之矣。」晏子上車太息而歎曰：「嬰之亡豈不宜哉？亦不知士甚矣。」晏子行。北郭子召其友而告之曰：「說晏子之義，而嘗乞所以養母焉。吾聞之曰：養及親者身伉其難㊂，今晏子見疑，吾將以身死白之。」著衣冠，令其友操劍奉笥而從，造於君庭，求復者曰：「晏子天下之賢者也，去則齊國必侵矣，必見國之侵也，不若先死，請以頭託白晏子也。」因謂其友曰：「盛吾頭於笥中，奉以託，退而自刎也。」其友因奉以託，其友謂觀者曰：「北郭子為國故死，吾將為北郭子死也。」又退而自刎。齊君聞之大駭，乘馹㊃而自追晏子，及之國郊，請而反之。晏子不得已而反。聞北郭騷之以死白己也，曰：「嬰之亡豈不宜哉？亦愈不知士甚矣。」

【今註】㊀罘（ㄈㄨˇ）是捕兔用的網。罠同網。葩（ㄈㄟˇ）屨（ㄐㄩ）是草鞋。㊁僕是御車者，或稱僕御。禮記禮運「仕於公曰臣，仕於家曰僕。」㊂伉同抗，是擔當。白是陳述其事使齊君瞭解。㊃馹（ㄖ）是古時驛傳所用的車。

【今譯】齊國有士人名叫北郭騷，平日靠結罘網，捆蒲葦，織草鞋謀生，以養其母，還不夠生活，於是到晏子家去請見，說：「請幫些忙以奉養母親。」晏子的家僕對晏子說：「這是齊國的賢士，他的氣節是不肯臣事天子，不肯和諸侯做朋友，對於不義之利不肯苟且取得，對於危難之事亦不肯苟且避免，現在來要求養母，這是敬重先生的道義，必須要給他。」晏子使人分倉粟分府金送給他，東郭騷辭金而受粟。

過了一些時，晏子見疑於齊君，因而出奔，經過北郭騷的住處向他辭行。北郭騷正洗澡，出來見晏子說：「先生要往那裏去？」晏子說：「見疑於齊君，要出奔他國。」北郭子說：「先生保重了。」晏子上車嘆了一口氣說：「我的出亡不是應該的嗎？也是太不認識士人了。」

晏子去了後，北郭子請到一位好友而告訴他說：「我欽敬晏子的道義，有一次曾請求幫忙以養母，我聽說：養及我親的人，應該分擔他的患難。現在晏子見疑，我將要以死使齊君明白。」於是穿著衣冠，使其友捧劍奉笥而從，到了齊君闕庭，請求傳達的人說：「晏子是天下的賢人，如果離開齊國，則齊國必將受人侵侮了；我與其見到國家的受人侵侮，不如先死，請把頭奉上，以明白晏子的無罪。」因告訴其友說：「把我的頭放在笥中，奉請傳達送進去。」退去就自殺了。其友因奉其頭以拜託守門的傳達，其友因告訴旁觀的人說：「北郭子為國家而死，我將為北郭子死了。」又退而自殺。齊君聽到，為之大驚，就親自乘傳車去追晏子，到了國郊追到了，請晏子回去，晏子不得已的回去。才知道北郭子以死明白自己的事，嘆氣說：「我的出亡不是應該的嗎？實在也太不認識士人了。」

三曰介立

【今註】　本篇的介立是與士節同一意義，述說介子推爰旌目的特立獨行，以慨嘆當時各國將帥貴族士卒民眾的不辨義利、貪生怕死，當然也是尊德尚賢的意旨。孟子「柳下惠不以三公易其介。」荀子修身篇「善在身，介然以自好也。」都是表示堅確的節操。

以貴富有人易，以貧賤有人難㊀。今晉文公出亡，周流天下，窮矣賤矣㊁，而介子推不去，有以有之也。反國有萬乘，而介子推去之，無以有之也㊂。能其難，不能其易，此文公之所以不王也㊃。晉文公反國，介子推不肎受賞，自為賦詩曰：「有龍於飛，周徧天下，五蛇從之，為之丞輔。龍反其鄉，得其處所，四蛇從之，得其露雨。一蛇羞之，橋死於中野。」懸書公門，而伏於山下㊄。文公聞之曰：「譆、此必介子推也。」避舍變服，令士庶人曰：「有能得介子推者爵上卿，田百萬。」或遇之山中，負釜蓋簦㊅，問焉曰：「請問介子推安在？」應之曰：「夫介子推苟不欲見而欲隱，吾獨焉知之？」遂背而行，終身不見。人心之不同，豈不甚哉？今世之逐利者，早朝晏退，焦脣乾嗌，日夜思之，猶未之能得，今得之而務疾逃之，介子推之離俗遠矣。

【今註】㊀猶今俗語謂貧居鬧市無人問，富在深山有遠親。㊁晉文公是春秋五霸之一，其出亡史實，見左傳僖公二十四年。㊂左傳謂晉侯賞從亡者，介子推不言祿，祿亦弗及。推曰：「獻公之子九人，唯君在矣，惠懷無親，外內弃之，天未絕晉，必將有主，主晉祀者，非君而誰？天實置之，而二三子以為己力，不亦誣乎？竊人之財猶謂之盜，況貪天之功，以為己力乎？下義其罪，上賞其姦，上下相蒙，難與處矣。」其母曰：「盍亦求之，以死誰懟（ㄉㄨㄟˋ）？」對曰：「尤而效之，罪又甚焉，且出怨言，不食其食。」其母曰：「亦使知之，若何？」對曰：「言、身之文也，身將隱，焉用文之，是求顯也。」其母曰：「能如是乎？與汝偕隱。」遂隱而死。晉侯求之不獲，以緜上為之田，曰：「以誌吾過，且旌善人。」此外史記晉世家，新序節士篇，各有記載，各書互有不同，可參閱。「有以有之」是因為有所為；「無以有之」是因為無所為。㈣「能其難」是能以貧賤有人；「不能其易」是不能以富貴有人。㈤龍是指晉文公，五蛇是指狐偃、趙衰、賈佗、魏犫、介子推。橋死是槁死之誤。畢校謂傳載介子推之言曰，身將隱，焉用文，安有自為詩而懸於公門之事。說苑復恩篇以為從者憐之，乃懸書公門，說尚可通。歌辭與此及史記世家、新序節士篇所載各不同。㈥簦（ㄉㄥ）是古時有長柄的斗笠，蓋簦就是戴笠。

【今譯】　以富貴得人易，以貧賤得人難。當晉文公出亡的時候，周流天下，可謂貧而且賤了，而介子推從之不去，是因為有所為；返國為君，富有萬乘，而介子推離而去之，是因為無所為。晉文公則能以貧賤得人，而不能以富貴得人，所以力能稱霸諸侯而德不能王天下。晉文公返國時，介子推不肯受賞，而自賦詩說：「有龍於飛，周徧天下，五蛇從之，為之丞輔。龍返其鄉，得其處所，四蛇從之，得其露雨。一蛇恥之，槁死於中野。」寫好後，掛在公門上，而歸隱於山下。文公聽到此事，說：「譆！這必定是介子推！」於是避居下舍而改穿便服，命令國人說：「如有人能找到介子推，封為上卿，賞田四百萬畝。」有人在山中遇著介子推，負釜戴笠，問他說：「請問介子推在那裏？」回答說：「介子推隱居不肯見人，我怎麼會知道呢？」遂背向而去，終身不見。人心的不同不是很大嗎？現在世上追求名利的人，早朝晚退，脣焦口乾，日夜希望求得名利，尚且未有所得；而介子推既可得之，而偏要快快的逃避，他真是與世俗相離太遠了。

東方有士焉，曰爰旌目㊀，將有適也，而餓於道。狐父之盜曰丘㊁，見而下，壺餐以餔之。爰旌目三餔之，而後能視，曰：「子何為者也？」曰：「我狐父之人丘也。」爰旌目曰：「譆，汝非盜邪？胡為而食我？吾義不食子之食也。」兩手據地而吐之，不出，喀喀然㊂，遂伏地而死。

【今註】㊀爰旌目是人名，後漢書張衡傳作旌瞀，新序節士篇作族目，列子作精目。㊁狐父是地名，壺餐即壺漿，是裝在壺內的稀飯之類，餔（ㄅㄨ）是小口的餵食。㊂喀喀（ㄎㄚ）然是吐嘔不出的聲音。

【今譯】東方有士人名叫爰旌目，將有所往而餓倒於途中。狐父的強盜名丘看見他而停車下來，用壺餐餵給他一小口，爰旌目吃了三次而後能張目，說：「你是做什麼的？」回答說：「我是狐父的人名丘。」爰旌目說：「譆！你不是強盜嗎？為什麼要給我吃？我重義理是不能吃你的東西呀！」兩手據地要吐出已吃下的東西，吐不出，吐得喀喀的響，就仆倒地上死了。

鄭人之下虓也㊀，莊蹻之暴郢也㊁，秦人之圍長平也㊂，韓荊趙此三國者之將帥貴人，皆多驕矣，其士卒眾庶皆多壯矣，因相暴以相殺，脆弱者拜請以避死，其卒遞而相食，不辨其義，冀幸以得活㊃。如爰旌目已食而不死矣，惡其義而不肎不死，令此相為謀，豈不遠哉？

【今註】㊀高注「轆、邑名也，義則未聞。」畢校認為或是韓哀侯滅鄭一事。按韓滅鄭是在周烈王元年（西元前三七五），此言鄭人下轆，其意是鄭亡後，其遺民反抗韓國而佔了轆邑，韓滅鄭後，其將帥貴人多驕橫，及鄭人起而反抗占領轆邑時，大殺韓人，韓人多冀幸以得活。㊁莊蹻當是楚懷王時的大盜，暴郢是莊蹻為盜擾亂楚都的意思。畢校證說甚詳而未明。㊂秦圍趙括軍於長平，白起坑趙降卒四十五萬，是在周赧王五十五年（西元前二六〇）。㊃此節慨嘆韓楚趙三國末世的驕奢淫佚，貪生怕死的卑鄙情形，以加重爰旌目的節操。

【今譯】鄭人的佔據轆邑，莊蹻的行暴郢都，泰國的圍困長平，其時韓楚趙三國的將帥貴人都驕橫了，士卒民眾都強壯了，但一旦遇著敵人大盜的相暴相殺，意志脆弱的人請求免死，甚至向敵人獻食，不辨是非，祇希望能活命。而如爰旌目已得食可以不死了，卻惡其不義而不肯不死，以與三國的將帥貴人相比較，豈不是相去很遠嗎？

四曰誠廉

【今註】本篇述伯夷叔齊義不食周粟，餓死於首陽山下，與上士節、介立兩篇大旨相同，都是說明守義不變，必不得已，視死如歸。論語謂「齊景公有馬千駟，死之日，民無德而稱焉；伯夷叔齊餓於首陽之下，民到於今稱之。」孟子謂「伯夷目不視惡色，耳不聽惡聲，非其君不事，非其民不使，治則進，亂則退，橫政之所出，橫民之所止，不忍居也。思與鄉人處，如以朝衣朝冠坐於塗炭也。當紂之時，居北海之濱，以待天下之清也。故聞伯夷之風者，頑夫廉，儒夫有立志。」此之謂也。

石可破也，而不可奪堅㊀，丹可磨也，而不可奪赤，堅與赤、性之有也。性也者、所受於天也，非擇取而為之也，豪士之自好者，其不可漫以污也，亦猶此也。

【今註】㊀奪是奪取。丹是朱砂。

【今譯】石頭可以敲破，而不可奪取其堅性；丹砂可以磨碎，而不可奪取其赤色，這可見堅和赤是本性所有的。所謂本性是受之於天，並不是由自己選擇而來。豪傑之士能知自愛者，亦不可輕易予以污辱，猶如不能奪取石的堅和丹的赤。

昔周之將興也，有士二人處於孤竹，曰伯夷叔齊㈠。二人相謂曰：「吾聞西方有偏伯焉㈡，似將有道者，今吾奚為處乎此哉？」二子西行如周，至於岐陽，則文王已歿矣，武王即位。觀周德，則王使叔旦就膠鬲於次四內，而與之盟曰：「加富三等，就官一列。」為三書同辭，血之以牲，埋一於四內，皆以一歸㈢。又使保召公，就微子開於共頭之下，而與之盟曰：「世為長侯，守殷常祀，相奉桑林，宜私孟諸。」為三書同辭，血之以牲，埋一於共頭之下，皆以一歸㈣。伯夷叔齊聞之，相視而笑曰：「譆，異乎哉！此非吾所謂道也。昔者神農氏之有天下也，時祀盡敬，而不祈福也，其於人也，忠信盡治，而無求焉，樂正與為正，樂治與為治，不以人之壞自成也，不以人之庳自高也㈤。今周見殷之僻亂也，而遽為之正與治，上謀而行貨，阻丘而保威也㈥，割牲而盟以為信，因四內與共頭以明行，揚夢以說眾㈦，殺伐以要利，以此紹殷，是以亂易暴也。吾聞古之士遭乎治世，不避其任，遭乎亂世，不為苟在㈧。今天下闇，周德衰矣，與其並乎周以漫吾身也，不若避之以潔吾行。」二子北行，至首陽之下而餓焉㈨。人之情莫不有重，莫不有輕，有所重則欲全之，有所輕則以養所重，伯夷叔齊此二士者，皆出身棄生以立其意，輕重先定也㈩。

【今註】㈠孤竹是商時諸侯國，在今河北盧龍至熱河朝陽一帶地方。㈡偏伯是偏於一方的霸主，即指西伯。㈢叔旦即周公旦。膠鬲是商末賢人，孟子謂其隱遁，周文王得之於鬻販魚鹽中，本書貴因篇謂殷使膠鬲候周師，武王告以甲子至殷郊，則膠鬲其時尚為紂臣。四內是地名。三書同辭就是現在契約的一式三份。㈣保召公即召公奭。微子開即微子啟，是紂王之同母兄。共頭是山名，在今河南輝縣。桑林是湯求雨處，見順民、慎大篇。孟諸是古時九藪之一，見有始覽。㈤庳即卑。尹校於不以人之庳自高也句下，加「不以遭時自利也」一句，謂據莊子讓王篇補。㈥上謀是重權謀。行貨猶行賄，指與膠鬲微子盟誓所許。阻丘畢校謂「疑是阻兵，杜注左傳、阻、恃也。保亦當訓恃。」許釋引梁玉繩校補謂莊子讓王篇作阻兵。㈦高注「宣揚武王滅殷之夢以喜眾民。」畢校謂「事見周書程寤篇，今已亡，御覽載其略云：文王去商在程，正月既生魄，太姒夢見商之庭產棘，小子發取周庭之梓，樹於闕間，化為松柏棫柞，寤驚以告文王。文王曰、召發於明堂拜吉夢，受商之大命於皇天上帝。」㈧「苟在」，許釋引松皋圓畢校補正「在莊子作存、勝。」又俞樾平議「在字無義，疑仕字之誤。」許謂松說是。㊈首陽山在今山西河曲，或謂今河南淇縣境內亦有首陽山，惟本文說「二子北行」，則當是山西河曲的首陽山。㊉「莫不有重，莫不有輕」是重義輕生，是孟子取義之意。伯夷叔齊讓國而去，輕身重義，故曰輕重先定。

【今譯】從前周朝將興的時候，有賢士二人居於孤竹，名叫伯夷叔齊。二人相對說：「聽說西方有一位霸主，似乎是有道之人，我們為什麼要待在這裏呢？」二人西行，到了周地的岐陽，那時文王已逝世了，武王繼位。他們觀察周侯的德行，就知道武王使叔旦去和膠鬲盟於四內，盟詞說：「加富三等，就官一列。」盟書一式三份，塗以牲血，埋一份於四內，叔旦和膠鬲各帶回一份。又使保召公去和微子啟盟於共頭山下，盟詞說：「世為長侯，守殷常祀，相奉桑林，宜私孟諸。」盟書亦一式三份，塗以牲血，埋一份於共頭山下，召公和微子各執一份。伯夷叔齊聽到這些事，相視而笑說：「譆，怪事呀！這不是我們所講的道呀！從前神農氏有天下時，四時祭祀盡敬而不是求福，對於人民忠信盡治而無所求於民，與樂正的為正，與樂治的為治，不利用他人的壞處得到自己的成功，不利用他人的卑下抬高自己的地位。現在周侯看見殷王的暴亂，就利用這些弱點來為正為治，重視權謀而私行賄賂，恃賴兵力以保持威勢，歃血為盟以取信，因四內與共頭的盟會以明德行，宣揚夢事以取悅民眾，終乃出兵殺伐以取利。用這種做法來紹述殷代，這祇是以亂換暴而已。我們聽說古代賢士遭遇治世不避免其應盡的責任，遭遇亂世不肯苟且偷生。現在天下黑暗而周德又衰，與其留在周地以污吾身，不如逃避他方以潔吾行。」二子遂離周北行，到了首陽山下而餓死了。大凡人情莫不有所重，莫不有所輕，有所重則要求成全，有所輕則以養其所重，伯夷叔齊這兩位賢人都是輕身棄生以立其義，他們對於輕重先已決定了。

五曰不侵

【今註】不侵是說士人重義輕身，有凜然不可侵犯的氣節。本篇首述豫讓要以死報智伯，次述公孫宏為孟嘗君使於秦，昭王欲侮辱他，公孫宏婉辭責備，不辱使命，昭王不能侵侮。此兩人的言行都與孔孟的殺身成仁，捨生取義的意旨相合，不過豫讓一段衹述及豫讓不忘知己之恩，而未見其不可侵犯的意義，文不合題，恐有缺文。

天下輕於身，而士以身為人，以身為人者，如此其重也㈠，而人不知以奚道相得㈡。賢主必自知士，故士盡力竭智，直言交爭，而不辭其患。豫讓公孫宏是矣，當是時也，智伯孟嘗君知之矣。世之人主，得地百里則喜，四境皆賀；得士則不喜，不知相賀。不通乎輕重也。湯武千乘也，而士皆歸之㈢，桀紂天子也，而士皆去之，孔墨布衣之士也，萬乘之主、千乘之君、不

能與之爭士也。自此觀之，尊貴富大，不足以來士矣，必自知之然後可。

【今註】㈠高注「輕於身、重於義也；以身為人者，為人殺身。淮南記曰，左手據天下之圖，右手刎其喉，愚夫不為也，今以義為人殺身，故曰如此其重也。」按戰國末期，儒墨為主要學派，韓非所謂「世之顯學」，儒墨皆重義輕身，故曰天下輕於身。㈡高注「奚何也，不知以何道得人乃令之為已死也。」許釋引王念孫讀書雜志謂「高說非也，而人不知為句，奚道相得為句，道者由也，言士之輕身重義如此，而人不知，則何由與士相得哉？不相知則不能相得，故下文云、賢主必自知士，……奚道上不當有以字。」按本書中用奚字甚多，奚道與奚故意同，高注可通。如依王說又必須刪去一以字，未免多此一舉。近人謝德三著呂氏春秋虛詞用法詮釋謂奚與何意同，在呂氏春秋中之詞性有三：即指稱詞、形容詞及限制詞。指稱詞尚可分四種用法，如㈠用作準判斷句之謂詞，如淫辭篇「視其奚若」；㈡用作敘述句之止詞，如無義篇「不窮奚待」；㈢用作處所補詞，如當染篇「理奚由至？」㈣用作憑藉補詞，如貴生篇「彼且奚以此為也？」其次形容詞，修飾名詞，如本文的「奚道」及情欲篇「奚故」。至限制詞則表示詢問，如貴公篇「臣奚能言？」足供參考。㈢「湯武千乘也」，是指尚為諸侯時而言。

【今譯】天下的人皆輕於身，而士人卻為人殺身；為人殺身，如此見重於世，而世人卻不知道究竟是用何道得人，使之為己殺身。賢主必定是自己深切的認識賢士，故士能盡力竭智，直言交爭，而不辭避其患難，如同豫讓、公孫宏便是了，當那個時候，智伯、孟嘗君是深切的知道了。世上的一般人主得地百里便很高興，國人皆道賀，可是得賢士則不知喜，國人亦不知相賀，這是不通達輕重的道理。湯武祇是千乘的諸侯，而賢士都來歸順；桀紂是天子，而賢士都要離去；孔子墨翟是布衣之士，而萬乘的國王，千乘的國君，不能與他們爭取賢士。由這些事例看來，尊貴富大不足以招徠賢士，必須自己深切的認識賢士然後纔可以。

豫讓之友謂豫讓㈠曰：「子之行，何其惑也？子嘗事范氏中行氏㈡，諸侯盡滅之，而子不為報；至於智氏，而子必為之報，何故？」豫讓曰：「我將告子其故。范氏中行氏，我寒而不我衣，我饑而不我食，而時使我與千人共其養，是眾人畜我也，夫眾人畜我者，我亦眾人事之。至於智氏則不然，出則乘我以車，入則足我以養，眾人廣朝，而必加禮於吾所，是國士畜我也，夫國士畜我者，我亦國士事之。」豫讓國士也，而猶以人之於己也為念，又況於中人乎？

【今註】㈠豫讓是春秋末期晉大夫智伯瑤的門下客，智伯貪暴無厭，攻伐趙襄子，兵敗，為趙襄子所殺。豫讓漆身吞炭，改變形貌聲音，為智伯報仇，刺趙襄子不成而自殺，其事蹟散見論威、序意、恃君各篇。㈡范氏、中行氏、智氏及韓、趙、魏是晉國的六卿，晉昭公時，六卿強，公室卑。晉定公時，趙簡子鞅主政，定公十五年（周敬王二十三年，西元前四九七）晉亂，荀寅（中行氏）范吉射（范氏）入於朝歌以叛，趙簡子伐之，范中行氏敗奔齊。晉哀公三年（西元前四五四），趙襄子與智伯分范中行地。次年，趙韓魏滅智伯，三分其地，是謂三晉。

【今譯】 豫讓的朋友對豫讓說：「你的行為真叫人懷疑，你曾經從事過范氏中行氏，諸侯盡滅了范氏中行氏，而你不為他們報仇，對於智氏，你一定要為他報仇，這是什麼緣故？」豫讓說：「我將把這個緣故告訴你。范氏中行氏待我，我冷時不給我衣服，我飢時不給我食物，而且時常叫我和一般人共同給養，這是養我同眾人一樣，既然養我如同眾人，我也同眾人一樣的服事他們。至於智氏不是這樣，我出去則供給我車子，在家則盡量給養我，眾人集會時一定特別禮遇我，這是把我看做一國的賢士，既然養我如同國士，我當然也以國士報答他。」豫讓是一國的賢士，尚且不忘懷他人待己的盛意，又何況中等的人呢？

趙襄子游於囿中㈠，至於梁，馬卻不肎進。青荓為參乘，襄子曰：「進視梁下，類有人。」青荓進視梁下，豫讓卻寢，佯為死人，叱青荓曰：「去，長者吾且有事㈡。」青荓曰：「少而與子友，子且為大事，而我言之，是失相與友之道。子將賊吾君，而我不言之，是失為人臣之道。如我者惟死為可。」乃退而自殺。青荓非樂死也，重失人臣之節，惡廢交友之道也，青荓豫讓可謂之友也。

【今註】㊀此段原錯入下序意篇，茲移附於豫讓故事下，以補充不侵的意義。尹校以有始覽缺一篇，而序意篇名下舊一作廉孝，認為序意與廉孝二篇混而為一，各有脫佚，因於有始覽增廉孝篇，而移用此段。惟亦與廉孝不合，不如移附於此。㊁卻寢是仰臥。「長者吾」是豫讓自稱。

【今譯】趙襄子游於苑囿之中，到了橋邊，馬退立不肯前進。青荓（ㄆㄧㄥˋ）是襄子的參乘，襄子說：「進去看一下，橋下好像有人。」青荓走進橋下去，看見豫讓仰臥著，假裝死人，叱責青荓說：「去罷，我老人家將有事要做。」青荓說：「年輕時和你做朋友，你將要成大事，我如果說破了，這是有失朋友的道義。你要殺害我的主人，我如果不說，這是有失人臣的志節。我現在的處境也祇有一死可以解決。」於是退而自殺。青荓並不是要死，祇是重視人臣的志節，又不肯廢棄朋友的道義，青荓豫讓可以說是道義之交了。

孟嘗君為從㊀。公孫宏謂孟嘗君曰：「君不若使人西觀秦王，意者秦王帝王之主也，君恐不得為臣，何暇從以難之㈡；意者秦王不肖主也，君從以難之未晚也。」孟嘗君曰：「善，願因請公往矣。」公孫宏敬諾，以車十乘之秦。秦昭王聞之，而欲醜之以辭，以觀公孫宏㈢。公孫宏見昭王，昭王曰：「薛之地小大幾何？」公孫宏對曰：「百里。」昭王笑曰：「寡人之國地數千里，猶未敢以有難也，今孟嘗君之地方百里，而因欲以難寡人，猶可乎？」公孫宏對曰：「孟嘗君好士，大王不好士。」昭王曰：「孟嘗君之好士何如？」公孫宏對曰：「義不臣乎天子，不友乎諸侯，得意則不慚為人君，不得意，則不肯為人臣，如此者三人。能治可為管商之師，說義聽行，其能致主霸王，如此者五人。萬乘之嚴主，辱其使者，退而自刎也，必以其血污其衣，有如臣者七人。」昭王笑而謝焉，曰：「客胡為若此，寡人善孟嘗君，欲客之必謹諭寡人之意也。」公孫宏曰：「敬諾」。公孫宏可謂不侵矣。昭王，大國也，孟嘗君千乘也，立千乘之義而不可淩，可謂士矣㈣。

【今註】 ㈠孟嘗君是戰國時齊人，名田文，是知士篇靜郭君之子。周顯王四十八年（西元前一二三一），號孟嘗君，門下食客三千人。從（ㄗㄨㄥ）是合從（縱），是戰國時蘇秦主張的外交政策，聯合關東的燕、趙、韓、魏、齊、楚六國，一致對抗秦國。孟嘗君為從，當在周慎靚王三年（西元前三一八），魏、趙、楚、韓、燕五從約伐秦，攻函谷關，大敗，而齊未參加，次年齊殺蘇秦。㈡何暇是古時通語，莊子人間世「何暇至於暴人之所行。」此處何暇從以難之，猶言服事他都恐怕來不及，那有時間去合從以為難秦國呢？㈢醜是恥辱。㈣論語子路篇：子貢問曰：「何如斯可謂之士矣。」子曰：「行已有恥，使於四方，不辱君命，可謂士矣。」

【今譯】 孟嘗君要從事合縱，公孫宏告訴孟嘗君說：「君不如遣人西往秦國，觀察秦王的為人，假使秦王是帝王之主，君恐怕要求為臣都得不到，那有時間聯合諸侯去為難他。假使秦王是不肖主，君從事合縱去為難他，也不為晚。」孟嘗君說：「很好，那麼就請先生去一趟吧。」公孫宏受命，以車十乘往秦國去。秦昭王聽到公孫宏來，要用話恥辱他，觀察他的才能。公孫宏見昭王，昭王問說：「薛地有多少大？」公孫宏對答說：「一百里。」昭王笑著說：「我秦國地方數千里，尚且未敢為難他國；現在孟嘗君的地方不過百里，而要為難我，這可能嗎？」公孫宏對答說：「孟嘗君好士，大王不好士。」昭王說：「孟嘗君的好士怎麼樣？」公孫宏對答說：「孟嘗君門下的賢士，義不臣於天子，不友於諸侯，得意時則可以為人君，不得意，則可以為人臣，這樣的有三人。能治理國事，可以做管仲商鞅的老師，如果言聽計行，可以使其主為霸為王，這樣的有五人。萬乘的嚴主如果恥辱他的使臣，那就退而自殺，必定用其血污染嚴主的衣服，這將如同我一樣的有七人。」昭王聽了，含笑道歉說：「先生為什麼要這樣呢？我對孟嘗君很友善，希望先生一定要把我的用意明白告訴他。」公孫宏敬表同意。如同公孫宏可以說是不受侵侮了。昭王是大王，孟嘗君不過千乘的小臣，標榜千乘小臣的義氣，凜然不可侵犯，公孫宏可以說是賢士了。

序意

【今註】　序意是十二紀的總序，所以說：「凡十二紀者，所以紀治亂存亡也，所以知壽夭吉凶也；上揆之天，下驗之地，中審之人，若此則是非、可不可，無所遁矣。」可知十二紀是要綜貫天地人以建立政治的最高原則，實與天人合一思想相貫通。故於春言貴生重己，以養其生；於夏言勸學尊師以助其長，言音樂和諧以樂其生；於秋言兵，言刑，以止暴安良，以助其成；於冬言喪葬，言士節，以慎其終，處處顯示人事與天地自然相順應。本篇原文附述豫讓青荓事，與序意不合，許釋引梁玉繩、洪亮吉、孫鏘鳴等說，均認為是上不侵篇錯簡在此，故改移上篇。（清末曹楞跋王念孫呂氏春秋手校本謂此乃賓客自宣其蘊結，自託於青荓豫讓之為人，蓋言不韋雖不賢，而既為其客，未可悖之也。）

維秦八年，歲在涒灘㊀，秋甲子朔。朔之日，良人請問十二

紀㈡。文信侯㈢曰：嘗得學黃帝之所以誨顓頊矣，爰有大圜在上，大矩在下，汝能法之，為民父母㈣。蓋聞古之清世，是法天地。凡十二紀者，所以紀治亂存亡也，所以知壽夭吉凶也，上揆之天，下驗之地，中審之人，若此則是非、可不可，無所遁矣。天曰順，順維生；地曰固，固維寧；人曰信，信維聽。三者咸當，無為而行。行也者，行其數也，行其數，循其理，平其私㈤。夫私視使目盲，私聽使耳聾，私慮使心狂，三者皆私設，精則智無由公㈥，智不公，則福日衰，災日隆，以日倪而西望知之㈦。

【今註】㈠秦八年舊注謂是秦始皇八年（西元前二三九）。涒灘（ㄊㄨㄣ ㄊㄢ）高注「歲在申名涒灘。」畢校「今謂始皇之年歲在乙卯，錢氏塘以超辰之法推之，知在癸丑，再加七年是庚申。」許釋引張文虎舒藝室隨筆謂「歲陽歲名，雖見爾雅，而古書用歲名者僅見此。若楚辭之攝提貞於孟陬，自謂月建，王叔師誤乙太歲釋之。閻氏百詩以授時術、我友顧君觀光以三統術，推得始皇八年七月甲子朔，然是年實壬戌，當為閹茂非涒灘。……王氏雜志用許周生說，以八年為六年之誤，而六年秋無甲子朔，無以定其果是也。」按錢穆撰「呂不韋著書考」謂不韋著書實在始皇之七年，而稱維秦八歲者乃始於癸丑，不以始皇紀元，乃統莊襄言之。今通行的世界大事年表作秦始皇六年庚申，可知十二紀是成於此年。㈡良人，高注「君子也」，許釋引俞樾平議謂良人是卿大夫。按此或係假託，不必有其人。㈢呂不韋是在始皇即位前三年、即莊襄王時為相，封洛陽，號文信侯，至始皇十年免職。㈣大圜是天，大矩是地。許釋引俞樾平議「大圜四語，皆黃帝之言，爰即曰字也，古通用。」㈤「行其理也」，許釋引陶鴻慶札記「理當作數，數猶術也。下文云、行數，循其理，平其私，即承此言。」又劉咸炘呂氏春秋發微「行數當作行其數，任數篇言脩其數，行其理，脩即循之誤。」尹校均據改。㈥精，許釋引俞樾平議「精之言甚也。呂氏之意，蓋謂目耳心三者皆為私設，至其精則智無由公矣。至忠篇曰：夫惡聞忠言，乃自伐之精者也。注曰：精猶甚也。勿躬篇曰：夫自為人官，自蔽之精者也。注曰：精甚。然則謂甚為精，本書之恆言，畢氏疑精為情，失之矣。」㈦高注「日中而盛，跌而衰，人之盛衰如此。西望、日暮也，故曰倪而西望之也。」畢校謂倪與睨同，跌與昳同。尹校引馬敘倫讀呂氏春秋記，謂此句與有始覽以寒暑晝夜知之，辭例相同，蓋有始覽文。孫詒讓云：日倪猶云日衺側，廣雅釋詁：倪，衺也。莊子天下篇，日方中方睨，與此義同。因此，尹校將此句移列有始覽之「廉孝篇」。按序意篇文固不全，惟此句應為福日衰，災日隆的結語，不宜他移。其意是說人事的盛衰，猶如日月的盈虧，如果行為不能順應自然，依循理則，則智慧不得公正；智慧不公正，則禍多福少，猶如西望而日暮途窮了。

【今譯】　秦八年，歲在申，秋七月初一甲子，那一天，良人請問十二紀的意義。文信侯說：「曾經得知黃帝教誨顓頊的訓話，是說：天在上，地在下，汝能效法天地，可以為民父母。因此，知道上古清平之世，都是效法天地。所謂十二紀，乃是記述治亂興亡的由來，是瞭解壽夭吉凶的法則，上則揆度於天文，下則測驗於地理，中則審察於人事，能夠這樣做，那麼一切是非、可不可，都無所逃遁而瞭如指掌了。天道為順，順應天道則生長；地道為固，意志堅定則安寧；人道為信，信之又信，誰人不親。這三項都適當，便可順應自然，無為而行。所謂行是行其術數；行其術數則循其理則而平其私心。所以私視使目盲而有所不見，私聽使耳聾而有所不聞，私慮使心狂而有所不知，這三者都有私，過甚則智慧無從公正。智慧不公正，則福利日衰，災害日盛，這可由日斜而西望得知盛衰之理了。

八　覽

計八卷、六十三篇

覽是對宇宙人生的觀察，有始覽謂「天地萬物，一人之身也，此之謂大同；眾耳目鼻口也，眾五穀寒暑也，此之謂眾異，則萬物備也。天斟萬物，聖人覽焉，以觀其類。」而地有八方之不同，周覽八方，因此而成八覽。覽有八，每覽各八篇（有始覽缺一篇，尹校補八曰廉孝一篇，而移序意篇的趙襄子一段為內容），大概所述是由天而人，天地之始即人事之始，次及處世態度，前後成一系統，多係修齊治平之道。史記呂不韋傳謂著八覽六論十二紀，以覽居首，故世亦稱呂氏春秋為呂覽。尹仲容氏所著「呂氏春秋校釋」再版時，因更定其篇次，以八覽為首。

卷十三　有始覽

第一，凡七篇

一曰有始

【今註】　本篇是先秦的宇宙觀念，所謂有始是用起句天地有始以名篇。所述祇是當時學者對於天文地理的概念，天有九野，地有九州，土有九山，山有九塞，澤有九藪，風有八等，水有六川，各舉其名，已多無從稽考。至謂「凡四海之內，東西二萬八千里，……南北亦五億有九萬七千里。」或係鄒衍一派所談的大九州。蔡邕謂「言天體者有三家，一曰周髀，二曰宣夜，三曰渾天。」三家之中，以周髀的蓋天說為最古，呂氏春秋的宇宙觀念是蓋天說，本篇所述里數或本於此。

天地有始，天微以成，地塞以形㈠，天地合和，生之大經也㈡，以寒暑日月晝夜知之，以殊形殊能異宜說之。夫物合而成，離而生，知合知成，知離知生，則天地平矣㈢。平也者皆當察其情，處其形㈣。天有九野，地有九州，土有九山，山有九塞，澤有九藪，風有八等，水有六川。

【今註】 ㈠高注「始，初也。天陽也，虛而能施，故微以生萬物。地陰也，實而能受，故塞以成形兆也。」許釋引陳昌齊說「據高注當作天微以生，地塞以成。」尹校據改。按本篇結句亦作「天地之所以形，雷電之所以生，」生、成、形三字意義可通用，不必改。列子天瑞篇長盧子說：「虹霓也，雲霧也，風雨也，四時也，此積氣之成乎天者也。山岳也，河海也，金石也，火木也，此積形之成乎地者也。」此正說明天微以成，地塞以形。孫文學說說明物質進化之時期：「元始之時，太極動而生電子，電子凝而生元素，元素合而成物質，物質聚而成地球。」亦是此意。㈡孟春紀「天地和同，草木繁動。」易繫辭「天地絪縕，萬物化醇。」故曰天地合和，生之大經也。高注「經猶道也。」又易繫辭謂「在天成象，在地成形，變化見矣。」象謂日月星辰，形謂山川草木。日月運行以成晝夜寒暑，故下文說以寒暑日月晝夜知之。山川通氣而雲行雨施，故下文說以殊形殊能異宜說之。㈢合而成是說天地合和以成萬物。萬物皆是相對的，如陰陽、剛柔、動靜、男女、有無、難易等，陰陽因相需而相求，因相求而相合，因相合而創造新生命，這是生的法則。宇宙變化在於生之又生，不斷創生，如太極生兩儀，兩儀生四象，四象生八卦，八卦相重而為六十四卦，故曰離而生。離是分離，有如子女離母體而出生，子女又各生子女，分之不盡，數至無窮。知合知成，知離知生，則陰陽相和，剛柔相濟，理慾相調，人我相睦，生生之道在於陰陽流轉而致中和，故曰則天地平矣。㈣畢校謂一作「平也者皆反其情、變其形也，」尹校據改，未知孰是。

【今譯】 天地元始之時，天道微妙以成長萬物，地道充實以形成萬殊，天地合和是萬物化生的大道。

這可以從寒暑日月晝夜的運轉知道天道，從殊形殊能異宜的變化說明地道。大概萬物都是和合而成，分離而生的，能夠知道合而成，離而生的法則，則天地化育萬物之功成就了。所謂成就都要察其實情，按其形勢，如天有九野，地有九州，土有九山，山有九塞，澤有九藪，風有八等，水有六川。

何謂九野？中央曰鈞天，其星角亢氐㈠，東方曰蒼天，其星房心尾㈡，東北曰變天，其星箕斗牽牛㈢，北方曰玄天，其星婺女虛危營室㈣，西北曰幽天，其星東壁奎婁㈤，西方曰顥天，其星胃昴畢㈥，西南曰朱天，其星觜嶲參東井㈦，南方曰炎天，其星輿鬼柳七星㈧，東南曰陽天，其星張翼軫㈨。

【今註】㈠九野是九州的分野，中國古代天文學家把二十八宿分成九個區域，與地上九州相配合，叫做分野。高注「鈞，平也，為四方主，故曰鈞天。角亢氐東方宿，韓鄭分野。」許釋引洪頤煊說，二十八宿皆隨斗杓所指而言，角亢氐離斗杓最近，故古法以此三星為中央天。㈡東方為木色青，故曰蒼天，房心尾東方宿，房心宋分野，尾箕燕分野。制樂篇「宋景公之時，熒惑在心，……子韋曰：熒惑者天罰也，心者宋之分野也，禍當於君。……」㈢高注「東北水之季，陰氣所盡，陽氣所始，萬物向生，故曰變天。」斗牛北方宿，吳越分野，尾箕東方宿，燕之分野。㈣北方為水，色黑，故曰玄天。四星皆北方宿，婺女亦越分野，虛危齊分野，營室衞分野。㈤西北，高注「金之季，將即太陰，故曰幽天。」東壁北方宿，衞分野；奎、婁西方宿，魯分野。㊅西方為金，色白，顥（ㄏㄠˋ）是白色，故曰顥天。胃、昴（ㄇㄠˇ）畢西方宿，胃魯分野，昴畢趙分野。㊆西南是火之季，南方為朱雀，故曰朱天。觜、參西方宿，晉分野，東井南方宿，秦分野。㈧南方為火，炎熱，故曰炎天。輿鬼、柳、七星皆南方宿，輿鬼亦秦分野，柳、七星周分野。㊈東南是木之季，將即太陽，純乾用事，故曰陽天。張、翼、軫南方宿，張周分野，翼、軫楚分野。

【今譯】何謂九野？中央為鈞天，其星是角、亢、氐。東方為蒼天，其星是房、心、尾。東北為變天，其星是箕、斗、牽牛。北方為玄天，其星是婺女、虛、危、營室。西北為幽天，其星是東壁、奎、婁。西方為顥天，其星是胃、昴、畢。西南為朱天，其星是觜嶲、參、東井。南方為炎天，其星是輿鬼、柳、七星。東南為陽天，其星是張、翼、軫。

何謂九州㊀？河漢之間為豫州㊁，周也㊂。兩河之間為冀州，晉也㊃。河濟之間為兗州，衞也。東方為青州㊄，齊也。泗上為徐州，魯也㊅。東南為揚州㊆，越也。南方為荊州㈧，楚也。西方為雍州㊈，秦也。北方為幽州㊉，燕也。

【今註】㊀九州是古時中國區域的劃分，歷代不同，夏代是兗、冀、青、徐、豫、荊、揚、雍、梁。商代是冀、豫、徐、雍、荊、揚、幽、兗、營。周代是揚、荊、豫、青、兗、雍、幽、幷。本篇則有徐州而無幷州。㈡黃河漢水之間是今河南，稱豫即本此，原為周地，周亡，為秦南陽郡。漢水流域於夏商時代已有高文化。㈢黃河濟水之間，在今河南東北一帶，其時為韓魏地。古濟水在濟源縣，此濟水已早不存在。鄭語「前華、後河、左洛、右濟。」鄭為韓所滅。㈣兩河之間高注「東至清河，西至西河」，即今山西，其時為趙地。㈤青州即今山東。㈥泗是泗水，即今徐州，其時楚已滅魯。㈦揚州在今江南浙江，其時越已滅吳，故曰越也。㈧荊州今湖北。㈨雍州今陝西。㈩幽州今河北北部。

【今譯】何謂九州？黃河漢水之間為豫州，就是周。兩河之間為冀州，就是晉。黃河濟水之間為兗州，就是衞。東方為青州，就是齊。泗上為徐州，就是魯。東南為揚州，就是越。南方為荊州，就是楚。西方為雍州，就是秦。北方為幽州，就是燕。

何謂九山㈠？會稽、太山、王屋、首山、太華、岐山、太行、羊腸、孟門。何謂九塞？大汾、冥阨、荊阮、方城㈡、殽、井陘、令疵、句注、居庸。

【今註】㈠九山是古時九州的名山。會稽山是今浙東四明山。太山是東嶽泰山。王屋山在今山西垣曲。首山即伯夷叔齊所隱的首陽山，在今山西河曲。太華山即今西嶽華山。岐山在今陝西扶風。太行山是緜亙今山西、河北、河南、黃河以北的山脈。羊腸在今山西太原。孟門是在太行山。㈡九塞是古時九州的要塞。大汾淮南子作太汾，在今山西。冥阨、荊阮、方城皆在楚。殽在今河南澠池，晉敗秦師於殽。井陘即今河北井陘。令疵即令支，今河北省遷安縣。句注在雁門。居庸即今居庸關，在河北昌平縣西北八達嶺旁。

【今譯】　何謂九山？就是會稽山、泰山、王屋山、首陽山、華山、岐山、太行山、羊腸及孟門。何謂九塞？就是大汾、冥阨、荊阮、方城、殽、井陘、令疵、句注及居庸。

何謂九藪㈠？吳之具區，楚之雲夢，秦之陽華，晉之大陸，梁之圃田，宋之孟諸，齊之海隅，趙之鉅鹿，燕之大昭㈡。

【今註】　㈠九藪是古時九州的大澤，高注「有水曰澤，無水曰藪。」禮記「揚州曰具區，荊州曰雲夢，豫州曰圃田，青州曰望諸，兗州曰大野，雍州曰弦蒲，幽州曰貕養，冀州曰楊紆，幷州曰餘祁。」又爾雅為十藪，多與本篇不同。㈡具區，高注在吳越之間，當即今之太湖。雲夢在今湖北華容，已見至忠篇，即今洞庭湖。陽華，高注在華陰西，畢校謂淮南作陽紆，按禮記謂冀州曰楊紆，恐有誤。大陸，高注魏獻子所畋，見左氏定元年傳。按禹貢顏師古注「大陸在鉅鹿」，崔述考信錄謂在北泊之北。圃田，高注在今河南中牟，與禮記豫州曰圃田同。孟諸高注在睢陽東南。海隅不可考。鉅鹿高注為廣阿澤。大昭，爾雅作昭余祁，當即禮記幷州曰餘祁。

【今譯】　何謂九藪？就是吳國的具區，楚國的雲夢，秦國的陽華，晉國的大陸，梁國的圃田，宋國的孟諸，齊國的海隅及燕國的大昭。

何謂八風？東北曰炎風，東方曰滔風，東南曰熏風，南方曰巨風，西南曰淒風，西方曰飂風，西北曰厲風，北方曰寒風㈠。

【今註】㈠此乃中國歷史上首先就八方風向加以命名。高注以八卦解釋八風的所生，謂炎風是艮氣所生，滔風是震氣所生，熏（ㄒㄩㄣ）風是巽氣所生，巨風是離氣所生，淒風是坤氣所生，飂（ㄌㄧㄠˊ）風是兌氣所生，厲風是乾氣所生，寒風是坎氣所生。淮南地形訓與此同，惟改滔風為條風，熏風為景風，淒風為涼風，厲風為麗風。（又易緯則以八節之風為八風，冬至廣莫風至，立春條風至，春分明庶風至，立夏清明風至，夏至景風至，立秋涼風至，秋分閶闔風至，立冬不周風至。）

【今譯】何謂八風？就是東北為炎風，東方為滔風，東南為熏風，南方為巨風，西南為淒風，西方為飂風，西北為厲風，北方為寒風。

何謂六川？河水、赤水、遼水、黑水、江水、淮水。凡四海之內，東西二萬八千里，南北二萬六千里，水道八千里，受水者亦八千里，通谷六，名川六百，陸注三千，小水萬數㈠。

【今註】㈠六川是戰國時六條自西向東流的大河流。河水當即今黃河。江水當即今長江。淮水當即今淮河。遼水或即今遼河。赤水、高注出崑崙山東南陬，黑水出崑崙山西北陬，今不可考。近人羅夢冊在所撰「中國歷史社會之行程與中國辯證哲學」中謂中岳嵩山即昆侖，亦即空桑。則赤水或即湍水，說文謂湍水出南陽魯陽堯山，東北入汝，今沙河（泜水），與高注出崑崙山東南陬相合。則黑水或為伊、洛、潁、汝各水中之一。

【今譯】 何謂六川？就是河水、赤水、遼水、黑水、江水及淮水。大概四海之內，東西二萬八千里，南北二萬六千里，水道的全長計八千里，受水的地方亦八千里，通水的大谷六，有名的河川六百，陸上的湖泊三千，小水當可以萬數計。

凡四極之內㈠，東西五億有九萬七千里，南北亦五億有九萬七千里，極星與天俱游，而天極不移㈡。冬至日行遠道，周行四極，命曰玄明。夏至日行近道，乃參於上，當樞之下，無晝夜㈢。白民之南，建木之下，日中無影，呼而無響，蓋天地之中也㈣。天地萬物、一人之身也，此之謂大同，眾耳目鼻口也，眾五穀寒暑也，此之謂眾異，則萬物備也。天斟萬物，聖人覽焉，以觀其類㈤。解在乎天地之所以形，雷電之所以生，陰陽材物之精，人民禽獸之所安平㈥。

【今註】㈠四極是天地間東西南北四方極遠的界限。㈡極星即通常所謂北斗七星，史記天官書「中宮天極星其一明者，太一常居也」，太一就是極星之名。中國古代已認宇宙為一有機體，此一有機體以太一為中心，論語謂「譬如北辰，居其所，而眾星共之。」故曰天極不移，所以中國古代天文以極座標為不動的基礎。不過宋沈括曾說：「漢以前皆以北辰居天中，故謂之極星，自祖暅之以璣衡考驗天極不動處，乃在極星之末，猶一度有餘。熙寧中，予以璣衡求極星，凡歷三月，然後知天極不動處遠極星猶三度有餘。」現代天文學認為現在極星的位置是在小熊星座附近，因受歲差的影響，在一萬一千年以後，則極星將在天琴座，即離織女不遠處。所以天極不移之說，並不正確。㈢中國古天文學已知周天並非三百六十整度的正圓形，因此太陽軌道（黃道）與天球赤道發生差距，以卯酉線春分秋分為交點，以子午線冬至夏至為距離點。此處言冬至日行遠道，遠道是外道（即冬至圈），也就是道是內道（即夏至圈），也就是日行南道；在此期間，極星乃參於上，當樞之下，不論晝夜，皆可望向北行，以至於極北；在此期間，極星甚明，故曰玄明。高注「玄明，大明也。」夏至日行近道，近見。許釋引王引之經傳釋詞謂高注讀參為三，非也；參如立則見其參於前之參，參猶值也，言正值人上也。正值人上，故曰近。王說較明。惟以正值人上者為日，則無晝夜一語不可解，尹校引范耕研補注「南北兩極以半年為晝夜，故曰無晝夜。」又尹校據王念孫說，將「極星與天俱游，而天極不移」句，改為「眾星與天俱游，而極星不移」。尹校可供參考。㈣白民、建木不可考，高注「白民之國在海外極內，建木在廣都南方，復在白民之南，……日正中將下，日直人下，皆無影，大相叫呼，又無音響人聲，故謂蓋天地中也。」高注多不可解，大概白民建木是指在日行極南之處，何以有此現象，無可稽考。（按中央日報七十年六月二十一日載：夏至正午，太陽北移至北緯二十三度半，中午十二時半，在臺灣嘉義一帶接近北迴歸線處，人如直立太陽下，看不見自己的影子，因為太陽在頭頂上。是本文所述，並非虛構。）㊄大同、眾異，尹校謂「合而觀之，天地萬物，猶一人之身，則眾異皆同，故曰大同。分而觀之，則萬物各異，故謂之眾異。」釋意較明。斟，畢校謂「會集也，盛也」，以觀其類，高注「天斟輸萬物，聖人總覽以知人也。」㊅「解在乎」猶墨經的「說在」，莊子人間世「故解之以牛之白顙與豚之亢鼻者」，用法亦同，是八覽中的奇特結構。此是於篇末列舉事證，而事實則見於他篇，惟本篇的「解在乎」是綜論有始覽的重要意義，就是說聖人觀察萬物的變化，以會通其原理，是說明天地的所以成形，雷電的所以發生，陰陽材物的精華，以及人民禽獸的所以安平。李峻之呂氏春秋中古書輯佚謂應同以下七篇，所謂解在乎的故事，均可尋其出處，惟有始篇不詳其所出，疑其頗有竄亂散亡。按李說未妥。

【今譯】　大凡四極之內，東西五億又九萬七千里，南北亦五億又九萬七千里。極星與天同遊，而天極不移。冬至日行遠道，周行四極，而極星大明；夏至日行近道，極星正值人上，在天樞星之下，不分晝夜，皆可望見。至於白民之南，建木之下，則日下不見人影，相呼不聞音響，大概這是天地的正中。總而言之，天地萬物，猶如一人之身，人人相同，這叫做大同；許多的耳目鼻口，許多的五穀寒暑，各不相同，這叫做眾異。有同有異，則萬物具備。天生萬物，聖人觀察其變化，會通其類別，這就說明天地的所以形成，雷電的所以激盪相生，陰陽材物的精華，以及人民禽獸的所以各得安平。

二曰應同

【今註】 應同是類同相召、氣同相合、聲比相應的意思，畢校謂「舊作名類，乃召類之訛，然與卷二十篇目複，舊校云一名應同，今即以應同題篇。」應同與召類兩篇內容相同，大概是出於兩人之手，惟本篇要在提出五行相勝、五德終始的理論，在當時是有政治的深義和作用，此是本文的主旨，所舉事例只是陪襯而已。

凡帝王者之將興也，天必先見祥乎下民㈠。黃帝之時，天先見大螾大螻，黃帝曰：「土氣勝。」土氣勝、故其色尚黃，其事則土㈡。及禹之時，天先見草木，秋冬不殺，禹曰：「木氣勝。」木氣勝、故其色尚青，其事則木。及湯之時，天先見金刃生於水，湯曰：「金氣勝。」金氣勝、故其色尚白，其事則金。及文王之時，天先見火赤烏銜丹書集於周社，文王曰：「火氣勝。」火氣勝、故其色尚赤，其事則火㈢。代火者必將水，天且先見水氣勝。水氣勝、故其色尚黑，其事則水。水氣至而不知，數備，將徙於土㊃，天為者時，而不助農於下㊄。

【今註】㊀此段是鄒衍的「五德終始論」，清馬國翰玉函山房輯佚書輯為鄒衍佚文。大戴禮記及孔子家語均有五帝德篇，含有同類觀念。文選左思魏都賦李善注引謂「鄒子終始五德，從所不勝，木德繼土，金德次之，火德次之，水德次之。」㊁螾（ㄧㄣˊ）是蚯蚓，螻（ㄌㄡˊ）是螻蛄，皆土物，先見、故土氣勝。㊂春秋繁露「尚書傳言周將興之時，有火赤鳥銜穀之種而集王屋之上者，武王喜，諸大夫皆喜，周公曰：茂哉茂哉，天之見此以勸之也。」與本文異。㊃五德轉移就是五行的相勝作用，木勝土，金勝木，火勝金，水勝火，土勝水，自此以下，週而復始。故曰代火者必將水。尹校引譚戒甫校呂遺誼「此呂不韋勸秦早日受命之詞，謂水氣已勝，如不知備數，則將徙於土，天意又將他屬矣。」㊄尹校謂「此二句疑係任地篇文。」按尹說非，此為喻意，言水氣至而不能應，猶之時至而農事不作，天所能為者時，而不能助農耕作。

【今譯】大凡帝王者將要興起的時候，上天必先對下民顯示徵祥。黃帝的時候，上天先出現大蚯蚓大螻蛄，黃帝說：「這表示土氣勝。」土氣勝，所以其色尚黃，其事則土。到了夏禹的時候，上天先表示徵兆於草木，秋冬不衰，禹說：「這表示木氣勝。」木氣勝，所以其色尚青，其事則木。到了商湯的時候，上天先表現金刃生於水，湯說：「這表示金氣勝。」金氣勝，所以其色尚白，其事則金。

到了文王的時候，上天先出現火赤鳥銜著丹書棲止在周社上，文王說：「這表示火氣勝。」火氣勝，所以其色尚赤，其事則火。代火的必將是水，上天將先表現水氣勝；水氣勝，則其色尚黑，其事則水。如果水氣已至而不知適應，則其氣數已具備，即將移徙於土，猶如天能為人安排農時，而不能助成農事。

類固相召㈠，氣同則合，聲比則應，鼓宮而宮動，鼓角而角動㈡。平地注水，水流溼；均薪施火，火就燥。山雲草莽，水雲魚鱗，旱雲煙火，雨雲水波，無不皆類其所生以示人。故以龍致雨，以形逐影㈢，師之所處，必生棘楚㈣。禍福之所自來，眾人以為命，安知其所由。

【今註】㈠類固相召，許釋「類固當作類同，下文亦有類同連文，召類篇云類同相召，尤為明證。」按同誤為固，是物以類聚之意。㈡這是聲學上的共振現象。莊子漁父篇「同類相從，同聲相應，固天之理也。」又徐無鬼篇「於是為之調瑟，廢一於堂，廢一於室，鼓宮宮動，鼓角角動，音律同矣。夫或改調一絃於五音無當也，鼓之二十五絃皆動，未始異於聲，而音之君也。」春秋繁露同類相動篇「故氣同則合，聲比則應，其驗皦然也。試調琴瑟而錯之，鼓其宮則他宮應之，鼓其商則他商應之，五音比而自鳴，非有神，其數也。」淮南覽冥訓「夫物類之相應，玄妙深微，知不能論，辨不能解。

……叩宮宮應，彈角角動，此同聲相和者也。」㊂此為中國歷史上最早說明雲狀與天氣的密切關係。山雲是山區的積雨雲，如草莽狀。水雲是今氣象學上的卷積雲，再三變即成陰雨天氣。旱雲是卷雲，輕纖如煙紋，久而晴則為旱。雨雲是碎層雲，層積似水波，能降水。古代天文學已將雲狀加以分類如此明確，也是世界上最早的雲狀分類法。此後漢書天文志亦論及雲的種類，名稱不同。㊃老子「師之所處，荊棘生焉」，這是說軍隊所到的地方，必然山野荒蕪，叢生荊棘。棘楚即荊棘。

【今譯】　類相同則相召，氣相同則相合，聲相比則相應，擊大宮則小宮動，擊大角則小角動。平地注水，水向濕處流；均薪施火，火向燥的燒。山雲如草莽，水雲如魚鱗，旱雲如煙火，雨雲如水波，沒有不和其所生的相類似，以此預告世人。所以雨從龍，影逐形，軍隊所居之處，叢生荊棘。禍福的來臨必有原因，可是許多人認為這是命運，那裏知道其所由來。

夫覆巢毀卵，則鳳凰不至，刳獸食胎，則麒麟不來，乾澤涸漁，則龜龍不住，物之從同，不可為記。子不遮乎親，臣不遮乎君㊀，君同則來，異則去。故君雖尊，以白為黑，臣不能聽，父雖親，以黑為白，子不能從。黃帝曰：「芒芒昧昧，因天之威，與元同氣㊁。」故曰同氣賢於同義，同義賢於同力，同力賢於同居，同居賢於同名。帝者同氣，王者同義，霸者同力，勤者同居，則薄矣，亡者同名，則觕矣㊂。其智彌觕者，其所同彌觕，其智彌精者，其所同彌精。故凡用意不可不精，夫精，五帝三王之所以成也。成齊類同，皆有合，故堯為善而眾善至，桀為非而眾非來。商箴云：「天降災布祥，竝有其職，」以言禍福、人或召之也㊃。故國亂、非獨亂也，又必召寇，獨亂未必亡也，召寇則無以存矣㊄。

【今註】㊀遮（ㄓㄜ）是掩蔽或阻擋，這一節是說尊親不能改變自然的事實，故君雖尊，以白為黑，臣不能為君掩蔽。同則來，異則去，即合則留，不合則去，只就君臣而言，本節以君臣為主，父子只是陪襯，所以說君同則來，異則去。許釋引陶鴻慶說謂君字不當有，涉上文臣不遮乎君而衍，尹校據以刪去，陶說不妥。㊁芒芒昧昧是廣大暗昧而無所知之意。因是順應。元是元始。黃帝說自己芒芒昧昧，順應上天的威德，與元始同氣。㊂同氣是與天地並育，同義是同以德服人，同力是同以武力稱霸，（畢校謂文子淮南並作同功，按孟子謂以力服人者霸，應作同力。）同居，高注為同居於世。同名，高注為不仁不義，同有惡名。觕（ㄘㄨ）是粗惡，月令作粗。春秋繁露同類相動篇「美事召美類，惡事召惡類，類之相應而起也，如馬鳴而馬應之，牛鳴而牛應之。」就是這個意思。㊃職高注為主。召，高注致也，許釋引左襄二十三年傳云，禍福無門，惟人所召，此之謂也。㊄獨亂是內亂，召寇是外患。

【今譯】 覆巢毀卵，則鳳凰不至，刳獸食胎，則麒麟不來，竭澤而漁，則龜龍不住，萬物都要從其同類，這些事不可盡記。兒子不為其親掩蔽，臣子不為其君掩蔽，君臣意見同則來，不同則去。所以君雖尊，要是不明是非，以白為黑，臣子不能接受；父雖親，要是不明是非，以黑為白，兒子也不能聽從。黃帝說：「茫茫昧昧，順應上天的威德，與元始同氣。」所以說同氣賢於同義，同義賢於同力，同力賢於同居，同居賢於同名。帝者同氣，王者同義，霸者同力，勤勞者同居就淺薄了，亡國者同名就粗惡了。大概智識愈粗惡的，其所同的也愈粗惡；智識愈精微的，其所同的也愈精微，所以用意不可不精微。所謂精微是五帝三王所以成功的要訣，成就相齊，類別相同，都有所合，所以堯為善而眾善至，桀為非而眾非來。商箴說：「上天降災布祥，各有所主。」這是說禍福是人所召致的。所以國亂不只是內亂，又必召致外寇，內亂未必亡國，召致外寇則無從存在了。

凡兵之用也，用於利，用於義。攻亂則脃，脃則攻者利；攻亂則義，義則攻者榮。榮且利，中主猶且為之，況於賢主乎？故割地寶器，卑辭屈服，不足以止攻，惟治為足。治則為利者不攻矣，為名者不伐矣。凡人之攻伐也，非為利，則因為名也，名實不得，國雖彊大者，曷為攻矣？解在乎史墨來而輟不襲衛，趙簡子可謂知動靜矣㊀。

【今註】㊀趙簡子襲衞事，見召類篇，史墨作史默。

【今譯】大凡用兵之道，要用於求利，用於行義。攻伐亂國則脆弱，脆弱則攻者得利；攻伐亂國則行義，行義則攻者為榮。榮而且利，中等的君主尚且能行，何況是賢主呢？所以割地寶器、卑辭屈服，不足以止攻，惟有治才足以使人不敢來攻。國治必堅強，則為利的不攻了，為名的不伐了。大凡用兵攻伐他國，不是為利，便是為名，名利都不能得，雖然國大兵強，為什麼要攻伐呢？這理由的解說在於史墨來而停止襲衞，趙簡子可以說懂得動靜的道理了。

三曰去尤

【今註】去尤之尤（ㄨㄤ）字，從人而象其右脛屈曲、不能正行，說文作尣解，象偏曲之形，不可誤作尤字。本篇所舉事例都有偏曲的意義，去尤是要人聽言處事，除去偏曲的成見，不要因人所喜或因人所惡，以致誤事。有始覽是對宇宙人事的觀察，觀察必須求其正確，所以應同篇是要人辨別善惡是非的類別，而本篇是要人聽言處事，不可有偏曲，有偏曲則偏聽，偏聽則處事必不能公正而合理。

世之聽者多有所尤，多有所尤，則聽必悖矣㊀。所以尤者多故？其要必因人所喜與因人所惡。東面望者不見西牆，南鄉視者不覩北方，意有所在也。人有亡鈇㊁者，意其鄰之子，視其行步，竊鈇也，顏色，竊鈇也，言語，竊鈇也，動作態度，無為而不竊鈇也。抇其谷而得其鈇。他日復見其鄰之子，動作態度，無似竊鈇者，其鄰之子非變也，己則變矣。變也者無他，有所尤也。

【今註】㊀畢校本作尢，甚是，許釋、尹校皆誤作尤。許釋「治要有注：尤、過，疑尤借作囿，謂有所拘蔽也，過字不足以盡其義。」尹校引馬敘倫讀呂氏春秋記「此篇辭旨與去宥篇同，篇末二事，亦見去宥篇。按尤、宥、皆囿之叚，何為一義而二篇，豈亦如韓非之有經說耶？」按尢、宥義近，許釋尹校固勉強可通，恐非原文之意。㊁鈇（ㄈㄨ）是割草用的刀，與斧字通用。

【今譯】世上聽話的人多有所偏曲，有所偏曲則所聽見的必多悖惑而不合情理了。所以有偏曲的原因很多，重要的必定是由於情感上有所喜與有所惡。有如東面望的不見西牆，向南看的不見北方，意有所在就不免偏見了。人有遺失割草用的鈇，而懷疑鄰居之子竊去，默察他的走路是竊鈇的，臉色是竊鈇的，說話是竊鈇的，動作態度沒有一點不是竊鈇的。後來在自己的穀倉中找到鈇。再觀察鄰居之子的動作態度便沒有一些類似竊鈇的。鄰居之子並沒有改變，自己則變了。所以變的原因不是別的，是有所偏曲罷了。

郕㈠之故法，為甲裳以帛，公息忌謂郕君曰：「不若以組。凡甲之所以為固者，以滿竅也，今竅滿矣，而任力者半耳。且組㈡則不然，竅滿則盡任力矣。」郕君以為然，曰：「將何所以得組也？」公息忌對曰：「上用之則民為之矣。」郕君曰：「善」，下令，令官為甲必以組。公息忌知說之行也，因令其家皆為組。人有傷之者曰：「公息忌之所以欲用組者，其家多為組也。」郕君不說，於是復下令，令官為甲無以組。此郕君之有所尤也。為甲以組而便，公息忌雖多為組，何傷也，以組不便，公息忌雖無組，亦何益也。為組與不為組，不足以絫公息忌之說，用組之心，不可不察也。

【今註】㈠郕是春秋時魯國附庸，在今山東鄒縣。故法是過去的法令。甲裳是戰士穿的軍衣，是用布帛綴結而成。㈡組是繫帽或繫玉的絲帶，絲帶較布帛強韌，故能任力。

【今譯】郕國的舊法規定，製作甲裳是用布帛。公息忌告訴郕君說：「不如用絲帶。大凡甲裳所以能堅固，是因為所有孔竅都得綴滿結實。可是用布帛把孔竅結滿了，而著力的祇有一半而已；而絲帶卻不同，孔竅結滿就可以完全著力了。」郲君認為這建議有理由，就說：「可是那裏來許多絲帶呢？」公息忌對答說：「政府要用，就有百姓製作了。」郲君說：「很好」。就下令使主管官用絲帶綴甲。公息忌知道自己的話被採納施行，因而叫自己家人都製作絲帶。有人在郲君面前中傷他說：「公息忌所以要用絲帶，是因為他家中多製作絲帶。」郲君聽了很不高興，於是復下令，使主管官勿用絲帶綴甲，這可知郲君的有所偏曲。用絲帶綴甲如果便利，公息忌雖多製作絲帶，有什麼不好；如果用絲帶不便利，公息忌雖沒有絲帶，也沒有什麼好處。作絲帶和不作絲帶不足以責備公息忌的建議，而對於用絲帶的用意，則不可不仔細審察。

魯有惡者㈠，其父出而見商咄，反而告其鄰曰：「商咄不若吾子矣。」且其子至惡也，商咄至美也，彼以至美不如至惡，尤乎愛也。故知美之惡，知惡之美，然後能知美惡矣㈡。莊子曰：「以瓦投者翔，以鉤投者戰，以黃金投者殆㈢。」其祥一也，而有所殆者，必外有所重者也；外有所重者，蓋內掘㈣，魯人可謂外有重矣。解在乎齊人之欲得金也，及秦墨者之相妒也，皆有所乎尤也㈤。老聃則得之矣㈥，若植木而立乎獨，必不合於俗，則何可擴矣。

【今註】㈠惡者是狀貌醜惡的人。㈡大學「故好而知其惡，惡而知其美者，天下鮮矣。故諺有之曰：人莫知其子之惡，莫知其苗之碩，……」此之謂也。㈢投（ㄓㄨ）即注，是賭博時所下的錢物。畢校莊子達生篇：以瓦注者巧，以鉤注者憚，以黃金注者殙。」是莊子本作注，呂氏引其言改為投。列子黃帝篇注並作摳（ㄎㄡ）、殙（ㄏㄨㄣ）作湣，文義各小異。淮南子說林訓作鉒。翔是意氣飛揚。戰是戰戰兢兢。殆即精神緊張。這三種不同的表現，是由於賭注輕重而影響心理所致。㈣祥是吉凶的徵候，此處謂賭注中不中的徵候。尹校引孫鏘鳴高注補正「祥，善也，謂技之巧也。」亦可通。泄蓋內掘，畢校「淮南作是故所重者在外，則內為之掘。注云、掘律氣不安詳。列子作凡重外者拙內，語更簡而明。」許釋引陳昌齊正誤「泄字疑為也字之訛，此書如貴生篇，惟不以天下害其生者也，可以託天下。其虧彌甚者也，其尊彌薄。皆用此句法，餘篇尚多。」按陳說可取，是原文本為「外有所重者也，蓋內掘」，文義易明，掘、拙，古通。㈤齊人之欲得金及秦墨之相妬兩事，皆見去宥篇。㈥老明即老子，此似指老子所謂玄德，是大眾的目標，「生而不有，為而不恃，長而不宰。」只是為民所為，為民所有，為民所恃，為民所宰，為民所居了，如此則外無所重，自然沒有所尢了。

【今譯】魯國有個狀貌醜惡的人，他的父親外出而遇見商咄，回家時告訴鄰人說：「商咄不及我的兒子了。」其實他的兒子是最醜的，商咄是最美的，他認為最美不及最醜，是偏於父子之愛罷了。所以知道美中之惡，惡中之美，然後才能知道什麼是美惡了。莊子說：「用瓦片作賭注的意氣飛揚，用刀鉤作賭注的戰戰兢兢，用黃金作賭注的精神危殆。」賭注的吉凶之兆是一樣的，可是有時覺得精神緊張，必定是擔心外有所重的事物，擔心外有所重的人，內心便不會安詳，那魯國人可以說是外有所重了。這解說在於齊人一心祇要得金而不知其他，及秦國墨者各為私利而互相嫉忌，都有所偏曲呀！老子最瞭解此理了，猶如植木而立於獨，必不合於流俗，如何可以擴大呢？

四曰聽言

【今註】　本篇是承上去尤篇聽言不可偏曲而來，再說明聽言要能分辨善與不善，而善與不善的分辨在於義，不在於愛。愛即是去尤篇所說因人所喜與因人所惡。所以說：「言先事，不知事，惡能聽言？不知情，惡能當言？」文中所謂世主是泛指戰國時的國君而言，而「當今之世，有能分善不善者，其王不難矣。」則是希望秦王能聽言。

聽言不可不察，不察則善不善不分，善不善不分，亂莫大焉。三代分善不善，故王。今天下彌衰，聖王之道廢絕，世主多盛其歡樂，大其鐘鼓，侈其臺榭苑囿，以奪人財，輕用民死以行其忿，老弱凍餒，夭腊壯狡，汔盡窮屈㊀，加以死虜，攻無辜之國以索地，誅不辜之民以求利㊁，而欲宗廟之安也，社稷之不危也，不亦難乎㊂？今人曰，某氏多貨，其室培溼，守狗死，其勢可穴也，則必非之矣㊃。曰某國饑，其城郭庳，其守具寡，可襲而篡之，則不非之，乃不知類矣。周書曰：「往者不可及，來者不可待，賢明其世，謂之天子。」故當今之世，有能分善不善者，其王不難矣。

【今註】㊀畢校「狡與佼同，說見仲夏紀。」許釋引王念孫雜志「腈讀為瘠」。汔盡，許釋「猶言幾盡，詩大雅民勞篇：汔可小康，鄭箋：汔，幾也。」㊁辠即罪，秦以辠字似皇字，改為罪，辜（ㄍㄨ）亦罪。㊂此節說當時的國君只圖一己的歡樂，不顧人民疾苦，故齊宣王於雪宮問孟子，賢者亦有此樂乎？孟子當告以要與民共憂樂的道理，並勸宣王重視民生。其對梁惠王問賢者是否樂此，亦告以周文王與民偕樂，故能樂其樂；夏桀暴虐無道，民欲與之偕亡，尚何樂之可言。㊃培（ㄆㄟˊ），許釋引俞樾平議「淮南子齊俗訓：鑿培而遁之，高注曰：培，屋後牆也。此培字當從彼訓，其室培者，其室之牆也。濕（ㄕ溼）讀為㬎（ㄌㄧˋ），廣雅釋詁，㬎，下也。其室培濕，謂其室牆卑下也，與下文其城郭庳正同一律。」按俞說是。

【今譯】聽言不可不詳察，不詳察則善和不善不能分辨，善和不善不能分辨，那是最混亂的事了。三代聖王都能分辨善和不善，故王天下。現在天下愈益衰亂，聖王治世之道早已廢絕，各國君主多盛其歡樂，大其鐘鼓，侈其臺榭苑囿，而搜括人民的財產；又輕易利用人民的死力，以恣行個人的貪欲，於是老弱的凍餒，壯佼的夭瘠，所有人民幾盡是窮困屈辱；加以非死即虜，外則攻伐無罪的國家以索取土地，內則誅殺無罪的人民以求取財利。這樣的暴虐無道，而希望宗廟的平安，社稷的不危，不是很難嗎？假使現在有人說：「其家多財貨，其房子的後牆很低，守夜的狗又死了，可以穿窬而入。」那必然說他不對了。如果說：「某國饑荒，其城郭卑下，守備又少，可以襲而取之。」那反而不說他不對，這就是不知辨別了。周書上說：「已經過去的追趕不上，現在到來的不可等待，能使當世的政治清平，這就是天子。」所以當今之世，有能分辨善和不善，就不難為天下之王了。

善不善，本於義，不於愛，愛利之為道大矣㊀。夫流於海者，行之旬月，見似人者而喜矣，及其朞年也，見其所嘗見物於中國者而喜矣，夫去人滋久，而思人滋深歟㊁？亂世之民，其去聖王亦久矣，其願見之，日夜無閒，故賢王秀士之欲憂黔首者，不可不務也。

【今註】㊀許釋「本於義不於愛，疑當作本於利、本於愛，方與下句愛利之為道大矣相承，今本本字誤為不，校者遂改利為義，則文不成義。離俗篇云，以愛利為本；用民篇云，託於愛利；適威篇云，古之君民者，愛利以安之；足徵愛利為本書恆語。」按原文不誤，許釋不妥，尹校不宜據改。善不善的分辨要本於義，不在於愛，是本篇的主旨所在。本於義是表示大公而且客觀，本於愛則是去尤篇所說的因人所喜與因人所惡，也就是所謂感情用事了。如許釋改義為利，以利為善和不善的標準，更不合傳統文化的精神。又墨子經上有謂「義，利也」是就其實質而言，義於人即利於人。本於義與下文愛利連語並不衝突，下文所舉那漂流海中的人，去人愈久而思人愈深，這是由於愛利的作用，也可以說是本於義理的。㈡尹校改中國作國中，夫去人滋久為不亦去人滋久，謂王叔珉呂氏春秋校補據莊子徐无鬼篇改補。

【今譯】善和不善的分辨，本於義不在於愛；可是愛利的作用很大了，那漂流於大海中的人，航行十數日或一個月，看見人就高興了；過了一年，看見從前在國中見過的東西也高興了，這不也是去人愈久而思人愈深嗎？亂世之民離去聖王之治也已久了，要想見聖王之治日夜無間，所以賢主才士以救民濟世為念的人，不可不勉。

功先名，事先功，言先事，不知事，惡能聽言，不知情，惡能當言㈠。其與人穀言也，其有辯乎，其無辯乎㈡？造父始習於大豆，蠭門始習於甘蠅，御大豆，射甘蠅，而不徙，人以為性者也，不徙之，所以致遠追急也，所以除害禁暴也㈢。凡人亦必有所習其心，然後能聽說，不習其心，習之於學問，不學而能聽說者，古今無有也。解在乎白圭之非惠子也㈣，公孫龍之說燕昭王以偃兵及應空洛之遇也㈤，孔穿之議公孫龍，翟翦之難惠子之法，此四士者之議皆多故矣，不可不獨論㈥。

【今註】㈠功先名，事先功是要成功先成名，要成事先成功的意思，是陪襯要知言先知事。故下文說，不知事何能聽言？不知情何能當言？㈡穀言，高注為善言，許釋引陳昌齊陶鴻慶說：「穀言為鷇音之誤，言不能聽言與不能當言，則人言之與鷇音無以異也。莊子齊物論篇云，其以異於鷇音，亦有辯乎？其無辯乎？即呂氏所本。」按鷇音是待哺小鳥的叫聲。㈢造父、大豆是善御者，蠭門、甘蠅是善射者，蠭門或作逢蒙。造父蠭門專心學習大豆甘蠅的御射之法，而不移易，盡得其術，所以造父之御可以致遠追急，而蠭門之射可以除害禁暴。這是說凡事要專心致力，才能成功，所以說：不習其心，習之於學問，不學而能聽說者，古今無有也。㈣白圭之非惠子，見卷十八不屈篇。㈤公孫龍說偃兵見卷十八應言篇，空洛之遇見卷十八淫辭篇（作空雄、地名、當為空雒之誤）。㈥孔穿議公孫龍、翟翦難惠子，皆見淫辭篇。獨論，許釋謂猶熟論，按文意應是說此四事不簡單，不可不單獨論述，所以分別見於下文各篇中。

【今譯】要成功先成名，要成事先成功，要聽言先知事；不知事理何能聽言？不知情節何能當言？這猶如聽小鳥的聲音一樣，是有辨別呢？還是沒有辨別呢？造父開始學御於大豆，蠭門開始學射於甘蠅，御同大豆之術，射同甘蠅之術，而不稍變易，別人看來以為是天性如此。因為不稍變易，所以造父之御能致遠追急，而逢門之射能除害禁暴。大凡人亦必有熟知他人的心意，然後能聽其所說，不能熟知其心意，就要能專心研習學問，不學而能聽言，是古今所沒有的。這解說在於白圭的非難惠子，公孫龍的游說燕昭王偃兵及對答空雒之遇，孔穿的評議公孫龍，翟翦的非難惠子之法，這四人的議論都很多了，不可不單獨論述。

五曰謹聽

【今註】本篇是勸人主聽言要謹慎審察，「斷之於耳」，決不可以冥為明，以亂為定，以毀為成，以危為安。謹聽的目的在求知，孔子勸人知之為知之，不知為不知，可是世之惑者率多不知而自以為知，為害最大。本篇所述「今周室既滅，而天子已絕，亂莫大於無天子，無天子則強者勝弱，眾者暴寡，以兵相殘，不得休息，今之世當之矣。」一節，其意似在勸秦王要謹聽，要用賢，以統一天下，其時呂不韋主政，李斯趙高等或已向始皇進讒，故特以謹聽立論。

昔者禹一沐而三捉髮，一食而三起，以禮有道之士，通乎己之不足也㊀。通乎己之不足，則不與物爭矣，愉易平靜以待之，使夫自得之，因然而然之，使夫自言之。亡國之主反此，乃自賢而少人，少人則說者持容而不極，聽者自多而不得，雖有天下何益焉？是乃冥之昭，亂之定，毀之成，危之寧㈡。故殷周以亡，比干以死，誖而不足以舉㈢。故人主之性㈣，莫過乎所疑，而過於其所不疑，不過乎所不知，而過於其所以知㈤。故雖不疑，雖已知，必察之以法，揆之以量，驗之以數，若此則是非無所失，而舉措無所過矣。

【今註】㈠史記魯世家及韓詩外傳為周公戒伯禽無以魯國驕士，自謂一沐三握髮，一飯三吐哺，猶恐失天下之士；此與淮南氾論以為夏禹事。通乎己之所不足是欲以聞所不聞，知所不知。㈡高注「以冥為明，以亂為定，以毀為成，以危為寧。」㈢誖（ㄅㄟˋ）同悖，悖於聽言，故作誖。高注「殷周以亂而亡，比干以忠而死，不當亂而亂，不可為忠而忠，故悖不可勝舉。」許釋引陶鴻慶札記，以舉為與。㈣性，畢校謂舊作任，較性字為明。人主的任事，對於所疑的、不知道的不敢施行，故無過失；對於所不疑的、或已知道的任意施行，所以多過失。㈤所以知，許釋引王念孫說「以同已」，按下文作已知。

【今譯】從前夏禹一沐而三次握髮，一飯而三次起來，以禮遇賢士，是為了增益自己的不足。增益了自己的不足，則對於事物無所爭論了，心情愉快平靜以等待士的來臨，便能自動應付，順應事理而一一處置，使能儘量說明。亡國的君主反此，自命不凡而輕視他人。輕視他人則要進言的為保持體面而不敢極言；聽言的人自以為懂得多而實無所得，這樣的做法，雖有天下有什麼益處呢？這是以暗為明，以亂為定，以毀為成，以危為安；所以殷周因此而亡，比干因此而死，悖惑之事不可勝舉。所以人主的任事，對於所疑的沒有過失，對於所不疑的多過失；對於不知的沒有過失，而對於自以為已知的多過失。所以為免除過失，雖然不疑、雖然已知，也必須察之以法制，揆之以度量，驗之以術數，能夠這樣的謹慎，就不致是非有所失辨，而舉措有所過誤了。

夫堯惡得賢天下而試舜，舜惡得賢天下而試禹，斷之於耳而已矣。耳之可以斷也，反性命之情也㈠。今夫惑者非知反性命之情，其次非知觀於五帝三王之所以成也，則奚自知其世之不可也，奚自知其身之不逮也。太上知之，其次知其不知㈡，不知則問，不能則學。周箴曰：「夫自念斯，學德未暮。」學賢問知，三代之所以昌也，不知而自以為知，百禍之宗也㈢。

【今註】㈠反是反求諸己的反，性命之情是義理，這是說耳朵聽到他人所言，要判斷是非，反而求合於義理。中庸謂「舜好問而察邇言」，就是斷之於耳。㈡中庸「或生而知之，或學而知之，或困而知之，及其知之，一也。」太上知之是生而知之，其次知其不知是學而知之及困而知之。㊂論語為政篇「知之為知之，不知為不知，是知也。」不知而自以為知，是百禍的本源。

【今譯】　堯何以能得賢人於天下而試用舜，舜何以能得賢人於天下而試用禹，不過用耳朵來判斷罷了。耳朵可以判斷，是反而求合於義理；可是悖惑的人不知反求於義理，其次又不知觀察五帝三王的所以成功之道，那怎麼會知道時世的不利？怎麼會知道自身的不如他人呢？最高明的人是生而知之，其次是知道自己有所不知，不知則問，不能則學。周箴說：「夫自念斯，學德未暮。」學賢而問，三代所以昌盛，不知而自以為知，是凡百禍敗的本源。

名不徒立，功不自成，國不虛存，必有賢者。賢者之道，牟而難知，妙而難見㊀。故見賢者而不聳，則不惕於心，不惕於心，則知之不深㊁，不深知賢者之所言，不祥莫大焉。主賢世治，則賢者在上，主不肖世亂，則賢者在下㊂。今周室既滅，而天子已絕㊃，亂莫大於無天子，無天子則彊者勝弱，眾者暴寡，以兵相殘，不得休息，今之世當之矣。故當今之世，求有道之士，則於四海之內，山谷之中，僻遠幽閒之所，若此則幸於得之矣；得之則何欲而不得，何為而不成？太公釣於滋泉，遭紂之世也，故文王得之而王。文王千乘也，紂天子也，天子失之，而千乘得之，知之與不知也㊄。諸眾齊民，不待知而使，不待禮而令，若夫有道之士，必禮必知，然後其智能可盡。解在乎勝書之說周公，可謂能聽矣，齊桓公之見小臣稷，魏文侯之見田子方也，皆可謂能禮士矣㊅。

【今註】㊀高注「牟猶大也。賢者之道，磦（ㄌㄟˇ，磊）落不凡，惟義所在，非不肖所及，故難知也。其仁民愛物，本於中心，精妙幽微，亦非不肖所及，故難見也。」㊁許釋引王念孫雜志「聳，敬也。惕，猶動也。」㊂畢校「自主賢世治以下，又見後觀世篇。」㊃周赧王五十九年（秦昭襄五十二年，西元前二五六）赧王入秦，盡獻其地，周室亡。後七年，秦又滅東周，以呂不韋為相。後三年，秦始皇即位，（西元前二四六）至二十六年，統一天下，始稱始皇帝。呂氏春秋之作，當在呂不韋為相之後，成書於始皇八年（見序意篇，西元前二三九），故在本書寫作期間，正是「今周室既滅，而天子已絕。」㊄滋泉在渭水上，姜太公釣於此。文王知太公賢，是以得之，紂不知其賢，是以失之。㊅勝書說周公事，見卷十八精諭篇。齊桓公見小臣稷，魏文侯見田子方（應作段干木）兩事，見卷十五下賢篇。

【今譯】大概名望不是徒然建立的，功業不是自會成就的，國家不是憑空存在的，必然有待於賢者。

賢者之道，大而難知，妙而難見，所以遇見賢者而不知敬重，則不動於心，不動於心，則不能深知；不深知賢者的言論，是最不善的事。主賢世治，則賢者居於上位；主不肖而世亂，則賢者處於下位。當今周室既滅，而天子已絕，世局之亂沒有甚於無天子，無天子則征伐自諸侯出，強者勝弱，眾者暴寡，各用兵相殘殺，不得休息，正是當今的時候了。所以當今之世，要求有道之士，必在江海之上，山谷之中，僻遠幽隱的地方，如此或可僥倖求得賢士了；能求得賢士，那就何求而不得，何事而不成？太公釣於滋泉，因為遭遇商紂的亂世而退隱，文王求得太公而王天下。文王是千乘的諸侯，紂是天子，天子失之而諸侯得之，這就是由於知之和不知之的區別。一般百姓是可以隨便差遣，不需要知遇或禮貌，至於有道之士則必須禮貌，必須知遇，然後可盡用其智能。這解說在於勝書的說周公，周公可以說能聽了；齊桓公的見小臣稷，魏文侯的見田子方，都可以說能禮賢下士了。

六曰務本

【今註】　貴公去私是本書的主要思想，本篇以三王之佐與俗主之佐對照立論，很明顯的表現出以公及私與有私無公的結果。孔子謂「君子務本，本立而道生」，本篇是勸戒一般從政的人，要先專心努力，自修其身，誣妄欺詐是君子所不取的。這就是以務本名篇的意義。

嘗試觀於上志，三王之佐，其名無不榮者，其實無不安者，功大故也㈠。詩云：「有晻淒淒，興雲祁祁，雨我公田，遂及我私㈡。」三王之佐皆能以公及其私矣。俗主之佐，其欲名實也，與三王之佐同，而其名無不辱者，其實無不危者，無公故也㈢。皆患其身不貴於國也，而不患其主之不貴於天下也；皆患其家之不富也，而不患其國之不大也，此所以欲榮而愈辱，欲安而益危。安危榮辱之本在於主，主之本在於宗廟，宗廟之本在於民，民之治亂在於有司㈣。易曰：「復自道，何其咎，吉㈤。」以言本無異，則動卒有喜。今處官則荒亂，臨財則貪得，列近則持諫㈥，將眾則罷怯㈦，以此厚望於主，豈不難哉？

【今註】㈠上志是古代記載。名是名譽，實是爵位，名榮實安，由於功大。㈡詩指小雅大田的第三章，晻（ㄢ）是日光陰暗，淒淒是雨雲起時的寒涼意。祁祁是眾多貌。古時井田制度，以中央為公田，四周八區為私田，私田八家以勞力助耕公田，不再納稅。其時人民有禮讓之心，故希望先雨公田而後及私田。此詩四句，先言日光陰暗，次言雨雲興起，再次才言下雨。高注畢校均未妥。㈢公私的關係要可分為五種：即㈠公私兼顧㈡先公後私㈢公而忘私㈣先私後公㈤私而忘公。本篇中的三王之佐是先公後私，俗主之佐是先私後公，甚或私而忘公。㊃有司，高注謂專指周禮中的太宰，許釋引孫鏘鳴說謂有司指百官，高注非是。㊄易小畜卦象傳初九「復自道，何其咎？吉。」象曰：「復自道，其義吉也。」這是說，初九象徵隨機應變，不一味健於進取，能回復自己應守的本分而不踰越正常的軌道，還有什麼咎戾呢？當為吉象。回復自己應守的本分，所以下文說以言本無異，本無異就是知道務本，能務本而後動，終得吉，故曰本無異，則動卒有喜。㊅持諫，許釋引陳昌齊正誤「晏子春秋有持巧諛以正祿語，諫字或當為諛也。」陳說是。㊆罷（ㄆㄧˊ）同疲，疲怯是疲弱怯懦。

【今譯】　嘗試觀覽古代記載，三王之佐的名望無不榮華，爵位無不安穩，是由於他們的功績很大。詩經上說：「日色陰暗而淒涼，雲行舒卷而繁盛，時雨將下，先落在公田，而後及我私田。」這可知三王之佐都能先公而後私了。至於俗主之佐希望得到名望爵位是和三王之佐相同的，可是他們的名望無不恥辱而爵位無不危殆，這是因為有私心而無公德。他們都顧慮自身不能貴於國內，而不顧慮其主不能貴於天下；都顧慮其家不能富有，而不顧慮其國不能廣大。所以他們希望榮華而結果愈恥辱，希望安穩而結果愈危殆。安危榮辱之權在於人主，人主之本在於宗廟，宗廟之本在於人民，人民的治亂在於百官。易經上說：「回復自己應守的本分而不踰越正常的軌道，還有什麼咎戾呢？當為吉象。」這是說其本沒有變異，則動的結果有喜。可是現在處理政事則怠荒淩亂，經管財物則貪得無厭，位列近侍則阿諛自私，率領隊伍則疲弱怯懦，這樣的厚望其主給予榮華安定，豈不是很難嗎？

今有人於此，修身會計則可恥，臨財物資盡則為己，若此而富者，非盜則無所取㈠。故榮富非自至也，緣功伐也，今功伐甚薄，而所望厚，誣也；無功伐而求榮富，詐也。詐誣之道，君子不由。人之議多曰：上用我，則國必無患，用己者未必是也，而莫若其身自賢㈡，而己猶有患，用己於國，惡得無患乎？己所制也，釋其所制，而奪乎其所不制，誖㈢。未得治國，治官可也㈣，若夫內事親，外交友，必可得也。苟事親未孝，交友未篤，是所未得，惡能善之矣。故論人無以其所未得，而用其所已得，可以知其所未得矣㈤。

【今註】㈠這一節是補充說明俗主之佐多是無功受祿，尸位素餐。詩經上說：「不稼不穡，胡取禾三百億兮？不狩不獵，胡瞻爾庭有懸特兮。」故曰非盜則無所取。無功伐而高官厚祿，猶如盜取。

㈡自賢是成己，成己而後能成物，故成已是務本。㈢己身是自己所能控制的，放棄所能控制而要爭取其所不能控制，這是悖謬的。許釋引陶鴻慶札記「己所制也上，當有身者二子，高注云：言身者己所自制也，即其證。奪當為奮字之誤，奮猶矜也，荀子王道篇、奮於言者華，奮於行者伐，楊注云：奮，振矜也是也。上文云、人之議多曰，上用我則國必無患，此即承上言之。」尹校據補「身者」二字。㈣官是國家政事中的一個職位，此言未得主持大政，可治理職責內的事。㈤孟子說：「居下位而不獲於上，民不可得而治也。獲於上有道，不信於友，弗獲乎上矣。信於友有道，事親弗悅，弗信於友矣。事親有道，反身不誠，不悅於親矣。誠身有道，不明乎善，不誠其身矣。」交友篤，事親孝，則事君必忠，是用其所已得，可以知其所未得。

【今譯】　現在有人於此，修養能力都很可恥，經管錢財物資則取為已有，這樣的人而希望富有，不是竊盜則別無所得。所以榮華財富不是憑空會自來的，必由於功伐，現在功伐甚薄而希望甚厚，這是誣妄；沒有功伐而求取榮華財富，這便是欺詐。欺詐誣妄之道不是君子所用的。有人建議說：國君用我則國家必無禍患，真要用己的人卻未必這樣說，而認為不如自修其身。如果己身尚有所患，而用己於國，那得沒有禍患呢？己身是自己所能控制，放棄自己所能控制，而爭奪其所不能控制，這是悖謬的。未得治國，可治一官之事，如此則內事親，外交友必可有得。如果事親未孝，交友未篤，這是有所未得，怎麼能善於治國呢？所以論用人，不要用其所未得，而用其所已得，就可以知道其所未得的了。

古之事君者，必先服能然後任，必反情然後受㈠，主雖過與，臣不徒取。大雅曰：「上帝臨汝，無貳爾心，」以言忠臣之行也㈡。解在鄭君之問被瞻之義也㈢，薄疑應衛嗣君以無重稅，此二士者，皆近知本矣㈣。

【今註】㈠反情是反身內省，是否能勝任愉快。㈡大雅是詩經大雅大明的七章，這是說上帝鑒臨於汝，不可三心二意。㈢鄭君問被瞻事，見卷二十六務大篇。㈣薄疑勸衞嗣君以無重稅，見卷十八審應篇。

【今譯】古人的事君，必先服務其能堪任之事，然後接受任命，必反身自省是否能勝任愉快，然後接受俸祿；人主雖然過份的給與，臣子不肯徒然取來。所以大雅的詩說：「上帝臨汝，無貳爾心。」這是說明忠臣的品行。這解說在於鄭君問被瞻的意義，及薄疑勸衞嗣君以無重稅，這兩人都近於知本了。

七曰諭大

【今註】本篇是曉諭世人謀事，要有廣大、眾多、長久的計劃，不可如同燕雀苟安一時的見識，其結論說：「天下大亂，無有安國，一國盡亂，無有安家，一家皆亂，無有安身，此之謂也。故小之定也必恃大，大之安也必恃小，小大貴賤，交相為恃，然後皆得其樂。」立論透徹，正可作為今日世局的政治指導，小之定也必恃大，大之安也必恃小，試問自由世界的政治家，有幾人瞭解此中真理。

昔舜欲旗古今而不成㈠，既足以成帝矣。禹欲帝而不成，既足以正殊俗矣。湯欲繼禹而不成，既足以服四荒矣。武王欲及湯而不成，既足以王道矣㈡。五伯欲繼三王而不成，既足以為諸侯長矣。孔丘墨翟欲行大道於世而不成，既足以成顯名矣。夫大義之不成，既有成矣已㈢，夏書曰：「天子之德廣運，乃神、乃武、乃文㈣。」故務在事，事在大，地大則有常祥、不庭、歧毋、羣抵、天翟㈤、不周，山大則有虎豹熊螇蛆㈥，水大則有蛟龍黿鼉鱣鮪。商書曰：「五世之廟可以觀怪㈦，萬夫之長可以生謀。」空中之無澤陂也㈧，井中之無大魚也，新林之無長木也，凡謀物之成也，必由廣大、眾多、長久，信也。

【今註】㈠旗，高注「覆也」，意謂覆蓋古今，務大篇作舜欲服海外，意義相近。許釋引孫鏘鳴高注補正「此謂舜禹以下諸人所欲者大，則所成自不少也。」㈡既足以王道矣，許釋引俞樾平議，認為當從務大篇作「既足以王通達矣。」「荀子儒效篇：通達之屬，莫不從服，楊倞注曰：通達之屬，謂舟車所至，人力所通之處也。荀子書屢言通達之屬，蓋古有此語，呂氏亦循用之耳。」尹校據改。按俞說是，禹之正殊俗，湯之服四荒，武王之王通達，三者意義相同，都是中國古代王道思想的表現。惟文中所言禹、湯、武王的所欲，義有未明，舜以天下讓禹，何以說禹欲帝而不成，殊不可解。㈢矣已二字畢校謂當衍其一。按務大篇無矣字。已與矣用法相同，是表示事實已然，如口語之「了」。

㈣許釋謂尚書大禹謨云「都帝德廣運，乃聖乃神、乃武乃文。」與此稍異。㈤高注「常祥、不庭、歧毋、羣抵、天翟，皆獸名也。」許釋引凌曙羣書答問「不周二字高注屬下不屬上文也，本文云，不周山大則有虎豹熊蜈蛆。」又引俞樾平議謂「自常祥以至不周，皆山水名也。」孫詒讓札迻「常祥以下六者皆山名，……山海經大荒西經云，有山名常陽之山，日月所入，又云，有偏句常羊之山，即此常祥也。大荒南經云，大荒之中，有不庭之山。大荒東經云，大荒東南隅有山，名皮母地丘，（皮母淮南子墜形訓作波母之山。）又云、有山名曰孽搖頵羝，即此歧毋羣抵也。不周山亦見大荒西經，是呂書悉本彼經，惟天翟未見，竊疑即大荒西經所云、天穆之野，高二千仞者，穆與繆通，故書或本作天繆，右半從翏，形與翟相似，因而致誤耳。」㈥皆獸名，畢校蜈蛆或是猨狙，馬敘倫讀呂氏春秋記謂畢校是，並謂熊下疑脫羆字。㈦高注「逸書。喻山大水大生大物。廟者鬼神之所在，五世久遠，故於其所觀魅物之怪異也。」又「長、大也，大故可以成奇謀也。」㈧空，許釋「莊子秋水篇云，計四海之在天地之間也，不似礨空之在大澤乎？釋文引崔云、礨空、小穴也。案空孔古通。」

【今譯】　從前舜欲覆蓋古今而不成，終足以成帝業了；禹欲帝天下而不成，終足以正殊俗了；湯欲繼禹事功而不成，終足以服四荒了；武王欲及湯而不成，終足以王天下了；五霸欲繼三王而不成，終足以稱霸諸侯了；孔丘墨翟欲行大道於世而不成，終足以成就顯名了。他們所欲遠大，終於各有所成了。夏書說：「天子的威德廣運，乃神乃武乃文。」所以事要能行，而行必求大。地大乃有常祥、不庭、歧毋、羣抵、天翟、不周；山大乃有虎豹、熊羆、猨狙；水大乃有蛟龍、黿鼉、鱣鮪。商書說：

「五世之廟，可以觀怪；萬夫之長，可以成謀。」穴中沒有澤陂，井中沒有大魚，新林沒有高木。大凡謀事的成功，必由於廣大、眾多、長久，這是實在的。

季子曰㈠：燕雀爭善處於一室之下，子母相哺也，姁姁焉相樂也㈡，自以為安矣。竈突決則火上焚棟，燕雀顏色不變，是何也？乃不知禍之將及己也。為人臣免於燕雀之智者寡矣。夫為人臣者，進其爵祿富貴，父子兄弟相與比周於一國㈢，姁姁焉相樂也，以危其社稷，其為竈突近也，而終不知也，其與燕雀之智不異矣。

【今註】㈠季子，畢校謂務大篇作孔子。此文亦見孔叢子論勢篇，以作孔子為是。㈡姁姁（ㄒㄩˇ）是和樂貌。㈢比周，論語「君子周而不比，小人比而不周。」小人是指在官位而無才德之人，以利相結合，多偏蔽之心，善於曲護其私，故曰父子兄弟相與比周於一國。

【今譯】　季子說：燕雀爭相安處於一室之下，子母互相餵哺，非常的和洽快樂，都自以為平安無事了。有一天，竈突決裂，火炎燒到棟梁，燕雀顏色不變，這是為什麼？因為它們不知道火炎將燒到自己呀！做臣下的人，能夠不同於燕雀的見識很少了，那些為人臣的祇知增加其爵祿富貴，父子兄弟相與結黨營私於一國，但求其家的和平快樂，而不顧國家社稷的危殆。他們的處境亦近於竈突，而始終不覺悟，這些人和燕雀的見識沒有異別了。

故曰：天下大亂，無有安國，一國盡亂，無有安家，一家皆亂，無有安身，此之謂也。故小之定也必恃大，大之安也必恃小，小大貴賤，交相為恃，然後皆得其樂，定賤小在於貴大。解在乎薄疑說衛嗣君以王術，杜赫說周昭文君以安天下，及匡章之難惠子以王齊王也。

【今註】薄疑說衛嗣君見務大篇，杜赫說周昭王見務大篇，匡章難惠子見愛類篇。

【今譯】所以說：天下大亂，沒有平安的國家；一國盡亂，沒有平安的家庭；一家皆亂，沒有地方可以安身，就是這個意思。所以小的安定必有賴於大的扶助，大的安定亦必有賴於小的支持，小大貴賤，交相互助，然後各得安樂；而安定賤小則在於貴大。這解說在於薄疑說衛嗣君以王術，杜赫說周昭文君以王天下，及匡章非難惠子以王齊王。

卷十四　孝行覽

第二，凡八篇

一曰孝行

【今註】中華文化重視孝道，本篇對於倫理道德的說明，頗為明確而深切，是闡明孔子所說「孝悌也者，其為仁之本歟？」的意義。所引曾子之言，與禮記祭義大致相合，完全是儒家理論，而其內容較之論語孝經所述，更為詳明。（曾子之言又見勸學篇）

凡為天下治國家，必務本而後末。所謂本者、非耕耘種殖之謂，務其人也；務其人、非貧而富之，寡而眾之，務其本也。務本莫貴於孝㊀。人主孝、則名章榮，下服聽，天下譽。人臣孝、則事君忠，處官廉，臨難死，士民孝、則耕芸疾，守戰固，不罷北。夫孝、三皇五帝之本務，而萬事之紀也。

【今註】㊀大學「物有本末，事有終始，知所先後，則近道矣」，又「自天子以至於庶人，壹是皆以脩身為本，其本亂而末治者否矣。」本文以孝行為脩身之本。

【今譯】　大凡治天下治國家，必須致力於治本而後於治末。所謂治本，並不是指耕耘種植而言，是致力於治人；致力於治人，不是使貧的為富，使少的為多，而是致力於做人的根本；致力於做人的根本，沒有比孝行更貴重了。人主能孝，則名聲彰榮，臣下服從，天下稱譽；人臣能孝，則事君盡忠，為官清廉，臨難死節；士民能孝則耕耘勤快，守衞堅固，臨陣不退。所以孝行是三皇五帝治平天下國家的基本，也是萬事的綱紀。

夫執一術而百善至，百邪去，天下從者，其惟孝也？故論人必先以所親，而後及所疏，必先以所重，而後及所輕。今有人於此，行於親重，而不簡慢於輕疏，則是篤謹孝道。先王之所以治天下也，故愛其親，不敢惡人，敬其親，不敢慢人，愛敬盡於事親，光耀加於百姓，究於四海，此天子之孝也。

【今譯】　大概執著一術而可使百善至，百邪去，天下服從者，恐怕祇有孝行吧！所以論用人必先用所親，而後及於所疏，必先用所重的親人，而後及於所輕的他人。現在有人於此，能孝敬於所親所重，而亦不簡慢於所輕所疏，那就是篤守孝道，是先王所以治平天下的道理。所以愛其親就不敢厭惡他人，敬其親就不敢簡慢他人，愛敬盡於事親，光耀加於百姓，極於四海，這是天子的孝行。

曾子曰：身者，父母之遺體也，行父母之遺體，敢不敬乎㈠？居處不莊，非孝也；事君不忠，非孝也；莅官不敬，非孝也；朋友不篤，非孝也㈡；戰陳無勇，非孝也。五行不遂，災及乎親，敢不敬乎？商書曰：刑三百，罪莫重於不孝。

【今註】㈠曾子名參，是孔子的弟子，史記謂孔子以曾子能通孝道，故授之業，作孝經。孝經說：「身體髮膚，受之父母，不敢毀傷，孝之始也。」故曰行父母之遺體，敢不敬乎？㈡莅即蒞，高注「莅臨也」。篤即信，禮記祭義作信。

【今譯】曾子說：人的身體是父母所留下的，用父母所留下的身體，誰敢不恭敬畏慎呢？所以平時起居不能莊重，就是不孝；在朝事君不能盡忠，就是不孝；蒞官治民不能盡職，就是不孝；結交朋友不能篤信，就是不孝；臨陣作戰不能勇敢，就是不孝。這五項沒有做到，就會損害了父母，所以誰敢不恭敬畏慎呢？商書上說：刑法三百，不孝是最重大的罪惡。

曾子曰：先王之所以治天下者五：貴德、貴貴、貴老、敬長、慈幼。此五者先王之所以定天下也。所謂貴德，為其近於聖也；所謂貴貴，為其近於君也；所謂貴老，為其近於親也；所謂敬長，為其近於兄也；所謂慈幼，為其近於弟也。

【今註】 貴德禮記作貴有德。慈幼近于弟禮記作近于子。本篇以此為曾子語，禮記孔穎達疏以此為雜錄之辭。

【今譯】 曾子說：先王之所以平治天下的施政有五項，就是：貴德，貴貴，貴老，敬長，慈幼。這五項是先王之所以安定天下的治道。所謂貴德，是因為道德高上的人近于聖人；所謂貴貴，是因為爵位高貴的人近于國君；所謂貴老，是因為年齡老邁的人近于父母；所謂敬長，是因為年紀較長的人近于兄長；所謂慈幼，是因年輕幼小的人近于子弟。

曾子曰：父母生之，子弗敢殺；父母置之，子弗敢廢；父母全之，子弗敢闕㈠。故舟而不游，道而不徑，能全支體，以守宗廟，可謂孝矣。養有五道：修宮室，安牀笫，節飲食，養體之道也。樹五色，施五采，列文章，養目之道也㈡。正六律，龢五聲，襍八音，養耳之道也㈢。熟五穀，烹六畜，龢煎調，養口之道也。龢顏色，說言語，敬進退，養志之道也。此五者代進而厚用之，可謂善養矣。

【今註】㈠禮記作曾子聞諸夫子曰：「父母全而生之，子全而歸之，可謂孝矣。不虧其體，不辱其身，可謂全矣。……是故道而不徑，舟而不游，不敢以先父母之遺體行殆。」大意相同。所謂生之，置之、全之及弗殺、弗廢、弗闕都是指支體而言。㈡列文章，古人謂青與赤為文，赤與白為章，列文章是使五色五采調和，不致有損目力。㈢八音是金、石、絲、竹、匏、土、革、木八種樂器所發的聲音，高注為八卦之音、非是。龢即和。樔是集合各種樂器而調和其聲音。

【今譯】曾子說：父母所生的，子弗敢殺；父母所置的，子弗敢廢；父母所全的，子弗敢缺。是故渡水則乘舟而不游泳，外出則走大道而不走邪徑，能夠完全保養肢體以奉祀宗廟，便可稱為孝行了。奉養父母有五項正當的道理：修整房屋，安置臥床，調節飲食，是養體之道。佈置五色，設施五采，列成文章，是養目之道。辨正六律，調和五聲，集合八音，是養耳之道。熟煮五穀，烹爛六畜，調和五味，是養口之道。溫和顏色，愉悅語言，敬慎進退，是養志之道。這五項更迭運用以娛樂親心，這可以說善於奉養了。

樂正子春㈠下堂而傷足，瘳而數月不出，猶有憂色。門人問之曰：「夫子下堂而傷足，瘳而數月不出，猶有憂色，敢問其故？」樂正子春曰：「善乎而問之㈡！吾聞之曾子，曾子聞之仲尼：父母全而生之，子全而歸之，不虧其身，不損其形，可謂孝矣。君子無行咫步而忘之，餘忘孝道，是以憂。」故曰身者，非其私有也，嚴親之遺躬也。民之本教曰孝，其行孝曰養，養可能也，敬為難㊂；敬可能也，安為難；安可能也，卒為難㊃。父母既沒，敬行其身，無遺父母惡名，可謂能終矣。仁者，仁此者也，禮者，履此者也，義者，宜此者也，信者，信此者也，彊者，彊此者也，樂自順此生也，刑自逆此作也。

【今註】㊀樂正子春是曾子的弟子。㊁善乎而問之、而，汝也。禮記作「善如爾之問也」，韓詩外傳作「善哉爾之問也。」與莊子齊物論「而問之也，不亦善乎？」語意皆同。㊂孝以敬為本，論語：子游問孝，子曰：「今之孝者，是謂能養；至於犬馬皆能有養，不敬，何以別乎？」㊃卒為難是說能終其一生行孝，敬養父母，即論語所謂「三年無改于父之道，可謂孝矣。」

【今譯】樂正子春從堂上下來而跌傷了足，傷好了而數月不出門，還有些煩惱的樣子。門人問他說：「老師下堂而跌傷了足，傷好了而幾個月不出門，還有些煩惱的樣子，敢問是為什麼？」樂正子春說：「你問得很好啊！我曾經聽曾子說過，曾子是從仲尼那裏聽來的：父母生下一個齊全的身體，兒子也得歸還一個齊全的，不虧損自己的身體，不傷害自己的形骸，就可說是孝行了。有道德學問的人連走半步路都不要忘記，可是我竟忘了孝道，因此覺得煩惱。」所以說：一個人的身體不是自己私有的，是他父母留下來的遺體。人民的立身之道是孝行，實行孝道是奉養父母。奉養是可能的，要能敬就不容易；敬是可能的，要很自然的使父母安心就難了；即使能做到使父母安心，可是要終身不變就很難了。父母去世以後，仍然敬慎行事，不要有惡名連累到父母，這才可以說能終身行孝了。所謂仁，就是要如此仁愛，所謂禮，就是要如此實踐，所謂義，就是要如此合宜，所謂信就是要如此誠實，所謂強，就是要如此努力。快樂是順此而產生，犯罪是逆此而發作。

二曰本味

【今註】　至治在于得賢，至味在于得物，這是本味的意旨。萬章問孟子說：「人有言，伊尹以割烹要湯。」本篇就是述說這故事，其用意無非是勸湯先修己而後可伐夏成為天子，所以說：「天子成則至味具。故審近所以知遠也，成己所以成人也，聖王之道要矣，豈越越多業哉？」其實是呂不韋用此曉喻秦王。又上篇言人之本教曰孝，其行孝曰養，本篇言功名之立，其本在得賢，上篇是修齊，本篇是治平，完全是儒家的理論。

求之其本，經旬必得，求之其末，勞而無功㊀。功名之立，由事之本也，得賢之化也，非賢其孰知乎事化，故曰其本在得賢。

【今註】㊀大學「物有本末，事有終始，知所先後，則近道矣。」所以不論做什麼事，都要明白這本末先後的次序。先總統蔣公說：「我們要做好一件事情，就先要注重物的本末，事的始終。如要把這事情做好，一定要考察事物的起點在那一點，末端在那一點；還要知道，那一件事情應該先辦，那一件應該後辦，不要先辦的拿來後辦，應該後辦的反來先辦，這就是科學的方法。」

【今譯】大凡做事如能求得其本，十天半月可以完成，如祇從末節去做，結果是勞而無功。功名的建立是由于得事之本，就是得賢人與之共治，不是賢人還有誰懂得治理？所以說，求治的根本在于得賢。

有侁氏女子采桑，得嬰兒于空桑之中㊀，獻之其君。其君令烰人養之㊁，察其所以然，曰：其母居伊水之上，孕，夢有神告之曰：「臼出水而東走，毋顧。」明日，視臼出水，告其鄰，東走十里，而顧其邑，盡為水。身因化為空桑㊂，故命之曰伊尹，此伊尹生空桑之故也。長而賢，湯聞伊尹，使人請之有侁氏，有侁氏不可，伊尹亦欲歸湯，湯於是請取婦為婚，有侁氏喜，以伊尹媵女㊃。故賢主之求有道之士，無不以也，有道之士求賢主，無不行也。相得然後樂，不謀而親，不約而信，相為殫智竭力，犯危行苦，志懽樂之，此功名所以大成也，固不獨㊄。士有孤而自恃，人主有奮而好獨者，則名號必廢熄，社稷必危殆。故黃帝立四面㊅，堯舜得伯陽續耳，然後成，凡賢人之德，有以知之也㊆。伯牙鼓琴，鍾子期聽之。方鼓琴而志在太山，鍾子期曰：「善哉乎鼓琴，巍巍乎若太山。」少選之間，而志在流水，鍾子期又曰：「善哉乎鼓琴，湯湯乎若流水。」鍾子期死，伯牙破琴絕絃，終身不復鼓琴，以為世無足復為鼓琴者㊇。非獨琴若此也，賢者亦然，雖有賢者，而無禮以接之，賢奚由盡忠？猶御之不善，驥不自千里也。

【今註】㊀有侁（ㄕㄣ）氏即有莘氏。空桑，許釋引梁玉繩呂子校補謂空桑為地名，在開封雍丘縣西。按梁說是，古樂篇「帝顓頊生自若水，實處空桑。」若水即汝水，近人羅夢冊謂嵩山即昆侖，亦即空桑（新亞年刊十八期「中國歷史社會之行程」一文中）又殷本紀「湯始居亳（ㄅㄛˋ），從先王居。」皇甫謐謂「帝嚳作都于亳，偃師是也。」偃師在伊水洛水匯流處。孟子謂伊尹耕於有莘之野。由此，可知空桑、亳及有莘都在伊水流域。㊁烰（ㄈㄨˊ）高注「猶庖也」，烰人即庖人。㊂身因化為空桑，高注「伊尹母化作空桑」，按高注誤。化是化育，有生育之意，禮樂記「和則百物皆化」，化即生。為有於義，介所在，穀梁僖卅年「謂之新宮，則近為禰宮。」國語晉語「稱為前世，義于諸侯」。國策「魏為逢澤之遇，朝為天子。」皆訓於（見正中形音義綜合大辭典）。故此句謂伊尹母生伊尹於空桑，空桑在伊水流域，故命之曰伊尹。㊃媵（ㄧㄥˋ）是陪嫁的人，本作倂，說文「送也」。畢校謂舊本作以伊尹為媵送女。伊尹（西元前一八九一－一八二〇）相湯伐桀，湯尊為阿衡。孟子「伊尹耕於有莘之野，而樂堯舜之道焉。非其義也，非其道也，祿之以天下，弗顧也，繫馬千駟，弗視也。非其義也，非其道也，一介不以與人，一介不以取諸人。湯使人以幣聘之，囂囂然曰：『我何以湯之聘幣為哉！我豈處畎畝之中，由是以樂堯舜之道哉！』」與本文所述不同。㊄固不獨是謂君臣相得，功名所以大成，必不是一個人所能單獨成功。自此以下至驥不自千里，都加強說明湯與伊尹的君臣相得。㊅立四面、許釋引馬敘倫說謂太平御覽引尸子記孔子答子貢問：「黃帝取合於己者四人，使治四方，不謀而親，不約而成，此之謂四面。」伯陽續耳是堯舜時賢人，續耳或作續牙。㊆高注「知其賢乃得而用之。」許釋引陶鴻慶說德猶得。㊇此一故事是加強說明君臣相知的重要，伯牙、鍾子期都是楚國人，鍾子期又見精通篇。

【今譯】　有侁氏的女子採桑，在空桑地方得到一個嬰兒，獻給有侁氏的君主。君主把這嬰兒交給庖人去撫養，並調查他的來歷。據說：他的母親是住在伊水的上游，有孕，夢見天神告訴她說：「看見石臼出水，立刻向東避去，不要回顧。」第二天，果然看見石臼流出水來，就轉告鄰人向東快避，走了十里路，回頭一看，都邑已盡淹於水中。她因此生孩子於空桑，給嬰兒取名叫伊尹，這就是伊尹生於空桑的由來。伊尹長大之後，聰明有才智，商湯聽說伊尹賢能，使人請之有侁氏，有侁氏不肯給。其實伊尹也要從湯，湯於是請娶有侁氏女為婚，有侁氏高興的同意了，使伊尹為媵送女。由此可知賢主的求得有道之士，什麼辦法都得用；而有道之士的擇事賢主，也是什麼辦法都可行。兩者如願相得，然後志同道合，不謀而親，不約而信，相互竭盡智力，冒犯苦難，心裏都覺得歡樂，這就是他們的功名所以大成。君臣必相得而後有成，必不可能單獨成功。有的賢士孤傲而自恃其才，有的人主矜伐而自用其力，那他們的名號必廢滅，國家必危殆。所以黃帝求賢才治理四方，堯舜得伯陽續耳然後成功，一定要知其賢乃得而用之。伯牙鼓琴，鍾子期在旁聽之，當伯牙彈琴而志在太山，鍾子期便說：「彈得妙啊！崇高偉大有如太山。」一下子而志在流水，鍾子期又說：「彈得妙啊！急湍奔騰有如流水。」後來鍾子期死了，伯牙破琴斷絃，終身不復再彈，認為世上再沒有知音了。不獨琴是這樣，賢人亦是如此，雖有賢士而沒有賢主以禮節相接待，賢士何能盡忠，這猶如駕馬的技術不行，騏驥良馬也不會奔馳千里呀！

湯得伊尹，祓之於廟，爝以爟火，釁以犧猳㊀。明日設朝而見之，說湯以至味㊁。湯曰：「可對而為乎？」對曰：「君之國小，不足以具之，為天子然後可具。夫三群之蟲，水居者腥，肉玃者臊，草食者羶㊂，臭惡猶美，皆有所以。凡味之本，水最為始，五味三材，九沸九變，火為之紀，時疾時徐，滅腥、去臊、除羶，必以其勝，無失其理㈣。調和之事，必以甘酸苦辛鹹，先後多少，其齊甚微，皆有自起。鼎中之變，精妙微纖，口弗能言，志不能喻，若射御之微，陰陽之化，四時之數。故久而不弊，熟而不爛，甘而不噥，酸而不酷，鹹而不減，辛而不烈，澹而不薄，肥而不腴㈤。肉之美者，猩猩之脣，貛貛之炙，雋觾之翠，述蕩之掔，旄象之約，流沙之西，丹山之南，有鳳之丸，沃民所食㈥。魚之美者，洞庭之鱄，東海之鮞，醴水之魚，名曰朱鼈，六足有珠百碧，藋水之魚名曰鰩，其狀若鯉而有翼，常從西海夜飛游於東海㈦。菜之美者，崑崙之蘋，壽木之華，指姑之東，中容之國，有赤木玄木之葉焉，餘瞀之南，南極之崖，有菜其名曰嘉樹，其色若碧，陽華之芸，雲夢之芹，具區之菁，浸淵之草，名曰土英㈧。和之美者，陽樸之薑，招搖之桂，越駱之菌，鱣鮪之醢，大夏之鹽，宰揭之露，其色如玉，長澤之卵㈨。飯之美者，玄山之禾，不周之粟，陽山之穄，南海之秬㈩。水之美者，三危之露，崑崙之井，沮江之丘，名曰搖水，曰山之水，高泉之山，其上有涌泉焉㈡，冀州之原。果之美者，沙棠之實，常山之北，投淵之上，有百果焉，羣帝所食，箕山之東，青鳥之所，有甘櫨焉，江浦之橘，雲夢之柚，漢上石耳。所以致之㈢，馬之美者，青龍之匹，遺風之乘㈢。非先為天子不可得而具，天子不可彊為，必先知道。道者止彼在己，己成而天子成，天子成則至味具㈣。故審近所以知遠也，成己所以成人也，聖王之道要矣，豈越越多業哉㈤？

【今註】㈠此段敘述伊尹為湯說美味，是本篇主文，而要在結論數語。祓（ㄈㄨˇ）是古代齋戒沐浴以除災求福。爝（ㄐㄩㄝˊ）是火把、火炬。爟（ㄍㄨㄢˋ）火是祭祀舉火。釁（ㄒㄧㄣˋ）是以牲血塗身。犧猳是牛羊豕三種。㈡孟子「萬章問曰：人有言伊尹以割烹要湯，有諸？孟子曰：否，不然，伊尹耕于有莘之野，而樂堯舜之道焉。……故就湯而說之，伐夏救民。吾未聞枉己而正人者也，況辱己以正天下乎？」所謂以割烹要湯，當即是說湯以至味。㈢三羣是⑴水居的魚鼈，⑵肉玃的鷹隼猛獸，玃（ㄐㄩㄝˋ）即攫，是用爪或翼奪取食物，⑶草食的牛羊麋鹿。㈣五味是鹹苦酸辛甘，三材是水木火。調味待火以成，故火為之節。有時大火，有時文火，用酒醋薑蒜等五味相勝之物合燒，以減除腥臊羶的氣味，先後多少，不可有失調味之理。齊高注為「和分」，當即劑（ㄐㄧˋ）字之意，是言五味所用的分量多少，相去甚微，故下文曰精妙微纖，口弗能言，志不能喻。㊄鼎是古代烹煮食物用的三腳兩耳的器物，調和鼎鼐要使五味皆得其適中，要熟而不爛，甘而不噥（味過厚），酸而不酷，鹹而不減，辛而不烈，淡而不薄，肥而不膩。腴（ㄏㄠ）畢校謂味過厚而難入口。許釋謂集韻作「肥而不膢」，酉陽雜俎作「肥而不腴」。饑（ㄔㄜˋ）玉篇「無味也」，廣韻「味薄」，是與畢校腴義不同，未知孰是。㊅肉之美者，指出獸類的脣、䐁、尾，鳥類的炙（跖）、翠、丸，大概動物身上活動多的部位，味較鮮美。貛貛畢校謂山海經的灌灌，是一種鳥。炙，王念孫謂讀為雞跖的跖。按貛是獸，爾雅釋獸「狼牡貛，牝狼」，說文「野豕也。」炙，說文「炮肉也」，詩小雅「燔之炙之」「或燔或炙」，猶今言烤肉，此處恐是指野豕的烤肉，舊說未妥。巂燕鳥名，畢校鸛乃燕字之訛，翠亦作臎是尾肉。述蕩高注為獸名，許釋謂即大荒南經的䟣踢。䐁（ㄨㄢˋ）高注「踏也」，王念孫疑為蹯，或即熊掌之類。按說文「腕本作䐁」，是䐁為䟣踢四足的腕部，而非蹯。旄像是旄牛之類，約是鼻，此指象鼻。鳳鳥之丸是鳥卵。㊆魚之美者，鱄（ㄅㄨ）即鯆，是鰐魚，一名江豚，天欲風則見。鮞（ㄖㄡˋ）魯語「魚禁鯤鮞」，是魚子。朱鼈即甲魚。鰩（ㄧㄠˊ）山海經「觀水西流注于流沙，其中多文鰩魚，狀如鯉魚，魚身而鳥翼，以夜飛。」本草「鰩出海南，一名飛魚，羣飛水上，當有大風。」㊇菜之美者，蘋是水藻，華是壽木的果實，芸是香草，芹是芹菜，菁是水草，或即太湖的蓴菜，土英是深淵的草，或即苔藻類。㊈和之美者，和是香料，如調味用的薑蒜油鹽醋醬糖之類，古時多用薑柱。菌是香菇，醢是肉醬。⑩飯之美者，禾是稻，粟是小米，穄（ㄐㄧˋ）是稷的別名，有粘性，秬是黑色的黍。㊁水之美者，曰山畢校謂當是白山，涌泉是向外流的泉水。冀州之原許釋引吳汝綸說謂應屬下，按吳說可取。㊂果之美者，甘櫨（ㄌㄩˊ）畢校謂海外北經注引作甘柤，是柤梨之柤，或是梨類。按司馬相如上林賦「盧橘夏熟」盧即櫨，是橘非梨。㊂所以致之是總結以上所述的肉、魚、果、菜種種異味，散處各地，所以要有青龍遺風的良馬才能取得。㊃止彼在己，許釋引俞樾平議謂義不可通，止疑亡字之誤，亡彼在己，言不在彼而在己也。按俞說可取，中庸謂「道，自道也」，明道濟世，應由成己開始，所以說在己。伊尹此說已見先己篇。㊄聖王治平之道，要在先成己而後成人。越是踰越，越越是仲越正道。許釋引王念孫說謂「越越猶揩揩也，莊子天地篇云，揩揩然用力甚多而見功寡。」

【今譯】　商湯既得伊尹，請他到宗廟裏去，用爟火照亮，用牲血塗在他身上，以祓除不祥。第二天，在朝廷上見他，他就向湯陳說美味。湯說：「可以做到嗎？」伊尹對答說：「君王的國小，不能具備，一定要做天子然後可以辦到。大凡三類禽獸，水居的味腥，肉食的味臊，草食的味羶，雖臭惡亦有美味，都有所用。所謂美味的基本，最先是水；五味三材，九沸九變，是要用火來調節，有時用猛火，有時用文火；而減腥、去臊、除羶，必須用其所勝，不可失理，調和五味，必須用甘酸苦辛鹹，用味的先後多少，分量很微妙，都要有一定的原由。鼎中調味的變化，精妙微細，不是言語所能說明，不是意志所能曉喻，猶如射御的精微，陰陽的變化，四時的運行。所以久而不敗，熟而不爛，甘而不濃，酸而不酷，鹹而不減，辛而不烈，淡而不薄，肥而不膩。

至於肉之美者，有猩猩的口脣，灌灌的足跖，雋燕的尾肉，述蕩的蹯掌，旄象的短尾，以及流沙以西，丹穴以南沃民所食的鳳鳥之卵。魚之美者，有洞庭湖的鱄魚，東海的鮞魚，醴水的朱鼈，六足有珠百碧；又有觀水的鰩魚，形狀如鯉而有翼，常從西海連夜飛游于東海。菜之美者，有昆侖上的浮萍，壽木的果實，指姑東方的中容國有赤木玄木的葉子；餘瞀南方近于南極，有菜名叫嘉樹，顏色青碧；又有陽華山的香芸，雲夢澤的水芹，太湖的蓴菜，和深水的土英。和料之美者，有陽樸的薑，招搖山的桂，越駱的菌，鱣鮪的醢醬，大夏澤的鹽，宰陽山的玉露，長澤的大卵。飯之美者，有玄山的稻，不周的粟，陽山的穄，南海的黍。水之美者，有三危山的露水，崑崙山的井泉，沮江旁的搖水，白山的水，高泉山上的涌泉。果之美者，冀州之原有沙棠木的果實；常山以北、投淵之上有百果，是羣帝所食的；箕山以東、青鳥山上有甘櫨；又有長江濱的橘，雲夢澤的柚子，漢水上的石耳。所以羅致上述的珍品美味，必須有青龍遺風的良馬，非先成為天子，不可得而具備。天子亦不可勉強求得，必先知道仁義之道。所謂仁義之道不在他人而在於自己，自己有成而後可成為天子，天子成則至味可得具備。所以審察近的是為要知道遠的，成己是為的要成人，聖王治平之道要在先成己而後成人，豈是踰越正道而多事的嗎？

三曰首時

【今註】首時一作胥時，胥是等待的意思，首時是重視時機，兩者意義相似。中庸說：「故君子居易以俟命，小人行險以徼幸。」本篇所引事例，都是待時而動的故事，得時則成，失時則敗，所以說：「事之難易，不在小大，務在知時。」不過作者原意是說秦國應把握時機，以統一天下，並不是要等待，所以說：「故賢主秀士之欲憂黔首者，亂世當之矣，天不再與，時不久留，能不兩工，事在當之。」

聖人之於事，似緩而急，似遲而速，以待時㈠。王季歷困而死，文王苦之㈡，有不忘羑里之醜，時未可也㈢。武王事之，夙夜不懈，亦不忘王門之辱，立十二年而成甲子之事。時固不易得。太公望東夷之士也，欲定一世而無其主，聞文王賢，故釣於渭以觀之㈣。

【今註】㈠孔子謂「欲速則不達。」孟子謂「雖有鎡基，不如待時。」㈡王季歷是周文王之父，此言文王不忘其父困苦而死的痛苦及自己被拘羑里的恥辱，然而不伐紂，是因為時機未到。㈢文王自羑里被釋得歸，乃築靈臺，作王門，相女童，擊鐘鼓，武王以此為恥而不忘；可是立十二年始能伐紂，亦因為時機不易得。㈣太公望釣于渭水以待文王，其時已是八十歲了。

【今譯】　聖人的處理事情，似緩而急，似遲而速，是因為要等待時機。王季歷困苦而死，文王哀思痛苦，又不忘被拘羑里的恥辱，可是仍臣事紂王，是因為時機未可。武王對于伐紂的事，日夜籌謀，未嘗懈怠，亦不忘王門的恥辱，可是即位十二年而始成甲子伐紂之事，時機實不易得。太公望是東夷的賢士，有志安定時局而無其主，聽說文王賢德，所以特地到西方去，釣于渭水之上，以觀察時機。

伍子胥欲見吳王而不得，客有言之於王子光者，見之而惡其貌，不聽其說而辭之㈠。客請之王子光㈡，王子光曰：「其貌適吾所甚惡也。」客以聞伍子胥，伍子胥曰：「此易故也，願令王子居於堂上，重帷而見其衣若手，請因說之。」王子許，伍子胥說之半，王子光舉帷，搏其手而與之坐，說畢，王子光大說。伍子胥以為有吳國者必王子光也，退而耕于野七年，王子光代吳王僚為王，任子胥。子胥乃修法制，下賢良，選練士，習戰鬭，六年然後大勝楚于柏舉，九戰九勝，追北千里，昭王出奔隨，遂有郢，親射王宮，鞭荊平之墳三百㈢。鄉之耕非忘其父之讎也，待時也。

【今註】㈠伍子胥奔吳事，見上異寶篇。吳王是王僚。㈡王子光是吳王僚的庶父，即吳王闔閭。㈢荊平即楚平王，聽費無忌的讒言，殺伍子胥的父兄，故子胥射其宮，鞭其墳以洩仇恨。

【今譯】伍子胥要見吳王僚而不得，客有為他介紹于王子光，王子光見他而討厭他的相貌，不聽他說話就辭謝了他。客請問王子光為什麼不和他說話，王子光說：「他的相貌正是我所最討厭的。」客以告伍子胥，伍子胥說：「這是容易的事，請王子坐在堂上重帷之內，我只要看見王子的衣服和手，就可以對他說話。」王子同意，伍子胥講了一半，王子光拉開重帷，執了伍子胥的手，和他同坐；講完了，王子光很高興。伍子胥認為將來有吳國的必定是王子光，於是退而耕於野；過了七年，王子光代吳王僚為王，任用子胥治理國事。子胥於是修訂法制，禮待賢良，選練士卒，演習戰鬪，過了六年，然後大勝楚軍于柏舉，接著九戰九勝，追北千里，楚昭王出奔隨，吳軍占領楚都郢城，伍子胥親射王宮，在楚平王的墳上鞭了三百下。前此的耕於野七年，並不是忘記父兄之仇，是等待時機罷了。

墨者有田鳩㈠欲見秦惠王，留秦三年而弗得見。客有言之於楚王者，往見楚王，楚王說之，與將軍之節以如秦。至，因見惠王。告人曰：「之秦之道，乃之楚乎？」固有近之而遠，遠之而近者，時亦然。有湯武之賢而無桀紂之時，不成，有桀紂之時而無湯武之賢，亦不成。聖人之見時，若步之與影不可離，故有道之士未遇時，隱匿分竄，勤以待時；時至，有從布衣而為天子者，有從千乘而得天下者，有從卑賤而佐三王者，有從匹夫而報萬乘者㈡。故聖人之所貴唯時也。水凍方固，后稷不種，後稷之種，必待春。故人雖智而不遇時，無功。方葉之茂美，終日采之而不知，秋霜既下，眾林皆贏。事之難易，不在小大，務在知時。

【今註】㈠田鳩是齊人，學墨子術。秦惠王是秦孝公之子。㈡舜是從布衣而為天子，湯武是從千乘而得天下，伊尹、傅說、太公望是從卑賤而佐三王，豫讓是從匹夫而報萬乘（其時趙襄子兼併土地，已有兵車萬乘）。

【今譯】墨者有田鳩要見秦惠王，留秦三年而弗得見。有人告訴于楚王，田鳩往見楚王，楚王很高興，給他軍符，叫他到秦國去，到了秦國因而見了秦王。告訴人說：「往秦去的道路，是要先往楚的嗎？」一世間的事實在有近的地方要走遠路，遠的地方反可走近路，時機亦是如此。有湯武的賢德而不遇桀紂的時代，不能成王；有桀紂的時代而沒有湯武的賢德，也不能成功。聖人對於時機的觀察，猶如步行日中，形影不分離。所以有道之士未遇時，隱居深藏，勤勞以待時；時機一到，有從布衣而為天子者，有從千乘而得天下者，有從卑賤而佐三王者，有從匹夫而報萬乘者。所以聖人所貴唯待時機。水凍成冰，后稷不能耕種，后稷的耕種，必定等到春天。凡人雖有智慧，如果不遇其時，無有成功。樹葉正茂盛時，整天採摘而葉子不覺減少，秋霜既降，眾林落葉都盡。事情的難易，不在材力的小大，要在把握時機。

鄭子陽之難，猘狗潰之㈠，齊高國之難，失牛潰之，眾因之以殺子陽、高國㈡。當其時，狗牛猶可以為人唱，而況乎以人為唱乎？飢馬盈廄嘆然㈢，未見芻也，飢狗盈窖嘆然，未見骨也，見骨與芻，動不可禁。亂世之民嘆然，未見賢者也，見賢人則往不可止，往者非其形，心之謂乎？齊以東帝困於天下，而魯取徐州㈣，邯鄲以壽陵困於萬民，而衛取繭氏㈤，以魯衛之細，而皆得志於大國，遇其時也。故賢主秀士之欲憂黔首者，亂世當之矣，天不再與，時不久留，能不兩工，事在當之㈥。

【今註】㈠鄭子陽是鄭相，猘（ㄐㄧˋ）狗是瘋狗，亦作瘈狗、狾犬（狂犬）。子陽為人嚴猛，有罪者殺無赦，舍人有折弓者，畏罪恐誅。適其時子陽下令，凡人家有瘋狗者殺之，國人皆逐瘋狗。折弓者利用瘋狗之亂，以殺子陽。此事又見適威篇。㈡高國是齊國的兩位世卿，逐失牛之亂如逐瘋狗之亂，國人亦利用機會以殺高國。此事詳情不見史傳，疑是田常借此去世卿而奪其權。㈢嘆（ㄇㄛˋ）

然是安靜無聲。玉篇「嘆、靜也。」爾雅釋詁「安定也。」㊃齊湣王於周赧王二十七年（西元前二八八）稱東帝，（秦稱西帝）諸侯不服，故困於天下，是以魯國占取徐州。㊄邯鄲是趙國，壽陵是魏邑，趙取壽陵，百姓不附，是以衞人取其繭氏之邑。㊅天不再與、時不久留即應同篇所謂「水氣至而不知，數備、將徙於土。」能不兩工如一手畫圓，一手畫方，是不可能的。

【今譯】鄭子陽的遇害，是由於瘋狗之亂；齊高國的被殺，是由於失牛之亂，這都是眾人利用時機以殺子陽、高國。利用時機得當，狗牛還可以為人倡導，而況乎用人為倡導呢？飢馬滿廄，安靜無聲，因為沒有看見芻草；飢狗滿窖，安靜無聲，因為沒有看見骨頭；看見骨頭和芻草，就要爭食，動亂不可禁止。亂世的人民未見賢者，也安靜無聲，一旦看見賢人，就羣相嚮往不可禁止；所謂嚮往並不是形體，是說民心呀！齊國因為稱東帝，諸侯不服，而魯國乘機佔取齊國的徐州；趙國佔領魏國的壽陵，失了民心，而衞人也乘機佔取趙國的繭氏地方。魯衞是衰弱的小國，所以能奪取大國的土地，這是因為遇到時機。所以賢主才士的憂國愛民者，亂世是適當的時機了，適當的時機應該把握，天不再與，時不久留，能不兩工，一切事情的成功，在於適當的時機。

四曰義賞

【今註】義者宜也，義賞是賞得其宜的意思。人主行賞的標準，法家和儒家不同，本篇所述，先言賞罰得當，則忠信親愛之道彰；賞罰不當，則姦偽賊亂之道興。引用城濮之戰及晉陽解圍的故事，晉文公的給賞，皆得孔子讚許，當然是儒家思想。

春氣至則草木產，秋氣至則草木落，產與落或使之，非自然也。故使之者至，物無不為，使之者不至，物無可為㊀。古之人審其所以使，故物莫不為用，賞罰之柄，此上之所以使也。其所以加者義，則忠信親愛之道彰，久彰而愈長，民之安之若性，此之謂教成，教成則雖有厚賞嚴威弗能禁㊁。故善教者不以賞罰而教成，教成而賞罰弗能禁。用賞罰不當亦然，姦偽賊亂貪戾之道興，久興而不息，民之讎之若性㊂，戎夷胡貉巴越之民，是以雖有厚賞嚴罰弗能禁。郢人之以兩版垣也，吳起變之而見惡㊃，賞罰易而民安樂。氐羌之民其虜也㊄，不憂其係纍而憂其死不焚也，皆成乎邪也。故賞罰之所加，不可不慎，且成而賊民㊅。

【今註】㊀或使之是春氣、秋氣使之，不是草木自己會自生自落，故春氣未至無可與生，秋氣未至無可與落。㊁德教一成，人人自為忠信親愛，有如天性自然，雖有厚賞嚴威，使為不忠不信、不相親愛，亦不可禁止。這是說賞罰得當，則德教成功，德教成則可不用賞罰了。㊂這是說賞罰不當，則人民習於姦偽賊亂貪戾，亦不能禁。讎，高注「用也」，按讎本義為「應答」，史記封禪書「其方盡多不讎。」索隱「相應為讎」此處宜訓為「應」。㊃郢人用兩版築垣，吳起為楚相（周安王十八年吳起去魏入楚，見長見篇），教人用四版築垣，楚俗習久不改，反惡吳起變法，楚悼王卒，楚宗室大臣殺吳起，見貴卒篇。㊄氐羌是西方兩民族，其虜是為寇被人執虜。㊅許釋引陶鴻慶札記：「皆成乎邪也句，為上文郢人兩版、氐羌焚屍二事之總結，而以『賞罰易而民安樂』七字羼入事之間，殊為不倫；『且成而賊民』五字，又與上句意不相屬，蓋傳寫亂其次也。今以文義考之，正文當云：『郢人之以兩版垣也，吳起變之而見惡；氐羌之民、其虜也，不憂其係纍而憂其死不焚也，皆成乎邪也。且成而賊民，賞罰易而民安樂，故賞罰之所加，不可不慎。』如此則上下文一意相承矣。又以注文考之，高於『且成而賊民』注云：『賞罰正而民正，賞罰不正而民邪，故曰且成而賊民。』於『賞罰易而民安樂』注云：『易其邪而施其正，民去邪從正，故安樂也。』皆以邪正對言，明正文且成而賊民，賞罰易而民安樂二句，本相承接，故高注云然。今本注文亦隨正文錯亂，非其舊矣。」按陶說甚是，尹校多取陶說，而此處未據改，未知何意。今譯當依陶說改正，使上下文一意相承，較易明瞭。

【今譯】　春氣至則草木生長，秋氣至則草木衰落，生長和衰落都或有所以使，並非自然如此：故所以使者至，萬物無不應時生落，所以使者不至，萬物無可與生，亦無可與落。賞罰的大權是主上的所以使，其所以使用之得宜，則忠信親愛之道因而彰明，久而久之，彰明愈甚，人人安之有如天性，這就叫做教化成功，教化成則雖有厚賞嚴威弗能禁止。所以善於教民者，不用賞罰而教化以成，教化成則賞罰弗能禁止了。用賞罰不當亦是如此，姦偽賊亂貪戾之道因而興起，久而久之，習以為常，猶如戎夷胡貉巴越的人民，人人相應有如天性，因此，雖有厚賞嚴威弗能禁止。郢人的用兩版築垣，吳起要變用四版而見惡；氐羌的人民為寇被虜，不憂其被繫縲而憂其死後不得火葬，這都是習慣於邪惡了。而且賞罰不當使民成邪而害民，賞罰變易使民去邪從正，則各得安樂，所以賞罰的使用，不可不謹慎。

昔晉文公將與楚人戰於城濮㈠，召咎犯而問曰：「楚眾我寡，奈何而可？」咎犯對曰：「臣聞繁禮之君不足於文，繁戰之君不足於詐，君亦詐之而已㈡。」文公以咎犯言告雍季，雍季曰：「竭澤而漁，豈不獲得，而明年無魚，焚藪而田，豈不獲得，而明年無獸。詐偽之道，雖今偷可，後將無復，非長術也。」文公用咎犯之言㈢，而敗楚人於城濮，反而為賞，雍季在上。左右諫曰：「城濮之功，咎犯之謀也，君用其言而賞後其身，或者不可乎？」文公曰：「雍季之言，百世之利也，咎犯之言，一時之務也，焉有以一時之務，先百世之利者乎？」孔子聞之曰：「臨難用詐，足以卻敵，反而尊賢，足以報德，文公雖不終始，足以霸矣。」賞重則民移之，民移之則成焉，成乎詐，其成毀，其勝敗，天下勝者眾矣，而霸者乃五，文公處其一，知勝之所成也。勝而不知勝之所成，與無勝同，秦勝於戎而敗乎殽，楚勝於諸夏而敗乎柏舉，武王得之矣，故一勝而王天下。眾詐盈國，不可以為安，患非獨外也。

【今註】㊀城濮之戰在周襄王二十年（西元前六三二），左傳魯僖公二十八年敘此戰，無此事。（韓非難一有此事）㊁咎犯即狐偃，字子犯，是晉文公的母舅，古咎與舅通用，故曰咎犯。雍季亦從文公避外十九年。㊂用咎犯之言是用詐術，如私許復曹衞而攜之，執宛春以怒楚，退三舍以成楚曲，及胥臣蒙馬以虎皮先擊敗陳蔡之師等皆是。

【今譯】從前晉文公將與楚人戰於城濮，先請咎犯來問他說：「楚兵多而我兵少，怎樣應付呢？」咎犯對答說：「我聽說，多禮的君主不厭於多文，多戰的君主不厭於詐術，主君亦只有用詐術罷了。」文公把咎犯的話告訴雍季，雍季說：「漁者竭涸水澤，那必有所得，不過明年沒有魚了；獵者焚燒山林，那必有所得，不過明年沒有獸了。詐謀之道，現在雖然佔便宜，可是以後不可再用，這不是長久的辦法。」文公於是用咎犯的計謀，擊敗楚人於城濮。還而行賞，雍季為首，左右的人說：「城濮戰勝之功，是咎犯的計謀，主君用其計謀而賞在後，恐怕不可以吧！」文公說：「雍季的話是百世之利，咎犯的謀是一時之功；那有重一時之功而輕百世之利呢？」孔子聽到這事，說「臨危而用詐術，是足以退敵；得勝而尊賢者，是足以報德。文公雖不能始終一致，也足以稱霸於諸侯。」賞得其當則民心向善，民心向善則教化以成；成於詐術，則所成的將毀滅，所勝的將失敗，天下戰勝的很多，而稱霸的祇有五人，文公是其中之一，因為他知道勝利成功之道。勝利而不知道勝利的所以達成，這就和沒有勝利一樣。所以秦國勝於西戎而敗於殽，楚國爭勝於中原而敗於柏舉，周武王最瞭解這道理了，所以一勝而王天下。詐術遍佈於國內，不可認為平安，禍患並非僅從外來的。

趙襄子出圍㈠，賞有功者五人，高赦為首㈡。張孟談曰：「晉陽之中，赦無大功，賞而為首，何也？」襄子曰：「寡人之國危、社稷殆，身在憂約之中，與寡人交而不失君臣之禮者惟赦，吾是以先之。」仲尼聞之曰：「襄子可謂善賞矣，賞一人而天下之為人臣莫敢失禮㈢。」為六軍則不可易，北取代，東迫齊，令張孟談踰城潛行，與魏桓韓康期而擊智伯，斷其頭以為觴，遂定三家，豈非用賞罰當邪？

【今註】㈠這是周貞定王十一年（西元前四五八）事。晉智伯貪得無厭，求地於趙襄子，襄子不與，智伯與韓魏圍趙襄子於晉陽三個月，張孟談私出與韓魏相謀，韓魏因反智伯，襄子遂殺智伯，故曰出圍。自此韓趙魏成為三晉，春秋時代亦自此轉入戰國時代。㊁高赦，史記趙世家作高共，韓非難一、淮南氾論人間訓及說苑復恩篇皆作高赫。㊂趙襄子事在孔子卒後二十餘年，此處所記孔子的話不可信，或者當時儒者有此言論，因而誤傳。

【今譯】　趙襄子既解晉陽之圍，賞賜有功的五人，高赦為首。張孟談說：「晉陽圍城之中，高赦沒有大功，為什麼賞賜以他為首呢？」襄子說：「當我們國家危、社稷殆的時候，我處身憂患之中，大家和我相處而不失君臣之禮的，只有高赦一人，我所以要以他為先。」仲尼聽到了，說：「襄子可以說賞得其當了，賞了一個人而使天下做臣子的都不敢失禮。」以此治軍則軍威強盛，故能北取代地，東迫齊國，使張孟談踰城潛行與魏桓子韓康子相約而擊敗智伯，斷下智伯的頭作為酒器，遂決定了三家分晉之局，豈不是由於賞罰得當嗎？

五曰長攻

【今註】　長攻猶言攻人的長術，是今人所謂戰略，「好須臾之名，不思後患。」是最失敗的戰略。與首時篇所謂「聖人之於事似緩而急，似遲而速，以待時。」「事之難易，不在小大，務在知時。」與本篇意旨相合。大概戰略是主動的，由於主戰者的選擇、操作，本篇所引事例，越王楚王和趙襄子所運用的戰略都是正確的，而范蠡、伍子胥可以說都是當時的戰略家，而其勝敗則決於主戰者是否選擇採納而已。這些戰略多不免權謀詐術，本篇大概是出於兵家或法家之手。許釋引孫鏘鳴高注補正「此篇歷引越王句踐、楚文王、趙襄子之事，皆不循理而有功者也，以功為貴，故曰長功，今篇題作長攻，非。」許謂孫說是，尹校並據改篇名為長功。按三事所用權謀不同，而皆以兵攻而成，仍以長攻為是。

凡治亂存亡安危彊弱，必有其遇，然後可成，各一則不設㊀。故桀紂雖不肖，其亡、遇湯武也，遇湯武、天也，非桀紂之不肖也。湯武雖賢，其王，遇桀紂也，遇桀紂天也，非湯武之賢也。若桀紂不遇湯武，未必亡也，桀紂不亡，雖不肖，辱未至於此。若使湯武不遇桀紂，未必王也，湯武不王，雖賢，顯未至於此㊁。故人主有大功，不聞不肖，亡國之主不聞賢㊂。譬之若良農，辯土地之宜，謹耕耨之事，未必收也，然而收者，必此人也。始，在於遇時雨；遇時雨，天也㊃，非良農所能為也。

【今註】㊀設，許釋引俞樾平議「廣雅釋詁：設，合也。……各一則不設者言各一則不合也。高注以為不設攻戰，則增攻戰字矣。」按俞說是，遇合篇謂「凡遇合也時，不合，必待合而後行。」又「夫不宜遇而遇者則必廢，宜遇而不遇者，此國之所以亂，世之所以衰也。」正說明此意。㊁此節與首時篇「有湯武之賢而無桀紂之時，不成。」數句意同。㊂有大功不聞不肖，是為功名所掩；亡國之主不聞賢，是為亂亡所掩。㊃天也，一本作天地，許釋引俞樾平議「地字衍文，遇時雨，天也，與上文遇湯武，天也，遇桀紂，天也一律。」俞說是，尹校刪。

【今譯】大凡治亂、存亡、安危、強弱，必有所遇合然後可成，各一則不合。所以桀紂雖然不肖，可是他們的滅亡，是由於遇到湯武，遇到湯武是天意，並非因為桀紂的不肖。湯武雖然賢能，可是他們的王天下，是由於遇到桀紂，遇到桀紂是天意，並非因為湯武的賢能。假使桀紂不遇湯武，未必滅亡，桀紂不亡，雖然不肖，恥辱未至於此。假使湯武不遇桀紂，未必能成王業，湯武不王，雖然賢能，顯榮未至於此。所以人主有大功則不聞不肖，亡國之主不聞賢能，譬如良農辨土地之宜，謹耕耨之事，未必就有收成，然而收成的必定是他為先，祇要一遇時雨；遇時雨是天意，不是良農所能做到的。

越國大饑，王恐㊀，召范蠡而謀。范蠡曰：「王何患焉？今之饑，此越之福而吳之禍也。夫吳國甚富，而財有餘，其王年少，智寡才輕，好須臾之名，不思後患㊁。王若重幣卑辭以請糴於吳，則食可得也，食得，其卒、越必有吳，而王何患焉？」越王曰：「善。」乃使人請食於吳，吳王將與之，伍子胥進諫曰：「不可與也。夫吳之與越，接土鄰境，道易人通，仇讎敵戰之國也，非吳喪越，越必喪吳。若燕秦齊晉，山處陸居，豈能踰五湖九江越十七阨以有吳哉？故曰非吳喪越，越必喪吳。今將輸之粟，與之食，是長吾讎而養吾仇也，財匱而民恐，悔無及也。不若勿與而攻之，固其數也，此昔吾先王之所以霸㊂。且夫饑、代事也，猶淵之與阪，誰國無有？」吳王曰：「不然，吾聞之，義兵不攻服，仁者食饑餓，今服而攻之，非義兵也，饑而不食，非仁體也㊃。不仁不義，雖得十越，吾不為也。」遂與之食。不出三年而吳亦饑，使人請食於越，越王弗與，乃攻之，夫差為禽。

【今註】㊀王是越王句踐，其時兵敗於吳，困於會稽。㊁其王是吳王夫差，好須臾之名，不思後患，是他的最大缺點，黃池爭長便是如此。㊂先王是吳王闔閭，周敬王十四年（西元前五〇六）敗楚入郢，稱霸諸侯。後十年，越王句踐敗吳於檇李，闔閭受傷卒。後二年，夫差為父復仇，敗越於夫椒，句踐逃入會稽。後二十年，越滅吳，夫差自殺，范蠡去越。㊃夫差所言是宋襄公之仁。先總統蔣公說：「這個仁字，卻不能推及到敵人的身上去用。比如宋襄公與楚人大戰於泓，開始宋襄公就不願在敵人完成渡河以前，去襲擊敵人，其後還是不願於敵人渡河之後，尚未列成陣勢以前，去襲擊敵人，而且還說『君子不重傷，不擒二毛』，結果他自然只有『眾敗身傷，為天下笑』了。所以仁字不是對敵人講的，如對敵人講仁，就是對自己不仁，亦就成為殘忍了。所以孫子說：『兵者詭道也』，兵家對於敵人是無所謂仁的，而且兵不厭詐，那還有什麼仁可言呢？」（孫子兵法與古代作戰原則以及今日戰爭藝術化的意義之闡明）

【今譯】 越國大饑，越王句踐憂恐，叫范蠡來商量。范蠡說：「大王何必怕呢？現在的饑荒正是越國的幸運，而吳國的禍害呀！吳國很富有，財物有餘，其王年輕智少才疏，喜好一時的名譽，不會計慮以後的禍患。大王如果卑辭厚禮向吳國請糴，糧食就可得到了。糧食既得，最後越必勝吳，大王有什麼可怕呢？」越王說：「很好。」於是使人向吳國請求糧食，吳王就答應供給。伍子胥阻止說：「不可以給。我們吳國與越國，土地連接，交通便利，乃是仇讎敵戰的國家，不是吳亡越，越必亡吳。至於燕秦齊晉山處陸居，距離遙遠，豈能踰越五湖、九江、十七阨塞來攻佔吳國嗎？所以說，非吳亡越，越必亡吳。現在再輸送糧食，這等於助長敵國而養成仇人，我們的財物匱乏，而百姓恐懼，到了那個時候，將要後悔不及。不如不要給它，便趁這個機會去攻伐，實在是天數呀！這就是我們先王的所以稱霸。而且饑荒是常事，猶如淵澤山陂，那個國家沒有呢？」吳王說：「不行！我聽說，義兵不攻已服之國，仁者救濟饑餓之人，現在越國已服而攻伐之，這不是義兵，越民饑餓而不予救濟，這不是仁政。不仁不義，雖得十個越國，我不能這樣做呀！」於是就把糧食供給越國。不出三年，吳國亦饑，使人向越國請糴糧食，越王不答應，就出兵攻吳國，吳王夫差為越軍所擒。

楚王欲取息與蔡㈠，乃先佯善蔡侯，而與之謀曰：「吾欲得息，奈何？」蔡侯曰：「息夫人、吾妻之姨也㈡，吾請為饗息侯與其妻者，而與王俱，因而襲之。」楚王曰：「諾。」於是與蔡侯以饗禮入於息。因與俱，遂取息。旋舍於蔡，又取蔡。

【今註】㈠楚王是楚文王，取息與蔡是在周貞定王二十二年（西元前四四七），高注「不帶師徒而得之曰取，傳曰，易也。」㈡蔡侯高注為昭侯，畢校為哀侯。

【今譯】楚王要占取息國與蔡國，乃先故意同蔡侯表示友善，和他商量說：「我要得到息國，怎麼辦？」蔡侯說：「息夫人是我太太的姨妹，我可以為王宴請息侯和息夫人，而與王同去，因而襲取息國。」楚王說：「好吧！」於是把酒食禮品給蔡侯帶到息國去，因與同行，遂取息國。回來時在蔡國停留，又取了蔡國。

趙簡子病，召太子而告之曰：「我死已葬，服衰而上夏屋之山以望㈠。」太子敬諾。簡子死，已葬，服衰召大臣而告之曰：「願登夏屋以望。」大臣皆諫曰：「登夏屋以望，是游也，服衰以游，不可。」襄子曰：「此先君之命也，寡人弗敢廢。」

羣臣敬諾。襄子上於夏屋以望代俗，其樂甚美，於是襄子曰：「先君必以此教之也。」及歸，慮所以取代，乃先善之，代君好色，請以其弟姊妻之㊁，代君許諾。弟姊已往，所以善代者乃萬故。馬郡宜馬，代君以善馬奉襄子㊂。襄子謁於代君，而請觴之馬郡盡㊃，先令舞者置兵其羽中數百乂，先具大金斗㊄。代君至，酒酣，反斗而擊之，一成腦塗地，舞者操兵以鬭，盡殺其從者。因以代君之車迎其妻，其妻遙聞之狀，磨笄以自刺，故趙氏至今有刺笄之證㊅與反斗之號。此三君者，其有所自而得之，不備遵理，然而後世稱之，有功故也，有功於此而無其失，雖王可也。

【今註】㊀趙簡子是晉大夫趙鞅，太子是趙襄子無恤。服衰是穿著衰絰的喪服，在朞年之內。夏屋山是代國的南山，代國在今山西廣靈縣西，趙襄子滅代是在周貞定王十二年（西元前四五七）。㊁弟姊（姊），畢校謂「弟姊二字不當連文，據趙世家，襄子之姊前為代王夫人，是弟字衍。」許釋引王念孫說亦同。㊂代產良馬，故稱代為馬郡。㊃馬郡盡，高注畢校及許釋所引各說均未妥。按文句當為「而請觴之馬郡盡」，蓋言在馬郡的邊境觴飲，而不是在代君的宮裏，故下文謂「因以代君之車迎其妻，其妻遙聞之狀」，所謂遙聞，可知相距甚遠。戰國策燕策、張儀為秦破縱連衡，謂燕王曰：「大王之所親莫如趙，昔趙王以其姊為代王妻，欲幷代，約與代王遇於句注之塞。乃令工人作為金斗，長其尾，令之可以擊人，……至今有摩笄之山。」張儀所說的句注之塞即今雁門山，在山西北部，正是馬郡盡處的塞北，形勢雄險，自古為戍守重地。㊄大金斗是盛酒用的，重大可以殺人。㊅刺笄之證、許釋謂即張儀所說的摩笄之山。笄（ㄐ一）是古時女子插髮的簪，磨之使其銳利，用以自刺而死。

【今譯】　趙簡子病，召見太子而告訴他說：「我死後葬事完畢，你便可服衰絰往夏屋山登高一望。」太子敬諾。簡子死，葬禮既畢，襄子衰絰召見大臣而告訴他們說：「希望登夏屋山去眺望。」大臣都諫阻說：「登夏屋山眺望是遊玩的事，衰絰去遊玩，更是不合禮的。」襄子說：「這是先君的遺囑，我不敢不遵。」羣臣敬諾。襄子登夏屋山遙望代國土地，景色甚美，於是襄子說：「先君必定以此指示呀！」回來後即考慮取代的計畫，要先從友善入手。代君好色，就請以其姊嫁給代君，代君同意。其姊既去代，凡可以討好代國的事不計其數；代郡產馬，代君乃以良馬奉答襄子。襄子去謁見代君，請會飲於馬郡盡處的邊塞，先令舞者數百人置兵器於羽中，又準備盛酒用的大金斗，代君到了，在樂舞酣飲的時候，反斗擊代君，一下而腦汁塗地，舞者都取出兵器作鬥，盡殺代君的從者。襄子因以代君的車子迎接其妻，其妻遙聞此事，磨笄以自刺，所以趙氏至今尚有刺笄之證與反斗之號。

此三君者各有其達到目的的手段，不完全遵循常理，然而後世都稱許他們是成功的。有功於此，如無其他缺失，雖王天下亦無不可。

六曰慎人

【今註】本篇是儒家人定勝天之說，天人之際，雖至為微妙，天道雖高遠而不可測，然恃自強不息的精神，用專一精誠的毅力，則人定可以勝天。荀子天論謂「天行有常，不為堯存，不為桀亡，應之以治則吉，應之以亂則凶。強本而節用，則天不能貧；養備而動時，則天不能病；脩道而不貳，則天不能禍。」即申明此意。故本篇開首便說：「功名大立，天也；為是故，因不慎其人，不可。」以下引述舜、禹、百里奚的功名大立，皆因為脩身積善而遇時所致，至孔子則雖不遇其時，而脩身積善不改其樂。故曰「古之得道者窮亦樂，達亦樂，所樂非窮達也，道得於此，則窮達一也。」

功名大立，天也；為是故，因不慎其人，不可㊀。夫舜遇堯，天也，舜耕於歷山，陶於河濱，釣於雷澤，天下說之，秀士從之，人也。夫禹遇舜，天也；禹周於天下以求賢者，事利黔首，水潦川澤之湛滯壅塞可通者，禹盡為之，人也。夫湯遇桀，武遇紂，天也；湯武修身積善為義，以憂苦於民，人也。

【今註】㈠高注「推之於天，不復慎其為人，修仁義，故曰不可也。」這是「君子修己以俟天命」，乃所以矯正宿命論者之弊。康誥「惟命不於常，道善則得之，不善則失之矣。」此言能順天應人者可得之。

【今譯】功名大立是天命；但因此而聽命於天，不復慎其為人，則不可。舜遇堯，是天命，可是舜耕於歷山，陶於河濱，釣於雷澤，天下人民皆心悅誠服，賢士皆樂意相從，這是舜的為人。禹遇舜，是天命；可是禹周行天下以求賢者，所做事皆有利於百姓，水潦川澤的沈滯壅塞者，禹盡使之可通，這是禹的為人。湯遇桀，武王遇紂，也都是天命；可是湯武都能脩身積善為義，為救民而憂勞，這是他們的為人。

舜之耕漁，其賢不肖與為天子同㈠。其未遇時也，以其徒屬堀地財，取水利㈡，編蒲葦，結罘網，手足胼胝不居，然後免於凍餒之患。其遇時也，登為天子，賢士歸之，萬民譽之，丈夫女子振振殷殷，無不戴說㈢。舜自為詩曰：「普天之下，莫非王土，率土之濱，莫非王臣。」所以見盡有之也㈣。盡有之，賢非加也，盡無之，賢非損也，時使然也。

【今註】㈠此段再申述舜的未遇時與遇時，疑是首時篇文。㈡地財，高注「五穀」，堀，畢校當作掘。㊂振振殷殷，高注「眾友之盛」，猶言熙熙攘攘。㊃畢校「王伯厚云，疑與咸邱蒙同一說而託之於舜。」許釋引梁履繩校說「韓子忠孝篇言舜放父殺弟，引此詩，蓋戰國時人議論如是，此云舜自為詩，疑有譌舛。」又翟灝四書考異「古人詩每不嫌彼此承襲，普天四語，舜曾賦之，北山詩人述用之，亦事理所應有矣。」按此正如崔述考信錄所謂「此皆後人追美舜德之詞，不必實有此事。」

【今譯】舜在耕漁時，其賢不肖與為天子時相同。當他未遇時，同他的徒屬掘地財，取水利，編蒲葦，結罘網，手足胼胝日夜不休，然後才能免於凍餒之患。及其遇時，貴為天子，賢士歸順他，萬民稱譽他，男女老幼，熙熙攘攘，無不心悅誠服的擁戴他。舜自己作詩說：「普天之下，莫非王土，率土之濱，莫非王臣。」這就表示統有了一切。統有了一切，他的賢能並沒有增加；一切統沒有，他的賢能亦並沒有減少，這是由於時機使他如此。

百里奚之未遇時也，亡虢而虜晉㊀，飯牛於秦，傳鬻以五羊之皮，公孫枝得而說之，獻諸繆公，三日請屬事焉㊁。繆公曰：「買之五羊之皮而屬事焉，無乃天下笑乎？」公孫枝對曰：「信賢而任之，君之明也；讓賢而下之，臣之忠也。君為明君，臣為忠臣，彼信賢，境內將服，敵國且畏，夫誰暇笑哉？」繆公遂用之，謀無不當，舉必有功，非加賢也。使百里奚雖賢，無得繆公，必無此名矣。今焉知世之無百里奚哉？故人主之欲求士者，不可不務博也。

【今註】㈠高注謂虢當為虞。百里奚虞臣也，……孟子曰，百里奚虞人也，晉人以垂棘之璧與屈產之乘假道於虞以伐虢，宮之奇諫之，百里奚知虞公之不可諫也，而去之秦。此云亡虢，誤矣。」按處方篇「故百里奚處乎虞而虞亡，處乎秦而秦霸」此言亡虢蓋謂其不諫虞公而使虢亡。㈡相傳百里奚初為晉虜，公孫枝知其賢，以五羊之皮買之歸秦，所以後來稱為五羖大夫。公孫枝是秦大夫子桑，請繆公以其大夫職事屬付百里奚，故下文謂讓賢而下之，臣之忠也。

【今譯】百里奚的未遇時，虢虞亡而為晉所虜，逃到秦國去養牛，相傳秦大夫公孫枝喜其賢能，以五羊之皮贖之，進獻於秦繆公，過了三天，請繆公把自己的大夫職事屬付給百里奚。繆公說：「以五羊之皮贖來而付以大夫職事，不會見笑於天下嗎？」公孫枝對答說：「信其賢能而任用之，這是為君的英明；讓位於賢而願為之下，這是為臣的忠心。君是明君，臣是忠臣，要是他真的賢能，那麼國人將會心服，敵國且將畏懼，誰還有時間來取笑呢？」繆公遂即信用百里奚，所謀慮的無不得當，所舉辦的必有功效，其實百里奚的賢能並沒有增加。他雖賢能，假使不遇繆公，必無從成名了。現在那裏知道世上沒有百里奚呢？所以人主要求得賢士，不可不多方物色呀。

孔子窮於陳蔡之閒，七日不嘗食，藜羹不糝，宰予備矣㈠，孔子弦歌於室，顏回擇菜於外，子路與子貢相與而言曰：「夫子逐於魯，削迹於衞，伐樹於宋㈡，窮於陳蔡，殺夫子者無罪，藉夫子者不禁，夫子弦歌鼓舞未嘗絕音，蓋君子之無所醜也若此乎？」顏回無以對，入以告孔子。孔子憱然推琴、喟然而歎曰：「由與賜小人也㈢，召，吾語之。」子路與子貢入，子貢曰：「如此者可謂窮矣。」孔子曰：「是何言也？君子達於道之謂達，窮於道之謂窮，今丘也拘仁義之道，以遭亂世之患，其所也，何窮之謂？故內省而不疚於道，臨難而不失而德，大寒既至，霜雪既降，吾是以知松柏之茂也㈣。昔桓公得之莒，文公得之曹，越王得之會稽㈤，陳蔡之阨，於丘其幸乎？」孔子烈然返瑟而弦，子路抗然執干而舞㈥，子貢曰：「吾不知天之高也，不知地之下也㈦。」古之得道者，窮亦樂，達亦樂，所樂非窮達也，道得於此，則窮達一也，為寒暑風雨之序矣，故許由虞乎潁陽㈧，而共伯得乎共首㈨。

【今註】 ㈠論語衞靈公篇：衞靈公問陳於孔子，孔子對曰：「俎豆之事，則嘗聞之矣，軍旅之事，未之學也。」明日遂行，在陳絕糧，從者病，莫能興。子路慍見曰：「君子亦有窮乎？」子曰：「君子固窮，小人窮斯濫矣。」這是魯哀公元年（西元前四九六）事，因吳侵陳的戰亂而絕糧。糝（ㄙㄢ）米粒，此謂用野菜藜藿作羹而沒有米粒。備當作憊，是疲極。㈡孔子為魯司寇，向定公建議墮三都，為三桓所忌，齊人致女樂，膰肉不至，孔子因而去魯往衞，故曰逐於魯。此後周游列國十四年，經常在衞，兩次適宋。在衞，居於子路妻兄顏濁鄒家，故曰削迹。伐樹於宋是指孔子過宋時，與諸弟子習禮大樹下，宋司馬桓魋欲殺孔子，拔其樹。子曰：「天生德於予，桓魋其如予何？」即為此而言。㈢慽然是變色之意，慽與蹙、戚、愀皆通。由是仲由子路，賜是端木賜子貢。㈣論語為「歲寒然後知松柏之後凋。」又曲阜縣志有孔子對子路說：「芝蘭生於深林，不以無人而不芳：君子修道立德，不以窮困而改節。為之者人也，生死者命也。」可補充本文所說。㈤桓公得之莒：齊襄公立，鮑叔牙以其使民慢，亂將作，奉公子小白出奔莒，管仲奉公子糾奔魯。及襄公被弒，公子小白自莒先返齊，立為桓公，用管仲為相，成霸業。事見贊能、察傳、貴卒、不廣各篇。文公得之曹：是說晉文公流亡時，過曹，曹不為禮，文公深受刺激，及即位遂伐曹，執曹伯。越王得之會稽：是說越王句踐敗於吳，困於會稽，臥薪嘗膽，終於滅吳。事見順民、長攻篇。㈥烈然返瑟，畢校謂莊子作削然反琴。按烈然是威盛意。抗然，畢校謂莊子作扢然。按抗然是剛直意。㈦高注「高下喻廣大也，言不能知孔子聖德之如天地。」論語「顏淵喟然歎曰，仰之彌高，鑽之彌堅，瞻之在前，忽焉在後。」㈧許由虞乎潁陽，事見求人篇。虞，娛也。高士傳謂許由遁耕於沛澤之中，堯又召為九州長，由不欲聞之，洗耳於潁水濱。今河南臨汝縣有洗耳河，考古家經發掘地下，證明許由虞乎潁陽為事實。㊈共伯得乎共首，高注「共、國、伯、爵也，棄其國，隱於共首山，而得其志也。不知出何書。」畢校「梁伯子云：共伯值厲王之難，攝政十四年，乃率諸侯會二相而立宣王，共伯歸共國。得乎共首所謂逍遙得志乎共山之首云爾，安得有棄國隱山之事。開春論注，又以共伯為夏時諸侯，大誤。」許釋引左暄三餘偶筆「竹書紀年，厲王亡奔彘，共伯和攝行天子事，王陟於彘，周定公召穆公立太子靖為王，共伯和歸其國，逍遙得志於共山之首。……史記周本紀、周公召公二相行政，號曰共和，與紀年異，恐當以紀年為正。又莊子讓王篇，亦有共伯得乎共首之語。」

【今譯】孔子窮於陳蔡之間，七日不得食，藜藿作羹而沒有米粒，宰予餓得疲極了，孔子在室內彈琴作樂，顏回在外面採取野菜，子路和子貢對談說：「夫子被逐於魯，削迹於衞，伐樹於宋，現在又窮於陳蔡，殺夫子的沒有罪，辱夫子的不禁止，可是夫子弦歌鼓舞，未嘗絕音，難道修道立德的君子是這樣無所恥辱嗎？」顏回聽到無以對答，進去告訴孔子。孔子變色推開了琴，長歎一聲說：「由和賜真是小人，叫進來，我告訴他們。」子路和子貢進入室內，子貢便說：「到了這個地步，可以說是窮困了。」孔子說：「這是什麼話？君子能通達於道叫做達，不能通達於道才叫做窮。現在，我拘守仁義之道，因為遭遇亂世的禍患，所以如此，怎麼說是窮呢？祇要自問對於修道沒有慚愧，臨到患難便不會失德，大寒的氣候既到，霜雪下降，我們才可以知道松柏的茂盛；從前齊桓公的霸業得之於莒，晉文公的返國得之於曹，越王句踐的雪恥圖強得之於會稽，現在陳蔡的絕糧，對於我或者也是幸運吧！」孔子說罷，很威嚴的更取瑟來彈，子路也很抗直的執干而舞，子貢說：「我真不知道天是多高，不知道地是多深！」我們要知道古代得道之人窮亦樂，達亦樂，所樂不是窮達，祇要修身得道，那麼窮和達是同一的，有如寒暑風雨一樣依循自然之序而行罷了。所以許由娛樂於潁陽，而共伯逍遙得志於共山之巔。

七曰遇合

【今註】本篇是承接上篇闡釋所謂遇和不遇的意義，題名遇合，意謂遇必有合，時、地、人都是合的條件，一有不合，則雖修道立德，亦必待合而後行。全篇大概分為三項，其一是宜遇而不遇，如孔子的周流列國，終無所遇，就因為時勢不合，「此國之所以亂，世之所以衰也。」其次是不宜遇而遇，如敦洽讎糜的醜惡，偏得與陳侯遇合，終使陳國以亡。其三是偶然的遇合，如越王善吹籟之客，嫫母遇黃帝，文王嗜食菖蒲葅，以及海上逐臭之人，都是不合常理的。「君子不處幸，不為苟，」故曰「遇合也，無常說，適然也。」

凡遇，合也，時不合，必待合而後行㈠。故比翼之鳥死乎木，

比目之魚死乎海㈡。孔子周流海內，再干世主，如齊至衞，所見八十餘君，委質為弟子者三千人，達徒七十人。七十人者，萬乘之主得一人用可為師，不為無人，以此游，僅至於魯司寇㈢，此天子之所以時絕也，諸侯之所以大亂也。亂則愚者之多幸也，幸則必不勝其任矣，任久不勝，則幸反為禍，其幸大者其禍亦大，非禍獨及己也。故君子不處幸，不為苟，必審諸己然後任，任然後動。

【今註】㈠春秋繁露基義篇「凡物必有合。合必有上，必有下，必有左，必有右，必有前，必有後，必有表，必有裏；有美必有惡，有順必有逆，有喜必有怒，有寒必有暑，有晝必有夜，此皆其合也。」遇，合也，亦猶物必有合，如果時間不合，必待時合而後可行。㈡比翼鳥和比目魚必待合而後能飛能游，有時不得合，故或死於木，或死於海。尹校謂此二句與上下文無關，疑是他篇錯入，尹校非是。㈢此言孔子有聖德，又有賢弟子，而僅得為魯司寇，是因為時不合，不得其遇。再干二字尹校據陳昌齊說改為「稱於」，許釋引孫蜀丞呂氏春秋舉正「再猶更也，更干世主者歷干世主也。長門賦，懷鬱鬱其不可再更，李善注：更，歷也，是其證。」又梁玉繩校補「莊子天運言孔子干七十二君，史記淮南說苑諸書皆襲其說，此云八十餘君，其數且過之，豈不妄哉？論衡藝增曰，孔子所至不能十國，言七十餘君，非其實也。」

【今譯】 大凡遇是有所合，時勢不合，必須等到能合而後可行，所以比翼鳥因不得合而死於樹上，比目魚因不得合而死於海中。孔子周游列國，歷干世主，到了齊國，又往衞國，會見了八十多位國君，從學的弟子多至三千人，通達六藝的有七十人，這七十人的賢能，萬乘之主只要能得一人就可以為師，可以說不是沒有人材。以這樣的情形周流各國，結果僅得為魯國司寇，這就可知道其時天子的所以時絕，而諸侯的所以大亂。世亂道衰，愚不肖的反多得徼幸，徼幸的人必不能勝任，任久而不勝，則徼幸反為禍害，其徼幸大的，禍害亦大，非但禍及一身而已。所以君子不取徼幸，不為苟得，必定要審察自己的才德，然後任事，任事然後量力而為。

凡能聽說者，必達乎論議者也，世主之能識論議者寡，所遇惡得不苟㊀。凡能聽音者，必達於五聲，人之能知五聲者寡，所善惡得不苟。客有以吹籟見越王者，羽角宮徵商不繆，越王不善為野音，而反善之㊁。說之道亦有如此者也。人有為人妻者，人告其父母曰：「嫁不必生也，衣器之物可外藏之，以備不生。」其父母以為然，於是令其女常外藏，姑妐知之，曰：「為我婦而有外心，不可畜。」因出之。婦之父母以謂為己說者以為忠，終身善之，亦不知所以然矣㊂。宗廟之滅，天下之失，亦由此矣。故曰：遇、合也，無常說，適然也㊃。若人之於色也，無不知說美者，而美者未必遇也，故嫫母執乎黃帝。黃帝曰：「厲女德而弗忘，與女正而弗衰，雖惡奚傷？」若人之於滋味，無不說甘脃，而甘脃未必受也。文王嗜昌蒲葅，孔子聞而服之，縮頞而食之，三年然後勝之。人有大臭者，其親戚兄弟妻妾知識，無能與居者，自苦而居海上。海上人有說其臭者，晝夜隨之而弗能去。說亦有若此者。

【今註】㊀此段是從上文「不處幸，不為苟」的反面來發揮，因為世主能識論議（知言）的很少，自然難有真正的遇合。㊁籟是二孔或三孔的籥，越王不懂五聲，故反喜鄙野之音，此為不能聽的例證。㊂此為不能聽說者的例證，其父母不辨是非，反而認為為己說者為忠。「人有為人妻者，人告其父母」兩句中的三個人字是三個不同的人，第一個人字是指將出嫁的女子，第二個人字是指女子的丈夫，第三個人字是指向其父母說話的人。生是生子，古代婦女有七出，不生是七出之一，故曰以備不生。㊃舊本均以「遇合也無常，說適然也。」為句，今改正為「遇，合也，無常說，適然也。」鬼谷子謂「事有適然，物有成敗。」注「適然者有時而然也。」本文是說：遇是有所合，可是沒有正常的說法，有時是如此的。下文舉色味為例。

【今譯】　大凡能聽言的人，必定通達於所論議的事理，可是世主真能通達事理的很少，其所遇安得不苟。有如能聽音樂的人，必定通達五聲，可是世人真能瞭解五聲的很少，其對音樂的善惡安得不苟。有吹籟的人來見越王，羽角宮徵商五音都不錯，越王本不喜愛鄙野之音，而反喜歡吹籟的人。說話的道理亦有如此。一個女子將要嫁人為妻，有人告訴她父母說：「嫁人不一定會生孩子，衣飾器物可取出外藏，以準備無子被出。」其父母認為有理，於是叫他們的女兒常把衣物外藏，她的姑妐知道了，於是說：「做我們的媳婦而有異心，不可留。」因此離了她。她的父母始終認為對自己說話的人是忠心的，一直對他友善，亦不知其女所以見離的原因了。一個國家宗廟的滅亡，土地的喪失，亦有如此不合理的情形。所以說：遇是有所合，沒有正常的道理，有時是偶然的呀！好像人們對於女色，沒有不喜悅美貌的，可是美貌的未必遇合，而嫫母卻得合於黃帝，黃帝說：「飭女以婦德而不忘失，付女以內政而不衰疏，雖然醜惡有什麼傷害呢？」又好像人們對於滋味，沒有不喜悅甘脆的，可是甘脃未必為人人所接受，文王嗜食菖蒲菹，孔子知道了也要吃，蹙著鼻梁來嘗試，如此者三年纔能服食。有身患大臭的人，他的親戚、兄弟、妻妾、朋友都不能和他相處，他很覺得苦惱，不得已住到海濱去，可是海濱卻有人喜歡他的臭氣，晝夜跟著他而不肯離去。說話亦有這樣的，有些不合情理的話，反而有人愛聽。

陳有惡人焉，曰敦洽讎糜，椎顙廣顏，色如漆赭，垂眼臨鼻，長肘而盭㊀，陳侯見而甚說之，外使治其國，內使制其身。楚合諸侯，陳侯病不能往，使敦洽讎糜往謝焉。楚王怪其名而先見之，客有進，狀有惡其名，言有惡狀㊁。楚王怒，合大夫而告之曰：「陳侯不知其不可使，是不知也，知而使之，是侮也，侮且不智，不可不攻也。」興師伐陳，三月然後喪㊂。惡足以駭人，言足以喪國，而友之足於陳侯而無上也，至於亡而友不衰。夫不宜遇而遇者，則必廢㊃。宜遇而不遇者，此國之所以亂，世之所以衰也。天下之民其苦愁勞務從此生。凡舉人之本，太上以志，其次以事，其次以功，三者弗能，國必殘亡。羣孽大至，身必死殃，年得至七十九十猶尚幸。賢聖之後，反而孽民，是以賊其身，豈能獨哉㊄？

【今註】㊀椎顙是兩頰顴骨高大，形如木槌。漆赭是深赤色。垂眼是眼睛下垂。臨鼻是大鼻，易序卦傳「臨者大也。」盭（ㄌㄧˋ）即戾字，是偏曲之意。㊁許釋引俞樾平議「呂氏原文本云，『客進，狀有惡，其言有惡。』兩有字均讀為又，狀又惡，其言又惡，即下文所謂惡足以駭人，言足以喪國也。因多衍字，遂不可讀。」尹校引譚戒甫校呂遺誼「有字衍，句末脫其字，蓋謂狀又惡於其名，言又惡於其狀也。」尹校據改為「客進，狀有惡其名，言有惡其狀。」按似可依譚說，於下句增其字。㊂楚滅陳是在周敬王四十二年（魯哀十七年，西元前四七八），楚白公之亂，陳人恃其聚而侵楚，楚既安，使公孫朝帥師滅陳。本文陳侯是陳湣公。㊃王念孫校本謂「不宜遇而遇者上當有友字，則必廢三字連下六字為一句，高注非。」尹校據改。按王說是。㊄高注「陳，舜之苗胤也，故曰賢聖之後也。孽，病也。所遇不當，為楚所滅，以殘其身也，並病其民，故曰豈能獨哉？」

【今譯】　陳國有個狀貌醜惡的人，名叫敦洽讎糜，顴高額闊，面色深赤，垂眼大鼻，長肘而偏曲，陳侯看見而很喜悅他，外使治其國，內使制其身。楚國會合諸侯，陳侯因病不能去參加，使敦洽讎糜往致謝意。楚王奇怪其名要首先見他，客有進言：其人狀貌又比姓名醜惡，說話又比狀貌醜惡。楚王很生氣，會合諸大夫告訴他們說：「陳侯不知道他不可為使臣，這是不智，知道他不可為使臣而使之來，這是有意侮辱，侮辱而且不智，不可不討伐。」遂即起兵伐陳，過了三個月然後滅陳。敦洽讎糜的醜惡足以駭人，言語足以亡國，可是友於陳侯無有出其上者，直至於亡國而友愛不衰。友愛不宜遇而遇的人，則必廢棄宜遇而不遇的人，這可知國家的所以亂，世事的所以衰，天下人民的愁苦勞累，都從此發生。大凡用人的標準，太上以德，其次以事，其次以功，三者都不能做到，國家必定殘亡，本身必定死殃，能夠活到七十、九十的乃是大幸。陳是賢聖的後裔，反而害民，是以殃及其身，豈能徼幸獨免嗎？

八曰必己

【今註】本篇一作本知，一作不遇，而以必己為妥，因為全篇事例，都證明處世之難必，所以開宗明義，就說外物不可必。外物不可必，所以必求之在己，不必求之於人，結語謂「必在己，無不遇矣。」正如慎人篇所謂「古之得道者窮亦樂，達亦樂，所樂非窮達也，道得於此，則窮達一也。」這就是必己的旨意，也就是儒家自反自省，自強不息的修身之道。

外物不可必，故龍逄誅，比干戮，箕子狂，惡來死，桀紂亡㊀。人主莫不欲其臣之忠，而忠未必信，故伍員流乎江，萇宏死，藏其血，三年而為碧㊁。親莫不欲其子之孝，而孝未必愛，故孝己疑，曾子悲㊂。

【今註】㊀關龍逄是夏桀的賢臣，夏桀無道，龍逄引黃圖以諫，桀怒而殺之。（見慎大篇）比干是商紂的庶父，諫紂，紂剖視其心。（見過理篇）箕子是紂的庶父，見紂無道而佯狂。惡來是助紂為虐的奸臣，後為周武王所殺。桀紂殺害忠良，終亦滅亡。故曰外物不可必。㊁伍員即伍子胥，諫吳王夫差不要與越糧食（見長攻篇），吳王不從其言，賜子胥死，以鴟夷裝子胥屍而投於江中。萇宏是周敬王大夫，為敬王所殺，不當其罪，相傳宏死流血成碧，不見其尸。㊂孝己是殷武丁之子，孝而見疑，卒於野。曾子至孝，見疑於其父（見孝行覽），故自悲。

【今譯】 身外之物不可必，所以龍逄誅，比干戮，箕子狂，惡來死，而桀紂亡。人主沒有不希望臣下忠心，可是真正忠心的未必信用，所以伍子胥投於江中，萇宏死，藏其血，三年而成碧。父母沒有不希望兒子孝順，可是真正孝順的未必愛惜，所以孝己見疑，曾子自悲。

莊子行於山中，見木甚美長大，枝葉盛茂，伐木者止其旁而弗取，問其故，曰：「無所可用。」莊子曰：「此以不材得終其天年矣。」出於山，及邑舍故人之家，故人喜，具酒肉，令豎子為殺鴈饗之，豎子請曰：「其一鴈能鳴，一鴈不能鳴，請奚殺？」主人之公曰：「殺其不能鳴者」。明日，弟子問於莊子曰：「昔者山中之木，以不材得終天年，主人之鴈以不材死，先生將何以處？」莊子笑曰：「周將處於材不材之間㊀。」材不材之間，似之而非也，故未免乎累。若夫道德則不然㊁，無訝無訾，一龍一蛇，與時俱化，而無肎專為，一上一下，以禾為量㊂，而浮游乎萬物之祖，物物而不物於物，則胡可得而累㊃，此神農黃帝之所法。若夫萬物之情、人倫之傳則不然，成則毀，大則衰，廉則剉，尊則虧，直則骫，合則離，愛則隳，多智則謀，不肖則欺，胡可得而必㊄？」

【今註】㊀此段與莊子山林篇所載相同。莊子的人生觀要為達生，其術在於棄世。達生篇謂「棄世則無累」，所謂棄世是不以世事累其心，直道而行，不為形役。所說「周將處於材不材之間」實非莊子談人生的本義，所以接著便說：「材不材之間，似之而非也，故未免乎累。」㊁山木篇作「若夫乘道德而浮游則不然，無譽無訾……」超於人世利害得失之外，故乘道德而浮游，因自然而無累，故無譽無訾。㊂高注「禾三變，故以禾為法也。一曰禾中和。」畢校「禾三變謂始於粟，生於苗，成於穗也，見淮南子繆稱篇注。」按山木篇禾作和，謂一上一下，以中和為度，義較明。㊃人能棄世無累，自我為主，居於物先，則能總御眾有，不失律令，也就是物物而不物於物，超於人世利害得失之外。㊄物理人倫，拘牽於合、離、成、毀，輾轉於曲、直、盈、虧，賢不肖交亂，其得失之數，視游於道德之鄉，穆然而遠行者，胡可得而必？廉是利，剉（ㄘㄨㄛˋ）是缺，尊是高，高位疾顛故有虧。骫（ㄨㄟˇ）是曲，說文「从丸」作骩古委字，曲也。

【今譯】莊子走過山中，看見一棵樹很美，高而大，枝葉茂盛，伐木的人在樹旁休息而弗伐取，問他為什麼？他說：「沒有可用之處。」莊子說：「這是因為不材而得終其天年了。」下山到了城邑，在老友家中休息，老友很高興，準備酒食款待，叫小孩子殺雁來下酒，小孩子請示說：「一雁能鳴，一雁不能鳴，請問殺那一隻？」主人的長輩說：「殺掉那不能鳴的。」第二天，弟子問莊子說：「前天山中之木因為不材得終天年，主人的雁卻因為不材而殺死，先生對此將如何處置呢？」莊子笑著說：「周將處於材不材之間。不過材不材之間，似之而非，仍不免於累。至於道德就不會這樣，無譽無訾，一龍一蛇，與時俱化，而不專於一，一上一下，以中和為度，而浮游於萬物之先，役物而不役於物，那還有什麼可累呢？這就是神農黃帝的法則。至於物理人倫，便不是這樣，有成則有毀，有盛則有衰，有利則有缺，有盈則有虧，有直則有曲，有合則有離，有愛則有廢，多智則人謀之，不肖則人欺之，何可得而必然。」

牛缺居上地，大儒也，下之邯鄲，遇盜於耦沙之中㊀，盜求其橐中之載，則與之，求其車馬，則與之，求其衣被，則與之。牛缺出而去。盜相謂曰：「此天下之顯人也，今辱之如此，此必愬我於萬乘之主，萬乘之主必以國誅我，我必不生，不若相與追而殺之，以滅其跡。」於是相與趨之，行三十里，及而殺之。此以知故也㊁。孟賁過於河，先其五，船人怒而以楫虓其頭㊂，顧不知其孟賁也。中河，孟賁瞋目而視船人，髮植、目裂、鬢指，舟中之人盡揚播入於河。使船人知其孟賁，弗敢直視，涉無先者，又況於辱之乎？此以不知故也。知與不知皆不足恃，其惟和調近之；猶未可必，蓋有不辨和調者，則和調有不免也㊃。宋桓司馬有寶珠，抵罪出亡，王使人問珠之所在，曰：「投之池中㊄。」於是竭池而求之無得，魚死焉，此言禍福之相及也。紂為不善於商，而禍充天地，和調何益㊅？

【今註】㊀牛缺是秦人，秦地高，故曰居上地而下之邯鄲。耦沙是耦水的淤沙地。㊁此以知故也，高注「盜知牛缺為賢人也。」畢校「盧云，知與不知，注皆不得本意。當云，牛缺使盜知其為賢人故也；下注當云，孟賁不使船人知其為勇士故也。此則與上文一意相承，所謂如此如彼，皆不可必也。」按高注盧說皆未妥，知與不知，正文已有說明，此注當為盜知牛缺為天下之顯人故也；下注當為船人不知其為孟賁故也。知與不知和上文的材與不材，都是不可必的外物。㊂先其五，畢校「章懷注後漢書鄭太傳引孟賁過河，先於其伍，古伍字作五。」高注「先其五，超越次第也。虓，暴辱。」許釋引馬敘倫讀呂記「說文虓，虎鳴也，此借為敲，說文曰，敲，擊頭也。」按虓（ㄒㄧㄠ）是虎怒叫，是船人以楫指其頭而怒罵，並非敲擊也。㊃畢校「盧云，此二句頗似注中語，誤入正文。」尹校據刪。㊄桓司馬桓魋（ㄊㄨㄟˊ），左傳魯哀十四年，桓魋有寵於宋景公，欲害公，公知之，攻桓魋，魋出奔衞。其時宋未僭稱王，此言王使人，當係作者之誤。㊅此即成語「殃及池魚」的本事。又高注「和調、善之者也，紂不能行之，故曰何益也。」畢校「盧云，此注又錯說，本意謂當紂之時，善人亦不得免焉，如魚之安處於池，而適遭求珠之害，故曰和調何益。終篇皆言處世之難必耳。」按盧說是。

【今譯】　牛缺是居於上地的大儒，要下來到邯鄲去，在耦水沙灘中遇上強盜；強盜要他旅行袋中的東西，就給，要他的車馬，就給，要他的衣服，也就給。牛缺於是離開耦沙而去。強盜相談說：「他是天下的名人，現在我們這樣侮辱他，他必定會把我們的事告愬於萬乘之主，萬乘之主必定依國法來誅殺我們，我們就沒命了。不如追去殺了他，以滅其蹤跡。」於是一起去追逐，走了三十里才追及，就殺了他。這是因為強盜知道牛缺是天下的名人之故。孟賁渡河，搶先上船，船人怒其不守秩序，用木槳指向其頭而高聲喝止，實在不知道他是孟賁。船到了中流，孟賁怒瞪著眼來看船人，鬢髮直豎而目眥破裂，船中的人都嚇得動亂奔散，跌落水中。假使船人知道他是孟賁，亦不敢正視，也不會有人敢於爭先上船，那裏還會侮辱他呢？這是因為船人不知道他是孟賁的緣故。知與不知都不可靠，那就祇有和調或可免禍，還是未可必然，因為世上有不辨別和調的人，那麼和調亦有不能免禍的。宋桓司馬有寶珠，畏罪出亡，宋公使人問他珠在何處，他說：「投到池中去了。」於是盡去池水而求珠，沒有找到，而池中的魚卻因而死了，這是說受禍害的相連累。商紂無道於朝廷，而禍患充滿天地，和調又有什麼益處呢？

張毅好恭，門閭帷薄，聚居眾無不趨，輿隸姻媾小童無不敬，以定其身，不終其壽，內熱而死㊀。單豹好術，離俗棄塵，不食穀實，不衣芮溫㊁，身處山林巖堀，以全其生，不盡其年，而虎食之。孔子行道而息，馬逸食人之稼，野人取其馬。子貢請往說之，畢辭，野人不聽。有鄙人始事孔子者，曰請往說之，因謂野人曰：「子不耕於東海，吾不耕於西海也㊂，吾馬何得不食子之禾？」其野人大說，相謂曰：「說亦皆如此其辯也，獨如嚮之人㊃。」解馬而與之。說如此其無方也而猶行，外物豈可必哉？君子之自行也，敬人而不必見敬，愛人而不必見愛，敬愛人者己也，見敬愛者人也，君子必在己者，不必在人者也。必在己，無不遇矣㊄。

【今註】㊀恭是恭敬，在貌為恭，在心為敬。張毅外表過恭而內心緊張，故內熱而死。㊁芮溫，高注「芮，絮也」。許釋引俞樾平議「高注不解溫字，殆即以本字讀之，非也。溫讀為縕（ㄩㄣ），禮記玉藻篇，縕為袍，鄭注曰：縕謂今纊及舊絮也。是芮溫義同。」又高注引幽通記謂「張毅修襮而內偪，單豹治裏而外凋」，是其意謂修襮治裏都不可必。㊂畢校謂「選注引作子耕東海至於西海，與淮南人間訓同。」許釋引俞樾平議「吾不二字衍文也，子不耕於東流，耕於西海也，此也字讀為邪，古字通用。言東海西海，皆非子所耕邪？吾馬何得不食子之禾乎？」尹校據改為「子不耕於東海至於西海也，吾馬何得不食子之禾？」㊃高注「獨猶孰也。嚮之人謂子貢也。」㊄孟子說：「愛人不親反其仁，治人不治反其智，禮人不答反其敬，行有不得者皆反求諸己，其身正而天下歸之。」就是此意。

【今譯】張毅好恭，門上的帷帳很薄，鄰居經過門前必定很快的走，不論車夫奴隸親戚小童沒有不表示敬意，使他能得到安定，可是他不終其壽，因為內熱病死了。單豹好道術，脫離塵俗，不食穀實，不穿綿衣，住在山林巖窟中，以求長生可是他不得長命，不幸給老虎吃了。孔子在途中休息，所用的馬跑失了，吃了人家的稻禾，當地的野人拉去了馬。子貢去向野人解說，野人不理。有鄙人曾經服事過孔子，自願去說，他對野人說：「你們不是耕於東海至於西海嗎？我們的馬怎能不吃你的稻禾呢？」野人聽了很高興，說：「說話也都這樣的辯博嗎？那裏像以前那個人？」就解馬給他。說話這樣的不合理，而獨有效，外物那裏可必呢？君子修己以敬，敬人而不必見敬，愛人而不必見愛，敬愛他人是自己的事，見敬愛是他人的事。君子必求之在己，不必求之他人，必求之在己，便沒有不遇了。